D0785577
ZŁOWROGA
CISZA

ANNE STUART

ZŁOWROGA CISZA

Przełożyła:
Klaryssa Słowiczanka

Tytuł oryginału:
Still Lake

Pierwsze wydanie:
MIRA Books, 2002

Redaktor prowadzący:
Mira Weber

Korekta:
Mira Weber

Wydanie niniejsze zostało opublikowane w porozumieniu z Harlequin Enterprises II B.V.

Arlekin – Wydawnictwo Harlequin Enterprises sp. z o.o.
00-975 Warszawa, ul. Rakowiecka 4

Skład i łamanie: COMPTEXT®, Warszawa
Printed in Spain by Litografia Roses, Barcelona

ISBN 978-83-238-1748-2

PROLOG

Lato 1982
Colby, Vermont

Otworzył oczy i zobaczył, że ma krew na rękach. Leżał nagi i spocony w skotłowanej pościeli. Czuł żelazisty posmak w ustach, jego zakrwawione ręce drżały mocno.

Siadł na łóżku, zaklął, odgarnął długie, ciemne włosy z twarzy i spojrzał w rozświetlone porannym słońcem okno. Wcześnie. Nienawidził budzić się przed dwunastą.

A już na pewno nie z krwią na rękach.

Wygramolił się z łóżka i ruszył do drzwi kuchennych, musiał się odlać. Dopiero teraz zobaczył, że cały jest wymazany krwią. Oparł się ciężko o ścianę i jęknął.

Noc, jak wiele poprzednich, spędził w rozpadającym się domku nad jeziorem. Nie było prysznica, a on za cholerę nie miał zamiaru łazić wysmarowany krwią jakiegoś zwierzęcia.

Wracając wczoraj do domu, musiał zabić sarnę, ale, do diabła, nic nie pamiętał.

Naciągnął pochlapane farbą dżinsy z obciętymi nogawkami i ruszył w stronę jeziora. Szedł szybko, na tyle szybko, na ile pozwalała mu pękająca z bólu głowa. Ostatniej nocy za dużo wypalił, za dużo wypił, musiał pozbyć się złogów nikotyny i alkoholu z organizmu. Szybko. Zimna woda powinna rozjaśnić mu w głowie i przywrócić pamięć. Potem wróci do domku, spakuje się, wyniesie stąd w cholerę. Miał dość tego zadupia.

Nawet teraz, w sierpniu, woda w jeziorze była lodowata. Wydał ni to pisk, ni to krzyk i zanurkował, pozwalając, by woda spłukała krew z rąk, z długich włosów, z gęstej brody. Wynurzył się dopiero jakieś sześć metrów od brzegu, odrzucił włosy na plecy, spod zmrużonych powiek spojrzał w słońce.

W zajeździe było więcej gości niż zwykle, Peggy Niles powinna być zadowolona. Chciała zrobić z niego chłopaka na posyłki, chociaż mówił jej, że wyjeżdża. Wróci chyłkiem do domu, zabierze rzeczy i ucieknie stąd, zanim zdąży się rozmyślić.

Lorelei powiedziała mu, żeby spadał, zresztą i bez tego nigdzie nie potrafił długo zagrzać miejsca. Zima za pasem, w Kolorado na pewno znajdzie robotę, pojeździ na nartach.

Zanurkował znowu i długimi, pewnymi wyrzutami rąk zaczął płynąć do brzegu, okrążając pomost, który zbudował przed kilku miesiącami. Kiedy się wynurzył, zobaczył w przybrzeżnych szuwarach – przez pół lata usiłował się ich pozbyć – unoszące się na wodzie ubrania. Rozpoznał swoją ulubioną koszulę w jaskrawe paski. Kto, u diabła, wyrzucił zawartość jego walizki do jeziora? Pewnie Lorelei. Była wściekła, kiedy jej powiedział, że wyjeżdża, ale też nie znalazła dobrych argumentów, by zechciał zmienić decyzję. Prawdę powiedziawszy, nawet nie wiedział, czy ktokolwiek znalazłby dobre argumenty.

Podpłynął bliżej, stanął, przymrużył oczy. Był krótkowidzem, lecz nie nosił okularów, chyba że latem, przyciemniane, ale w domowym bałaganie na pewno by ich nie znalazł, nie próbował nawet szukać. Dojrzał białą koszulę z długimi rękawami. Ki diabeł? Nie nosił białych koszul z długimi rękawami.

Stał przez chwilę bez ruchu, po pas w lodowatej wodzie. Raptem rzucił się przed siebie, przypadł do niej, odwrócił: szara, martwa twarz. I podcięte gardło. To wyglądało niczym krwawy uśmiech klauna.

Wysypali się na brzeg nie wiadomo skąd. Czekali na niego.

– Thomasie Ingramie Griffinie, znany jako Gram Thomas albo Billy Gram, jesteś aresztowany pod zarzutem zabójstw z premedytacją dokonanych na Alice Calderwood, Valette King i Lorelei Johnson. Wszystko, co od tej chwili powiesz...

Nie słuchał słów formuły. Patrzył na dziewczynę, którą trzymał w ramionach, z którą spędził ostatnią noc, której krew miał na rękach.

Rozpłakał się.

ROZDZIAŁ PIERWSZY

Na drodze do zbawienia świata stała jedna poważna przeszkoda. Sophie Davis w zamyśleniu wepchnęła do ust ostatni kęs. Nikt nie chce jej pomocy.

Siedziała w pustej kuchni Stonegate Farm zajęta dojadaniem mufinki, tak ogromnej i tak maślanej, że mogłaby zakorkować arterie czteroosobowej rodziny. Ale Sophie wierzyła, że kalorie konsumowane w odosobnieniu nie tuczą. Skoro już upiekła na śniadanie mufinki, to co będzie sobie żałować. Sięgnęła po drugą.

Nikt nigdy poza nią nie miał na nie ochoty. Jej matka, Grace, jadła tyle co nic, a przyrodnia siostra, Marty, kiedy już zdołała zwlec się z łóżka, sięgała na dzień dobry po papierosa i kawę, to jej wystarczało.

Sophie chyba ją rozumiała. Sama rzuciła palenie cztery miesiące wcześniej i w efekcie powiększyła swoją, już i tak obfitą, powłokę cielesną o dodatkowe siedem kilogramów. Nie było dnia, żeby nie tęskniła za tym krótkim, zawsze najsmakowitszym, ostatnim sztachnięciem.

Przełamała drugą bułeczkę, połowę odłożyła na kamionkowy talerz w próżnej nadziei, że nie ulegnie pokusie. Cukier i masło okazały się całkiem niezłymi substytutami nikotyny, ale fatalnie odbijały się na wyżej wzmiankowanej powłoce. Po papierosach zostawała smoła w płucach, ale przecież nikt nie zaglądał jej w płuca. Jeśli nie zacznie się kontrolować, niedługo zamiast dwunastki, będzie musiała nosić czternastkę. Sięgnęła po odłożoną połowę bułeczki i włożyła do ust.

Tak, zdecydowanie powinna się kontrolować. Nie chodziło tylko o jedzenie. O życie w ogóle. Rozkręcanie własnej firmy zawsze wprowadza w ludzką egzystencję chaos. Nawet jeśli ktoś ma tyle energii i entuzjazmu co Sophie. A ona na przekór wszystkiemu wymarzyła sobie, że otworzy wiejski zajazd. Przez lata piekła i gotowała wyłącznie w teorii. Prowadziła kolumny kulinarne w różnych nowojorskich gazetach. Była wolnym strzelcem. Wynajmowała małe mieszkanie na Brooklynie i utrzymywała się z pisania. Marty nazywała ją Marthą Stewart[1] dla ubogich, co Sophie gotowa byłaby uznać za komplement, gdyby nie ładunek ironii zawarty w tym stwierdzeniu.

---

[1] *Martha Stewart* – autorka popularnych w USA książek kucharskich i telewizyjnych programów kulinarnych.

Zaciągnęła kredyt, kupiła Stonegate Farm, kawałek ziemi w północno-wschodnim Vermoncie, ogromny stary dom z sześcioma sypialniami. Kilka dodatkowych pokoi gościnnych można było urządzić w skrzydle od strony ogrodu, wystarczyło je wyremontować. Wszystko wydawało się proste. Sprowadziła tu matkę i siostrę.

Grace nie była szczególnie zachwycona. Nie przemawiały do niej sielskie klimaty, ale walka z rakiem piersi bardzo ją osłabiła i po raz pierwszy w życiu przyznała, że potrzebuje pomocy. Przyjechała w końcu do Stonegate, odgrażając się, że jak tylko nabierze sił, zacznie podróżować po świecie. Po czterech miesiącach Sophie wiedziała, że Grace już nie ruszy się z farmy.

Tym razem nie był to rak. Matka przestawała kontaktować i kojarzyć, szwankowała pamięć, umysł odmawiał posłuszeństwa. Nigdy nie należała do błyskotliwych – ojciec Marty i Sophie mówił o niej tyleż czule co zgryźliwie „moja przyćmiona żona" albo „Gracja Dystrakcja" – ale teraz jej stan pogarszał się niemal z dnia na dzień i zaczynał stanowić poważny powód do zmartwienia.

Sophie nie bardzo wiedziała, jak pomóc matce. Doktor, z którym zaprzyjaźniła się serdecznie zaraz po przyjeździe, powiedział wprost: „Albo to powtarzające się, drobne wylewy, albo początek Alzheimera". Grace oznajmiła, że za nic nie pójdzie do szpitala, a Dok nie nalegał. Uznał, że zdążą przeprowadzić konieczne badania, jeśli choroba będzie postępować.

Marty, z typowym wdziękiem nastolatki, nie chciała nawet słyszeć o mającym powstać zajeździe, no i oczywiście nie zamierzała aktywnie uczestniczyć w jego prowadzeniu. Żywiołowo nie znosiła siostry, ale do tego Sophie zdążyła się już przyzwyczaić. Nadąsana Marty i zasklepiająca się coraz szczelniej w niepamięci Grace, przedwcześnie postarzała, krążąca po domu niczym zjawa z koszmaru sennego. Marty patrzyła na to z sadystyczną satysfakcją. Nie dość, że Sophie kazała jej mieszkać na takim cholernym odludziu, to jeszcze przywlokła tu tę staruchę. Po kiego diabła? – pytała ze złością siostrę przynajmniej raz na tydzień.

Sophie zerknęła na ostatnią mufinkę. Jeśli zje i tę, pochoruje się. Nie od razu, ale pochoruje się na pewno. A co tam, miała na nią ochotę. Nikt przecież nie patrzy, nikt nie jest świadkiem jej słabości.

Już po nią sięgała, kiedy usłyszała kroki. Szybko cofnęła dłoń, jak dziecko przyłapane na łasowaniu.

Do kuchni weszła Grace, w rzeczach dobranych bez ładu i składu, w krzywo zapiętym, zmechaconym swetrze. Ona, która zawsze nosiła markowe ubrania. Miała sześćdziesiąt lat, ale wyglądała na osiemdziesiąt: zaniedbana, wychudzona, byle jak uczesana. Tuż za Grace pojawiła się Marty, z kwaśną jak zwykle miną.

– Upiekłam mufinki – oznajmiła Sophie z uśmiechem, wyrzucając z pamięci fakt, że już prawie wszystkie zjadła.

– Wspaniale, kochanie – ucieszyła się Grace. Nie do końca udało się jej spiąć włosy w węzeł, siwe kosmyki wymykały się z niego pod najróżniejszymi kątami. Sophie przemknęło przez głowę, że za kilka minut cudaczna fryzura rozsypie się ze szczętem i matka będzie wyglądała jeszcze bardziej żałośnie. – Wypiję tylko kawę.

– Powinnaś coś zjeść, mamo. Wiesz, co mówił doktor – usiłowała zaoponować.

Zamglone oczy Grace znieruchomiały, spojrzały na Sophie jakoś dziwnie.

– Nie wierz we wszystko, co ci mówią. Ludzie nie zawsze są tacy, jak się nam wydaje.

– Ja nie... – zaczęła Sophie, nawykła do dziwacznych, nieadekwatnych reakcji matki, ale Grace zdążyła już nalać sobie kawy i wyjść z kuchni.

Marty bez słowa podeszła do ekspresu.

– Ja też się cieszę, że cię widzę. – Sophie natychmiast pożałowała tych słów. Czemu nie ugryzła się w język? Agresywnymi uwagami na pewno nie poprawi atmosfery w domu.

Marty nawet na nią nie spojrzała. Nalała sobie kawy i upiła solidny łyk, całkowicie ignorując obecność siostry.

– Schowałaś ręczniki do szafy? – Tym razem

Sophie spróbowała innego tonu, wyzutego z agresji, chociaż Marty potrafiła się naburmuszyć na najbardziej niewinne pytanie. Wieczne sprzeczki i darcie kotów; kto by to wytrzymał?

Marty wsadziła nos w krzyżówkę. W tym tygodniu krótkie, postawione na żel włosy ufarbowała na czarno, tylko na samych końcach zaaplikowała sobie jadowity fiolet. Przed następną metamorfozą będzie musiała je utlenić, a prędzej czy później nic nie zostanie jej na głowie. Ta perspektywa budziła w Sophie tak zwane mieszane uczucia. Może przynajmniej żaden z potencjalnych fatygantów nie będzie dążył do intymnej zażyłości z kompletnie łysą siedemnastolatką.

– Przecież mi kazałaś, nie?

Sophie westchnęła. Tylko spokojnie.

– Musisz mi pomagać, Marty, jeśli zajazd ma ruszyć. Nie mogę wszystkiego robić sama. Lato się kończy, powinnyśmy otworzyć interes wczesną jesienią, inaczej nigdy nie odzyskamy zainwestowanych pieniędzy. Mam już pierwsze rezerwacje na wrzesień...

– A co mnie to obchodzi? Ściągnęłaś mnie na to zadupie, cholera wie po co. Nie przyszło ci do głowy, że mam swoje życie, przyjaciół. Nie zamierzam prowadzić pensjonatu. Nie zamierzam tkwić na wsi z tobą i tą starą wariatką. Nie zamierzam ci pomagać.

Dobrze, że Sophie nie zjadła trzeciej mufinki, bo zaczynało ją mdlić już po tej drugiej.

– Ta stara wariatka to moja matka. Ciebie ona nie obchodzi, wiem, ale ja czuję się za nią odpowiedzialna. Codziennie musimy to przerabiać? Znajdź sobie kogoś innego do dręczenia.

– Jakoś tylko z tobą nie mogę się dogadać. Nie odpuszczę, dopóki nie zaczniesz wreszcie słuchać, co się do ciebie mówi.

– Słucham, co do mnie mówisz. – Cierpliwości! – Wiem, że ci brakuje twoich przyjaciół, ale wierz mi, to było nieodpowiednie towarzystwo.

– Niby skąd możesz to wiedzieć? Ty nie masz żadnego. Nie potrafisz się z nikim zaprzyjaźnić i zazdrościsz mi, bo mam tylu znajomych, kumpli i w ogóle...

– Sami nieciekawi ludzie. – Znowu błąd. W ten sposób prowokowała tylko siostrę do dalszych sprzeczek. Dlaczego tak łatwo dawała się podpuszczać tej smarkuli?

Marty uśmiechnęła się kwaśno.

– Znaczy się, pasuję do nich, nie?

– Marty, proszę...

– Twoje pieprzone ręczniki są w twojej pieprzonej szafie: beżowe, lila, seledynowe, kremowe, we wszystkich kolorach, w jakich chcesz. Czekają na twoich pieprzonych gości. A teraz zejdź ze mnie. – Marty zabrała kawę, gazetę i wyszła z kuchni, trzaskając drzwiami. Sophie z ciężkim sercem sięgnęła po trzecią mufinkę.

Nic nie zapowiadało ocieplenia rodzinnej atmosfery w najbliższej przyszłości. Od jej przyjazdu do Colby minęło już kilku miesięcy, a Marty nadal chodziła zła jak osa. Sophie miała nadzieję, że zmieni coś w życiu siostry, kiedy wyrwie ją z miasta, modliła się o to. Słońce, świeże powietrze, ciężka praca, i wszystko się odmieni, oczywiście na lepsze.

Jak dotąd wszystko było po staremu. Sophie próbowała robić dobrą minę do złej gry, puszczała mimo uszu wieczne pretensje Marty, ale nie była świętą, czasami traciła panowanie nad sobą. Miłość jest rzeczą trudną, powtarzała sobie niczym mantrę.

Trudno o bardziej poplątaną rodzinę. Grace rozwiodła się ze swoim zwalistym kowbojem, kiedy Sophie miała dziewięć lat, oddała jedynaczkę do szkoły z internatem i znikła. Ojciec Sophie, Morris, krótko po rozwodzie ożenił się powtórnie, dochował się drugiej córki, Marty. Starszą zapraszał na nudne, wlokące się jak flaki z olejem wakacje. Wszystko się zmieniło, kiedy Morris i jego nowa żona zginęli w wypadku samochodowym, osierocając małą Marty. Rodzina to rodzina. Sophie właśnie skończyła studia na Columbii. Przygarnęła siostrę i we trzy zamieszkały w sypiącym się mieszkaniu Grace na Wschodniej Sześćdziesiątej Szóstej Ulicy. Śmierć rodziców musiała się odbić na nieukształtowanej jeszcze psychice Marty, ale zarówno włócząca się po świecie Grace, jak i ceniąca sobie domowe zacisze Sophie próbowały zminimalizować skutki wstrząsu. Obie otoczyły Marty opieką i jakoś sobie radziły. Do czasu. Kiedy Marty skończyła piętnaście lat, stała się nieznośna. U Grace wykryto raka piersi. Prysł z trudem klecony spokój, zaczęły się kłopoty.

Skończyła mufinkę i podniosła się od stołu, żeby nie myśleć już o jedzeniu. Przez kilka ostatnich miesięcy harowała jak wół. Doprowadzenie Stonegate Farm do takiego stanu, by ponownie działał tu wiejski zajazd, wymagało ogromnego wysiłku. W latach osiemdziesiątych był tu pensjonat, potem właściciel zamknął interes, od pięciu lat na farmie nikt nie mieszkał. Już samo uprzątnięcie gruzu i rupieci okazało się nie lada przedsięwzięciem. Remont, to znaczy konieczne naprawy, malowanie i urządzenie wnętrz, urastał do wymiaru zadania godnego Herkulesa i pochłonął wszystkie zasoby finansowe, które Sophie zdołała zgromadzić. Główny budynek był gotowy, pozostało jeszcze zdecydować, co zrobić ze skrzydłem od ogrodu: próbować je odremontować, czy zrównać z ziemią. W taki stanie, w jakim było, w każdej chwili mogło się zawalić.

Sophie miała dość kłopotów z doprowadzeniem do stanu używalności głównego korpusu. Na wynajęcie firmy remontowej z prawdziwego zdarzenia nie mogła sobie pozwolić, większość prac wykonywała sama. Na pomoc Grace nie mogła liczyć z oczywistych powodów, a z Marty było więcej kłopotów niż pożytku. Tymczasem zbliżał się dzień otwarcia zajazdu i Sophie coraz bardziej się denerwowała. Wszystkie pokoje zostały już zarezerwowane na kilka tygodni. Pozostawało tylko przygotować się perfekcyjnie na przyjęcie pierwszych gości. Ostatnie retusze, uroczyste otwarcie i wreszcie będzie mogła spokojnie odetchnąć.

Podeszła do okna wychodzącego na jezioro, spojrzała tęsknie na gładką, wabiącą z daleka taflę wody.

Nie.

Wiedziała, że czeka na nią praca, ale nie mogła się zmobilizować. Poranek był wyjątkowo piękny, przez otwarte okna wpadał do wnętrza powiew ciepłego powietrza, gałęzie klonów kołysały się lekko. Przez ostatnie pół roku, od momentu przyjazdu do Vermontu, nie miała chwili wytchnienia – zasłużyła sobie chyba na dzień odpoczynku? Wyciągnie się wygodnie, będzie rozwiązywać krzyżówki i palić papierosy. Jak Marty.

Papierosy odpadają. Rzuciła przecież palenie. Umości się w hamaku ze stertą książek kucharskich pod ręką, zje mufinkę...

Prawda, zjadła ostatnią, nie wiedząc nawet kiedy. Dzięki Bogu lubiła luźne ubrania, pod którymi mogła ukryć grzechy dietetyczne. Natomiast jej chuda siostra zawsze odsłaniała tyle ciała, ile tylko mogła.

Leniuchowanie w hamaku w ciepły dzień nie dla takich jak ona, w każdym razie nie tego lata. Może w przyszłym roku, kiedy zajazd będzie już funkcjonował pełną parą. Może wtedy uda się już wynająć kogoś do pomocy, zrobić sobie od czasu do czasu dzień wolny i cieszyć się błogim spokojem i urokami wiejskiej egzystencji, o której marzyła przez całe życie. Tymczasem musi wracać do pracy, Stonegate za dwa tygodnie powinno być gotowe na przyjęcie pierwszych gości. Ale nie tylko to, do piątku musi skończyć zamówiony tekst, a nawet go nie zaczęła.

Powinna chyba zrezygnować z pisania, lecz nie potrafiła. Prowadziła rubrykę kulinarną – „Listy ze Stonegate Farm" w lokalnym tygodniku wychodzącym na Long Island. To dawało jej poczucie stabilności, przypominało, że żyje, jak sobie wymarzyła. Po latach wyjaśniania znudzonym paniom domu, jak przygotować domowy makaron, jak z pojemnika na mleko zrobić oryginalną doniczkę, a standardowy dom zamienić w sielskie siedlisko, wreszcie mogła sama realizować własne porady. Już niedługo jej możliwości zostaną ocenione przez ludzi zapewne życzliwszych od wiecznie nadąsanej siostry i żyjącej w innym świecie matki.

Jak na połowę sierpnia dzień zapowiadał się

wyjątkowo ciepły. Ledwie ranek, a słońce przygrzewa w najlepsze. Podwinęła rękawy do łokci. Przejdzie się nad brzeg jeziora, chwila samotności dobrze jej zrobi. Tu, na północnym krańcu Still Lake nawet latem trudno było kogoś spotkać. Jedyny dom w sąsiedztwie, stara chata Whittenów, od lat stał opuszczony. Reszta ziemi wokół należała do Sophie, w tym także zabudowania, rozpadająca się stodoła i domki letniskowe. Tych ostatnich nie było sensu remontować. Zamierzała je rozebrać, gdy tylko zdobędzie pieniądze. W końcu ciche teraz Stonegate rozkwitnie, zapełni się turystami, zacznie przynosić dochód.

Czy będzie się dobrze czuła, mając bez przerwy do czynienia z przewijającymi się przez farmę, szukającymi wiejskich rozkoszy przyjezdnymi? Na razie wolała się nad tym nie zastanawiać, ale też nie przychodziło jej do głowy, jak inaczej miałaby utrzymać Stonegate. Była realistką. Jeśli za cenę obsługiwania tabunów turystów będzie mogła mieszkać na wsi, chętnie tę cenę zapłaci.

Otworzyła drzwi i ruszyła w kierunku jeziora. Północny jego skraj, nad Zatoczką Whittena, był najsłabiej zaludniony na całym obszarze wokół Colby. Dawno temu Stonegate było dochodową farmą produkującą mleko, ale już od ponad czterdziestu lat nikt nie widział tu krowy na pastwisku. Sophie kupiła gospodarstwo od synów Peggy Niles, pijaków najwyraźniej uszczęśliwionych, że wreszcie pozbędą się kłopotu. Wkrótce zrozumiała dlaczego. Ludzie unikali miejsca, w którym przed laty dokonano głośnej zbrodni.

Z drugiej strony wszyscy Nilesowie, jak twierdziła Marge Averill, przyjaciółka Sophie, byli ponoć żałosnymi kreaturami. Leniwi, pozbawieni ambicji, wiecznie zapijaczeni. Stary Niles zostawił rodzinę, a synalkowie wytoczyli z matki ostatnią kroplę krwi. Wyprzedawali ziemię kawałek po kawałku, a ona walczyła, żeby utrzymać to, co zostało. Wynajmowała pokoje letnikom i jakoś dawała sobie radę. Do czasu zbrodni.

Trudno uwierzyć, że coś równie koszmarnego mogło zdarzyć się w uroczej wiosce w Nowej Anglii, ale Sophie nie była naiwna, każda stara miejscowość miała w swojej historii kartę wypełnioną okrucieństwami, ohydnymi, budzącymi zgrozę czynami. No a morderstwa w Northeast Kingdom nie należały do tych najbardziej niezwykłych. Śmierć trzech nastolatek to oczywiście tragedia, ale sprawiedliwości stało się zadość. Mordercę, młodego ćpuna, ujęto i skazano. Minęło dwadzieścia lat, ale rodzice nadal zapewne opłakiwali swoje córki, to naturalne. Na samą myśl, że mogłaby stracić Marty, Sophie ogarniała bezrozumna panika. Nie wyobrażała sobie takiej tragedii, nie zniosłaby chyba ciosu.

Jednak Colby z czasem otrząsnęło się z koszmaru. Wszyscy, poza rodzinami ofiar, dawno zapomnieli o okolicznościach zbrodni, o tym, że jedną z dziewcząt znaleziono przy brzegu jeziora, dwie pozostałe w pobliżu, a wszystkie trzy pracowały w zajeździe u Peggy Niles. Doktor, człowiek obdarzony dość upiornym poczuciem humoru, żartował, że Sophie mogłaby odcinać kupony od mrocznej przeszłości zajazdu: „Nawiedzona Gospoda" albo „Czerwona Oberża" – zdaniem Doka taka chwytliwa nazwa zapewniłaby zajazdowi wspaniałą reklamę.

Sophie nie odważyłaby się na taki krok, nie w Colby. Poza tym Dok Henley nie mówił poważnie. Był jowialny, poczciwy i przypominał wiejskich lekarzy ze staroświeckich powieści. Pomógł przyjść na świat bodaj połowie mieszkańców miasteczka i rozsianych wokół jeziora wiosek, towarzyszył narodzinom trzech zamordowanych dziewcząt i żegnał swoich pacjentów, kiedy nadchodził ich czas.

Sophie ułożyła się w hamaku, oparła stopy o kamień, zapatrzyła się w przestrzeń. Czekała, aż spłynie na nią absolutny, tak przecież ulotny i trudny do osiągnięcia spokój. Bezruch.

Coś było nie tak.

Usłyszała samochód na żwirowym podjeździe. Tak już przywykła do wszystkich dźwięków, jakie rozbrzmiewały w tym cichym zakątku, że bez trudu rozpoznała dychawiczny silnik starego saaba Marge Averill. Leniwie pomachała dłonią, nie chciało się jej podnosić z fotela. Marge – krzepka, dobiegająca czterdziestki, serdeczna, ale twarda – od kiedy sprzedała Sophie farmę Nilesów, zapałała do nowej właścicielki Stonegate szczególną przyjaźnią. Sophie podejrzewała, że zyskała w Marge bratnią duszę, ponieważ sporo przepłaciła za starą farmę.

– Cudowny ranek! – wołała Marge z daleka, energicznie maszerując przez trawnik. – Jak twoja matka?

– Dziękuję. – Sophie coś wietrzyła. O tej porze roku handel nieruchomościami zwykle się ożywiał, agenci mieli prawdziwe urwanie głowy. Marge nie przyjechała na farmę pytać o zdrowie Grace. Musiała mieć ważny powód. – Co cię sprowadza?

– Nie spodoba ci się to, co usłyszysz – oznajmiła Marge krótko i opadła na sąsiedni fotel.

Sophie jęknęła.

– Znowu Marty? Co wyczyniała tym razem?

– Nic, o ile wiem. Tym razem to ja chyba dałam plamę. Wynajęłam chatę Whittenów.

Sophie odwróciła się gwałtownie, zmrużyła oczy w promieniach porannego słońca. Już wiedziała, co było nie tak, co ją zaniepokoiło przed chwilą. Ktoś zamieszkał w starej chacie. Okiennice stały otworem, drzwi też, ale nikt nie kręcił się wokół domu, na podjeździe nie było samochodu.

– Cholera.

– Nie moja wina. Od lat pies z kulawą nogą nie

interesował się tym miejscem, aż tu zadzwonili do mnie z kancelarii, która zajmuje się spuścizną Whittenów, powiedzieli, że zgodzili się na wynajem i że nowy najemca prawdopodobnie będzie chciał kupić chatę. Nie mogłam przebić ceny w twoim imieniu, nie bez uprzednich konsultacji, no a ten facet już przyjechał, więc sama rozumiesz...

– Wiesz, że w tej chwili nie mam pieniędzy, nie mogę kupić chaty – mruknęła Sophie. Trzecia mufinka wyraźnie ciążyła jej w żołądku. – Wszystko co miałam, włożyłam w remont Stonegate.

– Ta transakcja to jeszcze nic pewnego. Nikt jeszcze nie wytrzymał w chacie Whittenów dłużej niż kilka tygodni, ten nowy też pewnie nie zdzierży. Uzbrój się w cierpliwość. Usłyszy o morderstwach i wpadnie w popłoch – pocieszała przyjaciółkę Marge.

– Ja się nie wystraszyłam.

– Bo kobiety są silniejsze i odważniejsze od facetów. Obie to wiemy. – Marge spojrzała w stronę chaty. – Podejdź do sprawy filozoficznie. Z domu nie widać chaty, dopiero stąd, z brzegu jeziora. Poza tym powiedzieć, że ten nowy jest przystojny, to za mało. Nie narzekamy nad nadmiar wolnych facetów po trzydziestce – przekonywała Marge.

Sophie wytężyła wzrok. Koło chaty ktoś się pokazał, widziała sylwetkę, nic ponadto, siedziały zbyt daleko. Wszystko jedno, przecież ten człowiek to nieprzyjaciel, intruz. Chciała mieć chatę Whittenów, marzyła o niej równie gorąco, jak jeszcze niedawno o Stonegate. Chciała stworzyć na północnym brzegu jeziora sielską enklawę, w której goście mogliby odnaleźć ukojenie dla ciała i duszy. Obcy tylko będzie przeszkadzał, już teraz ją irytował. W dodatku przystojny, jak twierdzi Marge, a ona musi myśleć o swojej siostrze.

Zachmurzyła się.

– Co to za jeden?

– Niejaki John Smith, tak się przedstawia, dasz wiarę? Jedni mówią, że to jakiś spec od komputerów, który chce tu założyć firmę, inni, że doradca finansowy. Daję mu góra pół roku. Nikt tu dłużej nie wytrzyma, jeśli nie ma kasy.

– Ja nie mam.

– To co innego. – Marge beztrosko machnęła ręką. – Ty i ja żyjemy z turystów. Nie zginiemy. Gdyby pan Smith był stolarzem albo hydraulikiem, to co innego, chociaż stolarzy w okolicy mamy akurat pod dostatkiem. W każdym razie chciałam cię uprzedzić, na wypadek gdyby wpadło ci do głowy iść na spacer w stronę chaty Whittenów. Podpisał roczną umowę najmu i zastanawia się nad kupnem domu, mówiłam ci, ale wyniesie się, zanim spadną pierwsze śniegi. Tak czy siak, nie wróżę mu długiego pobytu. Jak usłyszy o morderstwach...

Mężczyzna zniknął za węgłem chaty.

– Może już usłyszał... – powiedziała Sophie w zamyśleniu.

– Co masz na myśli?

Sophie wzruszyła ramionami.

– Nie wiem. Dziwne, że wynajął akurat chatę Whittenów, kiedy na południowym brzegu jest tyle domów do wynajęcia i to w znacznie lepszym stanie. Dlaczego wybrał akurat ruderę na odludziu?

– Pojęcia nie mam. Przyjmuję czeki i nie zadaję pytań. – Marge wstała, strzepnęła ze spodni zabłąkany liść. – Coś ci powiem, przeprowadzę małe śledztwo. Może jest dla mnie trochę za młody, ale co znaczy jakieś głupie dziesięć, dwadzieścia lat? Takie drobiazgi nigdy mnie nie zrażały. Mam już serdecznie dość spania w pustym łóżku. Chyba że ty masz ochotę na tego faceta...

– Nie – podziękowała Sophie uprzejmie.

– Nawet mu się nie przyjrzałaś.

– Nie jestem zainteresowana. Bez tego mam dość na głowie. Nie chcę żadnych komplikacji. Marty też one niepotrzebne.

Przez twarz Marge przemknął ledwie zauważalny cień niechęci. Nie darzyła siostry przyjaciółki szczególną sympatią i nie ukrywała tego, ale nie podobały się jej również metody wychowawcze Sophie.

– Marty potrafi sama zadbać o siebie, musisz jej tylko na to pozwolić.

– A jakże, dowodzi tego na każdym kroku.

Marge powinna się teraz obruszyć, ale przemilczała kwaśną uwagę Sophie. Wiedziała doskonale, że nie musi nic mówić.

– Wracam do pracy – oznajmiła energicznie. – Doktor ma do mnie zajrzeć. Strasznie go intryguje twój nowy sąsiad, koniecznie chciałby się czegoś o nim dowiedzieć, inaczej niż ty.

Sophie uśmiechnęła się pobłażliwie.

– Doktor jest starym plotkarzem, znasz go. Wyciągnie z człowieka każdy sekret.

Marge rzuciła jeszcze ostatnie, tęskne spojrzenie w kierunku chatki.

– Piękny egzemplarz mężczyzny – cmoknęła ze znawstwem. – Daj znać, gdybyś potrzebowała mojej pomocy.

– Owszem. Wyrzuć go stąd.

– Niech Marty trzyma się od niego z daleka, a nic nie zakłóci wam spokoju. Za kilka tygodni będziesz tak pochłonięta pracą, że zapomnisz o nowym sąsiedzie, twoja siostra też.

– Na zmartwienia zawsze znajdę czas.

– Odpuść sobie. – Słowa Marge zabrzmiały niczym rozkaz.

– Tak jest, proszę pani. Może zaniosę panu Smithowi kilka mufinek. Na powitanie. Wybadam, czy naprawdę ma zamiar osiąść tu na dobre.

– Jasne, zanieś mu swoje mufinki, wtedy na pewno nie będzie chciał wyjechać. Za to moje talenty kulinarne wygnałyby go stąd w okamgnieniu.

– Mogłabym go otruć – myślała Sophie głośno. – Gwarantowany sposób, żeby się pozbyć faceta.

– Żart bardzo nie na miejscu, w przenośni i dosłownie. – W głosie Marge zabrzmiał poważny ton. – Ludzie mają dobrą pamięć.

– Tak myślisz? – Sophie spojrzała w kierunku chaty Whittenów, szukając wzrokiem intruza.

Nie było go.

ROZDZIAŁ DRUGI

Niewiele się zmieniło przez ostatnie dwadzieścia lat. Takie przynajmniej było pierwsze wrażenie Griffina. Trochę więcej przyjezdnych w markecie, trochę mniej wolnych miejsc na parkingu. W starym młynie ktoś otworzył stoisko z pamiątkami, na głównej ulicy pojawił się sklep ze szkockimi wełnami, przyciągający zamożnych letników. Stonegate kupiła kobieta z Nowego Jorku; wyremontowała dom i we wrześniu zamierzała otworzyć zajazd, w samą porę na przyjęcie jesiennych turystów.

Tak, niewiele się zmieniło. Jak dawniej ściągali nad jezioro ci sami zbyt dobrze urodzeni, zbyt starannie wykształceni wychowankowie uniwersytetu Harvarda, Yale i Princeton, jak dawniej obsługiwali ich ci sami tubylcy, cali w uśmiechach, w rzeczywistości pełni pogardy dla mospanków. Tyle tylko, że jednych i drugich było teraz trochę więcej.

Po kiego tu wracał? Nienawidził tego miejsca, pozornie sielskiej atmosfery i wścibstwa. Przed dwudziestu laty po raz pierwszy w swoim życiu włóczęgi tutaj wreszcie poczuł się jak w domu. I przekonał się, czym jest tutejsza gościnność, kiedy zapuszkowali go za zbrodnie, których nie popełnił. Nie wierzył, że w ogóle mógłby je popełnić. Nie chciał mieć nic wspólnego z Colby, z ludźmi, którzy tu mieszkali, ale musiał dojść prawdy.

Udało mu się zrobić najpotrzebniejsze zakupy, nie natykając się na nikogo z dawnych znajomych. Dzięki Bogu nikt go nie rozpoznał. Mógł wracać spokojnie do chaty Whittenów. Jedno na pewno się zmieniło: przed dwudziestu laty nie wyszedłby ze sklepu Audleya, dopóki nie odpowiedziałby na kilka dociekliwych pytań. Musiałby zeznać, gdzie zamieszkał, co go sprowadza do Colby, jak długo zamierza zostać i czyim jest pociotkiem. Letnicy do listy pytań dodawali jeszcze jedno: jaki uniwersytet ukończyłeś? Miał starannie przygotowane odpowiedzi, ale nikt nawet na niego nie spojrzał. Przez nikogo nie niepokojony wyszedł ze sklepu z blokiem sera cabot, z którego słynie Vermont, i sześciopakiem coli. Był niemal zawiedziony, że nikt go nie zaczepił.

Kobieta w agencji nieruchomości nie kryła zdenerwowania, kiedy wręczała mu klucz. Odniósł wrażenie, że wolałaby nie wynajmować mu chaty.

Gówno go to obchodziło. Wiedział, co robi i nie zrażały go takie drobne niedogodności jak brud w domu, brak wody i towarzystwo wiewiórek, które upodobały sobie komin. Chciał się tam wreszcie znaleźć, zamknąć za sobą drzwi i znowu, jak przed laty, poczuć się bezpiecznie.

Irytująca przywara, ale za nic w świecie nie potrafił się jej pozbyć. Zawsze dawała o sobie znać, ilekroć tylko próbował gdzieś osiąść na dłużej. Kiedyś może ją zwalczy, ale teraz szczelnie zamknięte drzwi i okna stanowiły bezpieczną izolację od świata. Tak było lepiej.

Szybko się zaaklimatyzował na nowym miejscu. Zarośnięta, poorana koleinami droga prowadząca do chaty skutecznie zniechęcała ciekawskich, sam dom sprawiał wrażenie nadal niezamieszkanego. Odważył się otworzyć okiennice, potem okna, wpuszczając do wnętrza rześkie górskie powietrze. Wodę w końcu jednak ktoś podłączył, kanapa w bawialni była upstrzona mysimi bobkami, ale to nic. Dało się żyć. Ogarnął pokój, wytarł do czysta wielki stół, ustawił na nim swój laptop, dopiero potem wniósł walizki i zakupy. Przez minione dwadzieścia lat porządek i dyscyplina zdążyły wejść mu w krew. To mógł zapisać po stronie zysków.

Włożył ser i colę do lodówki, włączył ją, po czym wyszedł na ganek. Z braku lepszego zajęcia przysiadł na balustradzie i omiótł wzrokiem zachwaszczony trawnik schodzący łagodnie ku jezioru – ostatni widok, jaki zapamiętał z Colby.

Spojrzał w stronę Stonegate. Dom i obejście sprawiały imponujące wrażenie. Nowa właścicielka musiała włożyć w remont mnóstwo pieniędzy i energii. Musiał wymyślić sposób, który pozwoliłby mu dostać się tam bez wzbudzania podejrzeń.

Sprawa wyglądałaby prościej, gdyby wiedział, czego szuka. Niewiele pamiętał z tamtej nocy, a upływ lat raczej nie poprawił mu pamięci. W każdym razie ówczesny wieczór i część nocy spędził w Stonegate, tego był pewien. W nieużywanym skrzydle z wyjściem do ogrodu, w którym kiedyś mieścił się wiejski szpitalik. W dodatku nie sam, tego też był pewien.

Może właśnie wtedy po raz ostatni widział Lorelei żywą. A może to on ją zabił... Poderżnął jej gardło i zaniósł ciało nad jezioro.

Jeśli tak, gdzieś powinny być jeszcze ślady krwi. Pragnął znaleźć jakikolwiek ślad tamtych wydarzeń, coś, co rozjaśniłoby mrok spowijający jego pamięć. Może kiedy wejdzie do opuszczonego skrzydła, atmosfera tego miejsca ożywi jego mocno wyblakłe wspomnienia.

Pobyt w Colby nie zapowiadał się dobrze; już pierwsze godziny spędzone tutaj zdołały wytrącić go z równowagi. Jeśli nie znajdzie innego sposobu, żeby dostać się do zajazdu, spróbuje perswazji. W najgorszym razie będzie musiał się włamać.

Gdy i to nic nie da, zacznie swoje prywatne śledztwo we wsi. Odnajdzie ludzi, którzy mieszkali tu przed dwudziestu laty. Może pamiętają jeszcze tamte morderstwa?

Prędzej czy później natrafi na jakiś ślad, rozwikła zagadkę, choć poczciwi obywatele Colby żyją zapewne w przekonaniu, że sprawa dawno została zamknięta.

Nie została. On wiedział najlepiej. Nie wyjedzie stąd, póki nie pozna prawdy. Póki duchy nie zaznają spokoju. Koniec.

Dowie się, kto zabił Alice Calderwood, Lorelei Johnson i Valette King – on, czy może ktoś zupełnie inny.

Wczesnym wieczorem zobaczył kobietę; szła w stronę chaty. Przez chwilę wydawało mu się, że ma zwidy. Całe popołudnie wietrzył, sprzątał, wyrzucał śmieci, usuwał pajęczyny. Znalazł dwa fotele, które przetrwały lata składowania i wyniósł je na ganek. Teraz, z puszką coli w ręku, usiadł w jednym z nich, stopy oparł o balustradę. Kobieta zbliżała się od strony lasu.

Obserwował ją z mieszanymi uczuciami. Z jednej strony był absolutnie pewien, że nie życzy sobie, by ludzie nachodzili go bez uprzedzenia, szczególnie kobiety, a zwłaszcza takie jak ta. Była ładna, delikatna, ubrana w jakieś coś w kwiaty, giezło stanowczo za długie i za obszerne. Dodać do tego jeszcze kapelusz z dużym rondem, białe rękawiczki, i wyglądałaby jak dama zaproszona na garden party.

Tyle że zamiast kieliszka miała w ręku talerz z czymś, co już z daleka wyglądało mu na mufinki. Nikogo nie potrzebował, niczego nie chciał, ale wiedział już, że jej nie zbędzie wrogim mruknięciem. Miał swoje priorytety, a dobre jedzenie widniało na samym szczycie jego listy.

Poza tym kobieta szła od strony starego zajazdu. Może nie będzie musiał wysilać mózgu, szukać sposobów dostania się do Stonegate. Może los podsunie mu rozwiązanie na talerzu.

Powinien wstać na jej powitanie. Nie miał matki, która nauczyłaby go manier, wychowywał go ojciec. Rzucało nimi z miejsca na miejsce, dopóki staruszek nie dokonał żywota, kiedy Griffin miał piętnaście lat. Od tego czasu był zdany wyłącznie na siebie, jednak łyknął co nieco ogłady, a jakże. Pomimo to nie podniósł się, patrzył tylko, jak kobieta wchodzi po schodach na ganek.

Nie lubił ładnych kobiet, lubił kobiety z charakterem, błyskotliwe, trochę cyniczne, jak jego była dziewczyna Annelise. Żadnego rozczulania się, westchnień, sentymentalnych bzdur. Ta tutaj wyglądała jak ze zdjęcia w czasopismach w rodzaju „Dom i ogród". Pachniała kwiatami, świeżym chlebem. Mierzył ją czujnym i mało przychylnym wzrokiem.

– Jestem Sophie Davis. – Słodki, ciepły głos, melodyjny, irytująco miły. – Dopóki nie zacznie się sezon, nie będzie pan miał innych sąsiadów poza nami. Proszę, mufinki na powitanie.

Wziął od niej talerz i postawił na balustradzie. Powinien zdobyć się na odrobinę uprzejmości, podziękować, wykrzesać z siebie uśmiech, ale coś go powstrzymywało.

Ta kobieta należała do innego świata, uporządkowanego, rodzinnego; on w ogóle nie miał poczucia przynależności. Siedział w fotelu, potężny, spocony prostak, i wpatrywał się w znacznie od niego drobniejszą, irytująco zadbaną Sophie Davis.

Nie chciał, żeby sobie pomyślała, że może do niego zaglądać z sąsiedzkimi wizytami, kiedy przyjdzie jej ochota. Cenił sobie swoją prywatność, szczególnie teraz. Nie zamierzał zwierzać się nikomu i opowiadać, kim jest i co go sprowadza do Colby.

– Dziękuję – wydusił wreszcie i nie zabrzmiało to zbyt uprzejmie. Zerknął w stronę domu Nilesów. – Dziwna pora na otwieranie zajazdu.

– Ciężko pracowałyśmy, żeby wszystko przygotować. Na farmie od wielu lat nikt nie mieszkał, dom był w strasznym stanie, ale udało się go doprowadzić do przyzwoitego stanu.

„Od wielu lat nikt nie mieszkał". Mógł tu przyjechać znacznie wcześniej, gdyby wiedział. Ale zamiast szukać odpowiedzi, próbował zapomnieć.

– Jesienią jest tu największy ruch – ciągnęła Sophie. – Większy niż latem albo w sezonie narciarskim. Mamy już komplet na cały wrzesień i na dwa pierwsze tygodnie października.

– Kiedy pani otwiera?

– Za dwa tygodnie.

Dwa tygodnie. Dwa tygodnie, żeby dostać się na farmę, zanim zaroi się tam od turystów. Dwa tygodnie, żeby się przekonać, czy stary dom skrywa jakieś tajemnice.

Przyglądała mu się jakoś dziwnie. Zrozumiałe, zapewne przywykła do tego, że mężczyźni jej nadskakują. Podniósł się z fotela. Jeśli ma tylko dwa tygodnie, powinien korzystać z okazji. I uważać, żeby nie wzbudzić podejrzeń Sophie Davis.

– Napije się pani czegoś, pani Davis? – zapytał uprzejmie, spoglądając z góry na swojego gościa. Nie lubił niskich kobiet, ale tak naprawdę wcale nie była taka niska. Tylko kobieca. Wyjątkowo irytujące. Nie miała chyba jeszcze trzydziestki, ale emanowała jakąś staroświecką elegancją, która działała mu na nerwy. Nie miał wcale ochoty na sąsiedzką pogawędkę, nie zdążył się jeszcze zaaklimatyzować, ale skoro zajazd należał do niej, byłby ostatnim głupcem, gdyby dał jej do zrozumienia, że uważa ją za intruza.

Ona też nie wyglądała na specjalnie zachwyconą, miał wrażenie, że czeka tylko, by się pożegnać i umknąć z chaty.

– Po prostu Sophie. I raczej nie pani, nie jestem mężatką – poinformowała. – Muszę wracać do siebie. Chciałam cię tylko powitać. Kiedy już otworzymy, powinieneś przyjść któregoś dnia na obiad.

Miała taką minę, jakby wolała raczej zjeść dżdżownicę, niż przyjmować go u siebie. Nie oczarował jej i wcale się temu nie dziwił. Patrzyła na niego nieco spłoszonym wzrokiem, zupełnie jak Czerwony Kapturek, który właśnie spotkał paskudnego, krwiożerczego wilka. W zasadzie nie odbiegało to zbytnio od prawdy.

– Chętnie – skłamał. Miał nadzieję, że do tego czasu rozwikła tajemnicę i opuści to miejsce.

– Dzięki za mufinki. – A jednak ją wypraszał. Było to tak oczywiste, że nie mogła nie odczytać informacji zawartej w tych trzech jakże lakonicznych słowach.

Uśmiechnęła się ciepło.

– Do zobaczenia.

Patrzył, jak się odwraca i schodzi z ganku. Do zobaczenia? Oby nie.

Usiadł z powrotem w fotelu. Postać Sophie Davis oddalała się, coraz drobniejsza, coraz mniej wyrazista. Nie ufał jej, ale z zasady nie ufał nikomu. Każdy ma coś za skórą. Powiedziała, że napracowały się, by doprowadzić dom do jakiego takiego stanu. A jeśli coś przy okazji odkryła? A może nieświadomie usunęła ślady? Cholera. Za długo czekał, by zmierzyć się z własną przeszłością. Nie powinien zwlekać ani chwili dłużej i żadna śliczna jak obrazek kobietka mu w tym nie przeszkodzi. Choćby i najbardziej pociągająca.

– Sukinsyn – sarkała Sophie pod nosem, idąc w stronę zajazdu. Przystojny sukinsyn. W tym akurat Marge miała rację. Wysoki, szczupły, dobrze zbudowany, twarz interesująca i piękna. Wydatny nos, wysokie i mocno zarysowane kości policzkowe, dość szeroka szczęka. Wydał jej się podobny do starożytnych Rzymian z rzeźbionych popiersi. Skądinąd trafna analogia, bo facet był zimny jak kamień. Tylko ciemne oczy spoglądały czujnie zza szkieł w drucianych oprawkach. Seksowne usta, gdyby nie te zaciśnięte wargi. Włosy ciemne, kręcone, przetykane siwizną. Swoją drogą mógłby je trochę przyciąć, przynajmniej wyszczotkować od czasu do czasu. No a charakterek... Ten facet był równie miły, jak na przykład pyton.

Miał się cały czas na baczności, czujny, nieruchomy, denerwowało ją to, a przecież nie była paranoiczką. Nie mogła oprzeć się wrażeniu, że John Smith szuka kłopotów. W pewnym sensie to nawet lepiej, że okazał się gburowaty, bo kiedy Marty napotkała na swojej drodze atrakcyjny okaz męski, nie zwracała uwagi na różnicę wieku. Spojrzy raz na ciekawą twarz pana Smitha, i zadurzy się po uszy. Oby przyjął ją równie przyjaźnie, jak teraz nową sąsiadkę.

Marty gorączkowo szukała pociechy po ostatnim amancie, wytatuowanym młodzieńcu o wdzięcznej ksywie Wąż. Do tej pory, odgrodzona od świata na odludnej farmie, nie znalazła żadnego następcy. Sophie nie była naiwna, nie łudziła się, że chłopcy z prowincji są lepsi od tych z miasta. Gdyby Marty zadurzyła się niegroźnie w nowym, nieprzystępnym sąsiedzie, być może trochę by się uspokoiła i przestała chodzić wiecznie nadąsana.

Pod warunkiem, że pan Smith nie okaże zbyt wielkiego zainteresowania tą gorącokrwistą i bezczelną smarkulą.

Sophie niezbyt wysoko oceniała własne walory zewnętrze – sama przeciętność. Przeciętny wzrost, przeciętna waga – tu musiała uważać – przeciętne rysy, nijakie włosy. Nigdy nie budziła w mężczyznach dzikich namiętności. Wnosząc po reakcji pana Smitha, nic się nie zmieniło.

I bardzo dobrze. Była zbyt pochłonięta zajazdem i kłopotami rodzinnymi, żeby zaprzątać sobie głowę antypatycznym sąsiadem o twarzy amanta filmowego. Spełniła dobry uczynek, upiekła mu mufinki i, przy odrobinie szczęścia, pewnie więcej go nie zobaczy. Pan Smith wkrótce usłyszy o morderstwach, dopiecze mu samotność, no i wyjedzie z Colby.

Po powrocie do Stonegate nigdzie nie zastała Marty, ale powitało ją głuche dudnienie ulubionej przez smarkatą muzyki. Na szczęście w miarę melodyjne piosenki Limp Bizkit nie zakłócały, jak się to często zdarzało, błogiego spokoju na północnym brzegu jeziora; Marty dzisiaj wyjątkowo nie nastawiła wieży na pełny regulator.

Grace, z pustym wyrazem twarzy, bujała się w wiklinowym fotelu na biegunach. Sophie na jej widok ponownie ogarnęły wyrzuty sumienia. Od chwili przyjazdu do Vermontu stan matki gwałtownie się pogarszał, przestała niedawno czytać swoje ukochane „z życia wzięte" kryminały. Leżały wszędzie, w kącie pokoju, na stole, na komodzie. Nawet najbardziej mrożące krew w żyłach historie już jej nie wciągały jak kiedyś. Siedziała całe dnie w fotelu, ze słodkim uśmiechem na ustach, nieobecna, przedwcześnie postarzała.

– Dziś prawie nic nie jadłaś. – Sophie usiadła koło matki.

– Nie byłam głodna, kochanie. Nie martw się o mnie, nic mi nie jest.

– Wzięłaś lekarstwa? Kupiłam ci ginkgo biloba, powinnaś brać, to poprawia pamięć.

– A czego niby brakuje mojej pamięci?

Sophie przygryzła wargę.

– Ostatnio coraz częściej zapominasz o różnych rzeczach.

– Czasami lepiej czegoś nie pamiętać – mruknęła Grace. – Naprawdę nie przejmuj się mną, Sophie. Słyszałam, że do chaty Whittenów wprowadził się zabójczy facet. Nim powinnaś się zająć, nie mną.

Matka zawsze potrafiła wprawić ją w zdumienie.

– Skąd o nim wiesz?

– Dużo wiem, chociaż może ci się wydawać, że nic mnie nie obchodzi. Załóż coś seksy i odwiedź go, przywitaj w Colby.

– Już to zrobiłam. Właśnie od niego wracam. Nie był jakoś szczególnie zachwycony moją wizytą.

Grace obrzuciła córkę krytycznym spojrzeniem.

– To coś, co włożyłaś, uważasz za seksowny ciuch? Chyba żartujesz?

– A czy ja twierdzę, że chciałam wyglądać seksy? To nie w moim stylu. Ja lubię zwiewne, luźne rzeczy.

Grace pokręciła głową z niejaką desperacją.

– Nigdy nie znajdziesz męża.

– Nie szukam. Ty znalazłaś i jakoś nie byłaś zbytnio szczęśliwa z tego powodu.

– Jesteśmy zupełnie inne, Sophie. Potrzebujesz atrakcyjnego mężczyzny, przy którym od czasu do czasu mogłabyś zapomnieć, że dźwigasz na sobie odpowiedzialność za losy świata. Zakochaj się, przestań być taka poważna, poszalej trochę.

Niańcz własne dzieci, zamiast matkować mnie i Marty. Damy sobie radę bez twojej opieki.

– Nie spieszy mi się – powiedziała Sophie, starając się, by nie zabrzmiało to zbyt defensywnie.

– Idź do łóżka z jakimś facetem – szepnęła Grace tym swoim słodkim, łagodnym głosem.

Sophie omal nie parsknęła śmiechem. Matka nigdy nie kryła się ze swoimi namiętnościami, lubiła seks, była wolnym duchem, zawsze miała na podorędziu jakiegoś mężczyznę, ale teraz echo dawnych upodobań zabrzmiało absurdalnie i żałośnie.

– Masz rację, mamo, jesteśmy zupełnie inne. Ja staram się... panować nad swoim libido.

– Panować? Nad swoim libido? Ty je stłamsiłaś – prychnęła Grace. – Na pewno wiesz, co robisz? – natarła na córkę ostro.

– Chodzi ci o seks?

– Chodzi mi o to, jakie życie wybrałaś. Nie masz jeszcze trzydziestki, zaszyłaś się na tym odludziu i harujesz jak wół, żeby doprowadzić tę ruderę do porządku. Nie ma tu żadnych wartych uwagi mężczyzn, nie ma kin, księgarń. Pozbawiłaś się wszystkiego. Została ci praca i opiekowanie się nami. Nie sądzisz, że zasługujesz na coś lepszego?

– W Nowym Jorku też nie było żadnych wartych uwagi mężczyzn, sami geje albo żonaci. Jestem bardzo zadowolona ze swojego życia. Chcę się tobą opiekować, mamo.

Grace pokręciła głową.

– Mam sześćdziesiąt lat, Sophie. Jeszcze nie musisz się mną opiekować. Sprzedaj tę farmę. Zajmij się wreszcie sobą.

– Nie znajdę kupca, jeszcze nie teraz. Najpierw zajazd musi ruszyć, ludzie muszą zobaczyć, że przynosi dochody, może wtedy ktoś go od nas odkupi, ale na razie, obawiam się, mamy związane ręce.

Wyraz twarzy Grace zmienił się; wracała do swojego zamkniętego, odgrodzonego od rzeczywistości świata.

– Oczywiście, kochanie – mruknęła obojętnie. – Wiesz, co robisz.

„Wiesz, co robisz". Kiedy Sophie wychodziła na ganek, w uszach brzmiały jej jeszcze słowa matki. Nad jeziorem wzeszedł już księżyc, rozświetlił bezchmurne niebo srebrną poświatą. W powietrzu czuło się zapowiedź jesiennych chłodów. Wyłożona miękkimi poduszkami ogrodowa huśtawka kołysała się zachęcająco. Sophie miała ochotę umościć się wygodnie, zapleść dłonie pod głową i obserwować gwiazdy.

Nic z tego. Musiała dokończyć robotę papierkową, zaczynić ciasto chlebowe na rano, nastawić pranie, zabrać się za jadłospisy. Potem tradycyjnie tuż przed snem pomartwi się o Grace i Marty. I to wszystko bez jednego papierosa.

Przeniosła się do Vermontu, bo miała nadzieję,

że będzie tu wieść tak zwane proste życie, skupi się na najbardziej podstawowych, codziennych sprawach. Dlaczego wszystko tak strasznie się skomplikowało?

Spojrzała w kierunku prawie niewidocznej z ganku chaty Whittenów; między drzewami przeświecał mdły poblask światła. W nowym sąsiedzie było coś podejrzanego. Jeśli rzeczywiście zamierzał otworzyć w Colby firmę, podjął głupią decyzję. Tutaj można było utrzymać się wyłącznie z turystyki, żaden inny biznes nie wchodził w rachubę, a pan Smith nie sprawiał wrażenia głupiego człowieka.

Może nie do końca i nie ze wszystkim. Pan Smith! Mógł się ukryć pod mniej banalnym nazwiskiem. Nie, ten człowiek miał jakieś ukryte zamiary, a Sophie, w przeciwieństwie do swojej matki, nie lubiła zagadek i tajemnic.

A może ponosi ją fantazja? Może spędzał tu wakacje w dzieciństwie? Albo w czasie studiów przyjeżdżał tu ze swoją dziewczyną? Colby broniło się przed rozgłosem. Najazdy hord turystów zniszczyłyby jego urok. Tubylcy żartowali, że trzeba zbudować rogatki, które strzegłyby miasteczka; przepuszczano by tylko wybranych obcych. Sophie się poszczęściło, usłyszała o Colby od zaprzyjaźnionej dziennikarki.

Pan Smith też jakoś tu trafił. Mogła łatwo sprawdzić, jakim sposobem. Wystarczyło popytać.

Popyta, owszem. Dowie się, co go tu przywiodło, kto napomknął mu o tym miejscu. Może wtedy nie będzie musiała stać na ganku, wpatrywać się w mrok i łamać sobie głowy, jakie tajemnice kryją te chłodne ciemne oczy.

Na razie musi myśleć o otwarciu zajazdu i nie zawracać sobie głowy intrygującym przybyszem, który bezceremonialnie wdarł się w jej życie. Pan Smith wyjedzie najdalej za miesiąc, dłużej nie wytrzyma w Colby.

Ona zostanie. Będzie przyjmowała turystów, prowadziła zajazd. I będzie szczęśliwa. W najgorszym razie będzie miała spokój. Czasami wydawało się jej, że to zupełnie wystarczy.

ROZDZIAŁ TRZECI

Griffin źle spał tej nocy. Podejrzewał, że tak będzie. Powrót do Colby wytrącił go z równowagi. Spoglądał na jezioro i przechodził go zimny dreszcz. Był tak rozbity, że musiał zrezygnować z nocnej wyprawy do zajazdu, nie podołałby, a przecież zależało mu, żeby dostać się tam możliwie najszybciej. Tylko wtedy jego przyjazd miał szansę zakończyć się sukcesem.

Otworzył okno w sypialni. Siatek oczywiście nie było, ale sezon komarów już się skończył, a much nie musiał się bać. W najgorszym razie kupi siatki u Audleya i sam zamontuje. Na szczęście owady dość konsekwentnie go unikały. Chciałby to samo móc powiedzieć o ludziach.

W zdemolowanej kuchni oczywiście nie było elektrycznego ekspresu do kawy, znalazł tylko zwykły, za to bez sitka. Żałował teraz, że nie kupił słoika kawy rozpuszczalnej, ale nigdy nie pijał tego świństwa. Teraz był gotów odstąpić od zasady.

Wiedział, gdzie znalazłby dobrą kawę. Kawę i mufinki, takie same jak te, które Davis przyniosła mu poprzedniego wieczoru. Świetny pretekst do złożenia wizyty w Stonegate. Sąsiadka nie odmówi przecież kubka gorącej kawy nieszczęśnikowi w potrzebie. Może powinien przeprosić, że przyjął ją tak chłodno. Miły uśmiech, kilka gładkich słów – to powinno wystarczyć, żeby zaskarbić sobie jej łaski i dostać się do starego domu

Jedyne co pamiętał z tamtej fatalnej nocy, to fakt, że był z Lorelei w zajeździe. Często zakradali się do opuszczonego skrzydła i pieprzyli jak króliki. W domku nad jeziorem nie mieliby spokoju; ciągle ktoś tam zaglądał, a Peggy Niles poczytywała sobie za święty obowiązek strzeżenie cnoty pracujących w zajeździe dziewcząt. Była fanatycznie religijna. Griffin wolał unikać zadrażnień, niż tłumaczyć starej dewotce, że tak jak ona ma swój święty obowiązek, tak on ma święte prawo rżnąć wszystko, co się rusza. Wierzył, że natrafi w starym skrzydle na coś, co wreszcie odblokuje mu pamięć. Jeśli to nic nie da, spróbuje rozwikłać sprawę inaczej, ale z całą pewnością powinien zacząć od wizyty w Stonegate. Ale żeby dostać się na farmę, musi najpierw wkraść się w łaski Sophie Davis. Zrobi to, chociaż wcale mu się to nie uśmiecha.

Był zły, że musi pojawić się w jej domu bez zaaplikowania sobie solidnej dawki kofeiny, ale nie miał wyboru. Bo też śniadanie w podłej wiejskiej knajpie, gdzie, jak w każdej tego typu knajpie, dostałby hamburgera smażonego na starym tłuszczu i śmierdzącą lurę do popicia, trudno uznać za jakikolwiek wybór. Za dwa tygodnie panna Davis otwiera zajazd, tak powiedziała. Zostało mu niewiele czasu. Nie przyjechał tu na wakacje. Musi zacząć działać, już, od zaraz.

Ścieżka prowadząca do Stonegate była węższa, niż ją zapamiętał, miejscami zupełnie zarośnięta. Nie chciał myśleć o tym, kiedy i z kim szedł nią ostatnio. Od tamtego dnia minęło dwadzieścia lat. Dlaczego nie mógł wybierać, co warto zapamiętać, a co zepchnąć w mroki niepamięci?

Chętnie zapomniałby, jak uwieszona na jego ramieniu Lorelei podśmiewa się z niego, jak się potyka, a dałby wszystko, żeby mieć w pamięci to, co zdarzyło się tamtej nocy, po której obudził się cały we krwi.

Zapomniał, jak pachnie wieś, jezioro, sosnowa żywica. Kiedyś lubił to miejsce. Po śmierci ojca, kiedy wyrósł na tyle, że mógł się podawać za pełnoletniego, nigdzie nie mieszkał tak długo jak tutaj. Prawdę powiedziawszy, lepiej mu się żyło bez drogiego tatusia. Ojciec lubił nadużywać wyskokowych napoi, a potem pasa. Albo się awanturował, albo użalał nad sobą, albo padał nieprzytomny, innych stanów nie znał. Poza nim Griffin nie miał nikogo bliskiego, matki prawie nie pamiętał.

Kochał ojca, tak, ale łatwiej znaleźć pracę i suche miejsce do spania, kiedy za człowiekiem nie człapie stary pijus.

Śmieszne, nie mógł sobie przypomnieć, gdzie ojciec został pochowany. Matka spoczęła w rodzinnym grobie w Minnesocie, a ojciec? Strasznie go to dręczyło.

Staruszek zmarł w Kansas albo w Nebrasce, w którymś z tych wielkich, nizinnych stanów, w jakiejś nędznej mieścinie. Pieniądze na pochówek Griffin zdobywał wszelkimi sposobami, pożyczał, żebrał, kradł. Na nagrobek nie starczyło. Nieważne, i tak nigdy nie zamierzał wrócić na grób ojca.

Nienawidził powrotów, a powrót do Colby był dla niego szczególnie niemiły. Kiedyś w swojej głupocie wyobrażał sobie, że mógłby tu spędzić resztę życia. Był młody, kołatały się w nim jeszcze resztki niewinności. Tutejszy wymiar sprawiedliwości szybko odwiódł go od tych pomysłów i zrewidował jego plany.

Plany snute jeszcze przed poznaniem Lorelei. Nie grzeszył wtedy, jak się rzekło, rozumem, a już kiedy chodziło o kobiety, był kompletnym durniem. O Lorelei różnie mówiono. Była szczupła, gibka i nienasycona. Tak nienasycona, wiecznie głodna seksu, że jeden facet jej nie wystarczał, dwóch też nie. Miał świadomość, że ona sypia z innymi i wmawiał sobie, że mu to wcale nie przeszkadza. Chciał wiedzieć, gdzie spędzała noce, kiedy nie spotykała się z nim, ale nie odpowiadała na pytania, więc przestał je zadawać. Powtarzał sobie, że ma to gdzieś, ale był smarkaczem i w końcu nie zdzierżył.

Tyle pamiętał. Pamiętał ich kłótnię, wrzaski tak głośne, że słyszała je chyba cała wioska. Nic więcej. Nie pamiętał, czy powiedziała mu, z kim się spotyka. Czy wykrzyczała w złości coś, co doprowadziło go do chwilowej utraty zmysłów.

Nie pamiętał, czy oślepiony szczenięcą wściekłością rzucił się na dziewczynę z nożem (brzytwą?) i pozbawił ją życia.

Do takiego wniosku doszli przysięgli. Przekonywał, tłumaczył, że jest niewinny, nikt nie słuchał jego zapewnień. Zabił, koniec, kropka. Pomroczność? Jaka pomroczność? Sprytne kłamstwo, nic więcej. Nie przyznał się, że był tej nocy w opuszczonym skrzydle zajazdu. Po prostu nie pamiętał. Niech to cholera. Przypomniał sobie pięć lat później, właśnie kiedy usiłował zapomnieć o tamtych wydarzeniach.

Teraz był gotów zajrzeć do swojej pamięci. Musiał poznać prawdę, nawet gdyby miała się okazać nie do zniesienia.

Nie miał żadnych powodów, żeby zabijać pozostałe dwie dziewczyny. Prawie ich nie znał, czasami zagadał do którejś w czasie środowych potańcówek. No dobrze, raz przespał się z Valette, rzecz bez znaczenia, nikt o tym nie wiedział, a i sama Valette pewnie rano wymazała z pamięci nocną przygodę.

Policja nie próbowała nawet obciążać go tamtymi morderstwami. Prokuratorowi wystarczyło jedno, dokonane na Lorelei, żeby zamknąć go na resztę życia za kratkami. Ciało Valette znaleziono na polu kukurydzy, Alice na poboczu drogi. Chłopcom z organów ścigania jakoś nie przyszło do głowy, że dwaj mordercy w jednej wsi popełniający w tym samym czasie zbrodnie na młodych kobietach, to rzecz mało prawdopodobna. Byli uszczęśliwieni, że mogą się pozbyć Thomasa Ingrama Griffina. Dzięki Bogu właśnie zniesiono w Vermoncie karę śmierci. A ludziom zabrakło jakoś chęci i energii, żeby dokonać linczu.

Wahał się z przyjazdem, bał się, że ktoś go rozpozna, w końcu machnął ręką. Zdjęcie publikowane przed dwudziestu laty w gazetach, zrobione w chwilę po aresztowaniu, przedstawiało młodego, długowłosego człowieka z olbrzymią, zasłaniającą pół twarzy brodą. Spoglądał w obiektyw spod zmrużonych powiek; taki deanowski grymas, którym maskował krótkowzroczność. Miał na sobie tylko obcięte dżinsy i gdyby ktoś przyjrzał się uważniej, mógłby dostrzec tatuaże. Musi pamiętać, że nie wolno mu pokazywać się bez koszuli. Wąż oplatający się wokół bioder, z głową gdzieś pod ostatnim żebrem, mógłby go z łatwością zdradzić. I chyba... tylko on.

Nie sądził, by ktokolwiek rozpoznał w stroniącym od ludzi okularniku bezdomnego młodocianego mordercę. Był starannie ubrany – sportowe spodnie, bawełniany T-shirt, żadne tam strzępiące się dżinsy – od dawna nie nosił pielęgnowanej przez długie lata brody. Twarz, kiedyś denerwująco anielska, taka lalusiowata, z czasem nabrała charakteru. Włosy, przedwcześnie przysypane siwizną, nosił teraz trochę krótsze.

Nie, nikt nie dostrzeże podobieństwa między panem Smithem a chłopakiem, którego kiedyś zapuszkowali za morderstwo. Nawet jeśli ktokolwiek jeszcze pamiętał młodego Grama.

Liczył na to, że nikt go nie pozna, nikt też nie będzie mu się uważnie przyglądał. Ludzie widzą tylko to, co chcą widzieć, nieraz się o tym przekonał. Nie będą doszukiwać się podobieństwa do mordercy w statecznym, przyzwoicie ubranym turyście.

Nie mógł uwierzyć, że Stonegate tak bardzo się zmieniło: nowy dach, lśniące świeżą farbą okiennice, nieskazitelnie czyste szyby, na ganku wiszące koszyki z kwiatami, przystrzyżony trawnik. Nawet stara stodoła jakby odmłodniała. Nieużywane skrzydło w ogrodzie zostało odmalowane z zewnątrz, a szyby z dymnego szkła miały zapewne chronić gości zajazdu przed widokiem zdewastowanego wnętrza.

Niedostępna, zamknięta na głucho część domu. Niedobrze, pomyślał Griffin smętnie. Jedyna pociecha, że panna Davis najwyraźniej ograniczyła remont skrzydła do koniecznych zabiegów kosmetycznych, pozostawiając pomieszczenia w takim stanie, w jakim je zastała. To pozwalało żywić nadzieję, że zachowały się tam jeszcze ślady wydarzeń sprzed dwudziestu lat.

Ktoś siedział na ganku i obserwował go uważnie.

– Kim pan jest? – Nastolatka, może trochę starsza od Lorelei, kiedy ją zamordowano. Czarne włosy z fioletowymi pasemkami, skąpy kostium kąpielowy, zaczepna mina – ani chybi miał do czynienia z młodszą panną Davis. Nic dziwnego, że jej siostra wyglądała na zmęczoną życiem.

– Nazywam się John Smith. Mieszkam w domu za lasem. – Celowo nie powiedział „w chacie Whittenów", obcy nie powinien znać takich szczegółów. – Pomyślałem, że może poratujecie panie sąsiada filiżanką kawy.

Dziewczyna wzruszyła chudymi ramionami.

– Sophie zwykle parzy cały dzbanek. Niech pan wejdzie i sobie naleje. Jestem Marthe. Akcentowane „e", jak we francuskim.

– Jesteś pewna, że twoja siostra nie będzie miała nic przeciwko temu?

„Marthe" spojrzała na Griffina podejrzliwie.

– Skąd pan wie, że Sophie to moja siostra?

– Posłużyłem się logiką – powiedział, wchodząc na ganek. – Mówiła mi, że mieszka z matką i siostrą. Matką raczej nie jesteś, pracownicą też nie, bo nie siedziałabyś tutaj, machając nogami.

– Może właśnie zrobiłam sobie przerwę na śniadanie. Nie ma pan przypadkiem papierosa?

– Rzuciłem palenie. Ile masz lat?

– Dwadzieścia jeden.

– Aha.

– Osiemnaście.

– Na pewno.

– Skończę w styczniu.

– Przykro mi, ale nawet nie chcę słuchać o twoich nałogach, a co dopiero sprowadzać cię na złą drogę.

Panna zmierzyła go przeciągłym spojrzeniem.

– Niektóre bywają bardzo miłe. Lubię być sprowadzana na złą drogę.

– Skarbie, jestem dla ciebie o wiele za stary.

– Chętnie przymknę oko na ten szczegół – oznajmiła obiecująco. – Jak poznałeś moją siostrę?

– Przyniosła mi wczoraj talerz mufinek. Na powitanie.

– Uważaj, ona ma chrapkę na chatę Whittenów. Zdobędzie ją, żeby nie wiem co. Nie chcesz chyba skończyć z poderżniętym gardłem na dnie jeziora?

Griffin poczuł się, jakby ktoś zdzielił go z całych sił pięścią w splot słoneczny, ale młodsza z panien Davis nie zauważyła, jaki efekt wywarły jej słowa, nie miała pojęcia, jakie wspomnienia obudziły.

– Nie zrobiła na mnie wrażenia osoby o morderczych instynktach – powiedział, opierając się o drewnianą balustradę.

– Pozory – oznajmiła panna pogodnie. – Powiedziałbyś, że w Stonegate popełniono okrutną zbrodnię? Nie, prawda? Mogłoby się wydawać, że człowiek prędzej umrze tu z nudów, niż zginie nagłą śmiercią. Cisza, spokój.

– Tego właśnie szukam.

– To masz szczęście, że nie przyjechałeś tutaj przed dwudziestu laty – poinformowała z upiornym błyskiem w oku. – W okolicy grasował seryjny morderca, zadźgał trzy dziewczyny. Gwałcił, a potem zabijał. Ponura historia.

– Rzeczywiście – przytaknął znudzonym głosem. Aż tak pamięć go nie zawodziła. Nie było żadnych gwałtów, chociaż autopsja wykazała, że wszystkie trzy dziewczęta miały stosunek w ciągu ostatnich dwudziestu czterech godzin przed śmiercią. – Znaleźli tego faceta, który je zabił?

– Skąd wiesz, że to był facet?

– Większość seryjnych morderców to faceci. Poza tym mówiłaś przecież, że zostały zgwałcone.

Marthe wzruszyła ramionami.

– Gracey będzie wiedziała. Uwielbia takie

kryminalne historie z życia wzięte. Co prawda jest tak odjechana, że nie pamięta, jak się nazywa, ale spróbuj z nią pogadać, może coś jej zaświta. Jeśli ta sprawa cię interesuje, ma się rozumieć.

– Niespecjalnie – skłamał. – Bardziej interesuje mnie kawa.

Smarkata zeskoczyła z balustrady, wykonując przy okazji kilka dziwnych, w jej mniemaniu pewnie szalenie prowokacyjnych, wygibasów.

– Zaprowadzę cię. Obyśmy nie napatoczyli się na Sophie.

Kuchnia wyglądała zupełnie inaczej niż kiedyś: oczyszczone z warstw farby olejnej dębowe szafki, terakota na podłodze, granitowe blaty. Tylko drzwi prowadzące do starego skrzydła pozostały takie same, prawdopodobnie zamknięte teraz na klucz, może nawet zabite na głucho.

Generalnie było tu znacznie sympatyczniej niż za czasów Peggy Niles, ale może to zapach świeżej kawy i mufinek tak działał na Griffina. Zawsze był wyczulony na zapachy i zawsze trochę się ich obawiał, bo sprawiały, że tracił kontrolę nad emocjami.

Sophie Davis na razie się nie pojawiła. Nie wiedział, czy ma się z tego powodu cieszyć, czy wręcz przeciwnie. Nie byłaby zachwycona, wiedząc, że jej nieletnia siostrzyczka kręci przed nim chudą, ledwie osłoniętą pupą. Jego samego żałosne wysiłki smarkatej też nie wprawiały w specjalny zachwyt. Był normalnym, zdrowym facetem, ale panna Marthe Davis nie działała na niego. Być może dlatego, że nigdy nie pociągały go nastolatki.

– Co będziesz dzisiaj porabiał, John? – zagadnęła, wykazując się brakiem taktu i bardzo niezdrowym wścibstwem.

Minęła dobra chwila, zanim uzmysłowił sobie, że tym imieniem przecież się przedstawił.

– Sprzątał. Nie uprzedziłem w agencji, kiedy przyjeżdżam, nie zdążyli przygotować domu, sam to zrobię.

– Pomogę ci. Ostatnio niczym innym się nie zajmuję, tylko sprzątam – skrzywiła się. – Przyda ci się towarzystwo.

– Poradzę sobie, ja... – zaczął, ale panna już wyfrunęła z kuchni.

– Zarzucę coś na siebie – zawołała jeszcze z sieni. – Sophie na pewno nie będzie za mną tęskniła.

– Cholera – mruknął. Na blacie kuchennym stało kilka kamionkowych kubków, wziął pierwszy z brzegu i nalał sobie kawy. Upił pierwszy łyk i miał ochotę gwizdnąć przeciągle, głośno. Sophie Davis parzyła kawę, za którą każdy facet dałby się zabić, bez dwóch zdań.

Powinien natychmiast wylać zawartość kubka do zlewu, wynieść się czym prędzej z pustej kuchni, udać prosto do sklepu Audleya i kupić słoik rozpuszczalnej kawy. Rzadko ulegał pokusom, ale kawa Sophie była po prostu za dobra. Tak dobra, że mogła poważnie naruszyć jego żelazną samokontrolę. W porządku, dopije cudowny, magiczny napój i chodu, zanim znajdzie go tu ta bogini kuchni.

Sophie mogła spodziewać się wszystkiego, ale z pewnością nie tego, że we własnej kuchni natknie się na tajemniczego pana Smitha. Stał oparty o szafkę, z kubkiem w dłoni, i przyglądał się jej uważnie zza okularów w drucianych oprawkach.

– Co pan tu robi? – Była tak zaskoczona, że zapomniała o zasadach dobrego wychowania.

– Twoja siostra poczęstowała mnie kawą.

Nie podobał się jej głos pana Smitha: niski, głęboki, seksowny, nijak nie pasujący do chłodnego sposobu bycia tego dziwnego człowieka. Dopiero po chwili dotarło do niej, co powiedział.

– Poznałeś Marty? – W pytaniu mimo woli zabrzmiała nuta obawy, podejrzliwy ton. Wczoraj gotowa była wpaść w zachwyt, że znajomość z sąsiadem, oczywiście zupełnie niewinna, wypełni czas siostrze. Teraz, w pełnym świetle dnia, widziała jasno, jakim niebezpiecznym osobnikiem jest pan Smith.

– Tak – stwierdził lakonicznie.

– Ona nie skończyła jeszcze osiemnastu lat – oznajmiła surowo.

– Wiem i nie mam wobec niej żadnych nie-

cnych zamiarów. Nie interesują mnie nimfetki.
– Trochę przesadził, prawie osiemnastoletnia panna to jednak nie nimfetka. Poza tym Sophie i tak mu nie uwierzyła, ani trochę.

– A jakie kobiety pana interesują?

Griffin przechylił lekko głowę.

– Pytasz ze zwykłej ciekawości, czy przemawia przez ciebie bezinteresowna potrzeba zgłębiania wiedzy o świecie?

– Siostra jest pod moją opieką – odpowiedziała zimno.

– A tobą, kto się opiekuje?

Miała ochotę powiedzieć, że nikt, pies z kulawą nogą, ale się powstrzymała. Jeśli tak wyglądała sąsiedzka pogawędka w wydaniu Johna Smitha, to zdecydowanie wolała tego faceta w poprzedniej, mrukliwej wersji.

– Nie chcę być niegrzeczna, ale mam mnóstwo pracy, nie mogę tracić czasu na życie towarzyskie.

– To my teraz prowadzimy życie towarzyskie? – zapytał z ledwie ukrywanym rozbawieniem. Nie lubiła, kiedy ktoś z niej kpił.

– Z przyjemnością dam ci cały termos kawy. Zabierzesz ją sobie do domu. – Nawet nie zauważyła, że znów zaczęła mu mówić na ty.

– Chciałaś chyba powiedzieć, że z przyjemnością się mnie pozbędziesz. Wierz mi, szanowna Davis, jestem absolutnie nieszkodliwy.

– Jasne. Nie wiesz, jakie wrażenie mogą wywrzeć na wrażliwej nastolatce te twoje chmurne bajroniczne spojrzenia.

– Chmurne bajroniczne spojrzenia? – powtórzył z nie udawaną zgrozą.

– Jestem gotowa! – W drzwiach pojawiła się Marty odziana w spódnicę, do której bardziej pasowałoby określenie „mikro" niż „mini". Do tego włożyła obcisły top.

– Gotowa? Niby do czego? – prychnęła Sophie.

– Idę do Johna, pomogę mu sprzątać – oznajmiła panna z promiennym uśmiechem i Sophie prawie zemdlała. Ile to razy nachodziła ją myśl, że wiele by dała, byle tylko zobaczyć uśmiech na twarzy siostry.

Wiele by dała, ale nie pozwoli przecież iść smarkatej do nieznajomego. Przystojnego nieznajomego. O chmurnym bajronicznym spojrzeniu.

– Nigdzie nie pójdziesz. – Krótko i zdecydowanie. – Jesteś mi potrzebna tutaj, a pan Smith świetnie sobie poradzi bez twojej pomocy. Jeśli nie, podam mu kilka nazwisk i wynajmie kogoś z wioski.

– Nie potrzebuję pomocy... – zaczął i przerwał, bo Marty tupnęła nogą jak rozkapryszone dziecko.

– Nigdy nie pozwalasz mi robić tego, na co mam ochotę. Nie wiem, co to przyjemność. Najlepiej od razu zamknij mnie w klasztorze.

Sophie wzięła głęboki oddech.

– Kiedy wpadłaś na to, że sprzątanie zapuszczonych domów jest przyjemnością? Wściekasz się od chwili, kiedy tu przyjechałyśmy, a teraz nagle z własnej nieprzymuszonej woli chcesz robić u Whittenów to, czego nie mogę się od ciebie doprosić od wielu miesięcy?

– Owszem, chcę.

– Możesz mi powiedzieć, co do tego ma klasztor? Zamierzasz sprzątać czy uprawiać seks?

Pan Smith zakrztusił się kawą.

– Ty mnie nienawidzisz! – zawołała Marty. – I nawzajem! – Wybiegła z kuchni, bardzo głośno trzaskając drzwiami.

Niepotrzebnie mnie poniosło, i to w obecności nieproszonego gościa, pomyślała Sophie ze złością. Powinna już przywyknąć do dąsów Marty, ale źle spała w nocy, a pan Smith działał jej na nerwy.

– Przepraszam za tę scenę – mruknęła, nalewając sobie kawy. – Moja siostra jest w trudnym wieku. Ma mnóstwo problemów, z którymi musi się uporać.

– Czyżby? Zrobiła na mnie wrażenie normalnej dziewczyny. Wszystkie nastolatki są takie. Nie do wytrzymania.

– Ma pan dzieci, panie Smith? – znów wróciła do oficjalnej formy.

– Nie. Po prostu pamiętam siebie z tego okresu. Ty nie?

– Byłam zbyt zajęta, żeby myśleć o sobie. Nie miałam czasu na bunty.

– Nic straconego, zawsze jeszcze możesz spróbować.

– Nie. Cieszę się, że ominęłam ten etap dojrzewania. – Sophie odwróciła głowę do okna. Nie miała ochoty patrzeć na Smitha.

– Łudzimy się, że coś tam udało się nam ominąć. Prędzej czy później i tak nas to dopada.

– Miejmy nadzieję, że akurat na tę szczególną przypadłość jestem uodporniona. Nie mam czasu ani inklinacji ku temu, żeby zachowywać się jak trzpiotowata smarkula.

– Nie wiesz, co tracisz – stwierdził pan Smith z przekonaniem i odstawił kubek. Wybrał jej ulubiony, seledynowy. Ogarnęło ją ponure przeczucie, że ilekroć zechce teraz napić się kawy, będzie widziała oczami wyobraźni swój kubek w szczupłych, pięknych dłoniach Smitha. I jego usta na jej kubku! Nic nie mogła na to poradzić, facet miał najbardziej seksowne usta, jakie tylko można sobie wyobrazić.

– Nie narzekam. – Po co wdaje się z nim w dyskusje? Nie patrzyła na niego, ale czuła, że ją cały czas uważnie obserwuje.

– Powiedzmy. Skoro twoja siostra się obraziła, ujmijmy to inaczej... jest zajęta, może zajrzałabyś do mnie i rzuciła fachowym okiem na ten rozgardiasz? Poradzisz mi, od czego zacząć, kogo wynająć do pomocy, podpowiesz kilka nazwisk...

Niebywałe.

Wczoraj sprawiał wrażenie, że chętniej widziałby w swojej chacie hordę dzikich wikingów niż ją, a teraz nagle z uprzejmym uśmiechem prosi o pomoc. Dlaczego?

Nie ufała mu za grosz.

– Nazwiska mogę ci podać od razu.

– Naprzykrzam się?

Nie było wyjścia, musiała wreszcie spojrzeć mu w oczy. Kpił sobie z niej. Miała ochotę powiedzieć mu, że owszem, naprzykrza się.

I postąpiłaby głupio. Był atrakcyjny, smarkata mogła łatwo się w nim zadurzyć. Żeby do tego nie dopuścić, należało przeprowadzić rozpoznanie pozycji wroga. Pan Smith dawał jej po temu świetną sposobność. Skoro sam się naprasza...

– Skądże, nie naprzykrzasz się – oświadczyła ciepłym tonem. – Chętnie pójdę do Whittenów, zastanowimy się wspólnie, jak doprowadzić dom do porządku. Trzeba dbać o dobrosąsiedzkie stosunki.

– Absolutnie. Też jestem tego zdania. – Sophie nie była pewna, czy się jej wydawało, czy rzeczywiście usłyszała nutę rozbawienia w jego głosie.

– Zajrzę tylko do mamy i powiem Marty, że idę do ciebie.

– Jesteś pewna, że to dobry pomysł? Twoja siostra dopiero co wybiegła stąd ciężko obrażona.

– To u niej stan przewlekły – westchnęła

Sophie. – Już się przyzwyczaiłam. Poczekaj na mnie na ganku, za chwilę będę gotowa.

– Oczywiście – przytaknął skwapliwie i ruszył ku drzwiom.

Sophie miała wrażenie, że tajemniczy pan Smith wcale nie jest taki miły i skory do nawiązywania „dobrosąsiedzkich stosunków", za jakiego chciał uchodzić w jej oczach. Nie była pewna, czy nie popełnia wielkiego błędu.

ROZDZIAŁ CZWARTY

Nad brzegiem jeziora w fotelach ogrodowych siedziało dwoje ludzi, rozmawiali ściszonymi głosami i wygrzewali się w sierpniowym słońcu. Griffin powinien zostać na ganku, jak mu przykazała Sophie Davis, ale nigdy nie lubił stosować się do poleceń, taka natura. Poza tym ci nad jeziorem nie byli najmłodsi, mogli pamiętać wydarzenia sprzed dwudziestu lat, zakładając oczywiście, że nie przyjechali do Colby na wakacje.

Ruszył powoli w ich stronę. Igrał z ogniem. A jeśli go rozpoznają? Diabli wezmą całe dochodzenie. Każdy, kto choć trochę interesował się sprawą, wiedział, że po pięciu latach od zapadnięcia pierwszego wyroku i wniesieniu kolejnej apelacji został uniewinniony, co wcale nie oznaczało, że w okolicy nie wybuchnie coś w rodzaju skandalu, kiedy ludzie zorientują się, kim naprawdę jest pan Smith.

Wiedział, że ryzykuje, wracając nad Still Lake.

Gdyby to od niego zależało, nigdy więcej jego noga nie postałaby w pobliżu jeziora. Całkiem nieźle ułożył sobie życie, mógł machnąć ręką na przeszłość.

On tak, ale Annelise, jego wspólniczka i była narzeczona, była innego zdania. Powinniśmy się pobrać, pomyśleć o rodzinie, przekonywała rzeczowym, wypranym z emocji tonem. Chcę mieć dzieci, powtarzała, a on słuchał tego jak gdakania kwoki szykującej się do zniesienia jajka. Naturalnie nie podzielił się z nią tymi odczuciami.

W końcu była piękna, inteligentna, wyrafinowana. Biegła w sztuce kochania. Znali się dobrze, doceniali nawzajem swoje walory, przechodzili do porządku dziennego nad przywarami. Było jedno „ale": pomimo wyroku uniewinniającego Annelise nie chciała się rozmnażać z partnerem uznanym swego czasu za mordercę.

– Musisz koniecznie się dowiedzieć, co wtedy zaszło – oznajmiła kategorycznie. – Jeśli mamy myśleć o wspólnej przyszłości, powinniśmy uporządkować przeszłość.

Nie paliło mu się specjalnie do wspólnej przyszłości, nie czuł potrzeby porządkowania dość plugawej przeszłości. Wolał żyć dniem bieżącym, ale Annelise była kobietą myślącą perspektywicznie, osobą, która miała szczególny talent do osiągania wytyczonych celów. Tym razem jej plany pokrywały się z jego zamiarami. Minęło dwadzieścia lat, najwyższa pora, by wreszcie poznać prawdę.

Tymczasem Annelise zerwała zaręczyny. Jego chłodna, obdarzona pragmatycznym umysłem partnerka zakochała się nieprzytomnie w jednym z klientów. Dwa dni po ślubie przypomniała sobie, że powinna jednak poinformować Griffina o tak istotnych zmianach w życiu uczuciowym. Dziwne, ale niestety prawdziwe.

Nie płakał za nią, nie wpadł w czarną rozpacz. Prawdę powiedziawszy, martwiło go raczej to, że tak mało dla niego znaczyła. Odczuł jedynie lekki niepokój i coś jakby ulgę, że obdarzyła miłością kogo innego.

Para siedząca nad jeziorem przyglądała mu się z nieukrywanym zainteresowaniem. Kobiety nie znał, był pewien, że nigdy wcześniej jej nie widział, chociaż przed dwudziestu laty nie zwracał uwagi na osoby w „starszym" wieku. Chuda, dziwacznie ubrana, z rozwianym siwym włosem i nieobecnym wyrazem twarzy. Równie dobrze mogła mieć siedemdziesiąt lat jak dziewięćdziesiąt. Zaskoczyło go jej bystre, przenikliwe spojrzenie; błysk zainteresowania – i oczy na powrót zasnuły się mgłą.

– Kim pan jest? – zapytała. Nie zabrzmiało to nieuprzejmie, raczej jak pytanie wścibskiego dziecka. – Doktorze, kto to?

Niech to szlag. Dok Henley, człowiek, którego

powinien i chciał za wszelką cenę unikać. Przynajmniej do czasu. To Dok zakładał mu szwy, kiedy rozciął sobie udo brzytwą, a potem, po aresztowaniu, robił testy, żeby sprawdzić ślady krwi na jego ciele. To Dok był przy porodach wszystkich trzech zamordowanych i on podpisywał ich akty zgonu.

Niewiele się zmienił przez te dwadzieścia lat. Siwe włosy trochę się przerzedziły, na twarzy pojawiły się nowe zmarszczki, to wszystko. Te same stanowcze rysy, mądre, dobre oczy. Nie rozpoznał Griffina. Podniósł się z fotela, wyciągnął dłoń na powitanie. Cofnąłby ją szybko, gdyby wiedział, z kim ma do czynienia.

– To zapewne wasz nowy sąsiad, Gracey – zwrócił się do kobiety. – Richard Henley, ale nazywają mnie Dok. A to pani Grace Davis. Witamy w Colby.

Griffin oddał uścisk. Poczuł siłę dłoni Doka, bez śladu starczego drżenia.

– John Smith – przedstawił się. Powinien był wybrać mniej pospolite nazwisko. John Smith brzmiało tak banalnie, że z miejsca mogło budzić podejrzenia.

W Gracey nie obudziło żadnych.

– Jak miło – powiedziała swoim miękkim, melodyjnym głosem. – Co pana sprowadza do Colby, panie Smith? I to akurat na nasz odludny brzeg jeziora?

Nie wiedział, czy mu się zdawało, czy znowu dostrzegł błysk przenikliwości w jej oczach, tak zaskakujący przy dziwacznym sposobie bycia. Jeśli patrzył właśnie na matkę Sophie, nie mogła mieć więcej niż sześćdziesiąt, sześćdziesiąt pięć lat, tymczasem sprawiała wrażenie kogoś, kto już dawno powinien dogorywać w domu opieki.

– Szukam ciszy i spokoju, pani Davis. Pomyślałem, że tutaj będę mógł się spokojnie ponudzić przez kilka miesięcy.

– Ucieknie pan, kiedy spadną pierwsze śniegi – stwierdziła autorytatywnie.

– Dlaczego? Nie boję się śniegu.

– Chata Whittenów nie nadaje się do zamieszkania w zimie – wtrącił doktor. – Jeśli chce pan zostać u nas dłużej, radzę rozejrzeć się za innym, odpowiedniejszym lokum. Nie warto przecież inwestować w wynajmowany dom, choć prawdę powiedziawszy, nie wiem, co mogłoby tu pana zatrzymywać. Pracy tu brakuje nawet w sezonie, większość mieszkańców dojeżdża do Montpelier albo do Burlington.

Griffin uśmiechnął się nieznacznie. Nie zamierzał wtajemniczać doktora w swoje plany, chociaż ten najwyraźniej, acz ostrożnie, próbował brać go na spytki.

– Pomyślę o tym, kiedy przyjdzie pora – rzucił od niechcenia. – Na razie jednak chcę się nacieszyć spokojem.

Dok zmrużył oczy, spojrzał na rozświetloną słońcem taflę jeziora.

– Pozory mylą, chłopcze. Nasza wioska nie jest tak spokojna, jak mogłoby się wydawać. Uwierz mi na słowo.

Byłby głupcem, gdyby nie spróbował wykorzystać sposobności, skoro sama się nastręczała.

– Co pan ma na myśli?

– Morderstwa – poinformowała z widoczną satysfakcją Gracey i odgarnęła włosy z twarzy. – Mnóstwo nierozwiązanych zagadek kryminalnych w całym Northeast Kingdom, naszego Colby nie wyłączając.

Griffin wzruszył ramionami.

– Mówi pani o tych dziewczętach, które zginęły dwadzieścia pięć lat temu? Ktoś mi o tym wspominał. Ale sprawcę podobno ujęto?

– Dwadzieścia lat temu – poprawił go Dok. Griffin pamiętał, ile czasu upłynęło od śmierci Lorelei, Valette i Alice. Co do dnia. – Owszem, złapali chłopaka, wsadzili za kratki, ale wyszedł po kilku latach, chyba w końcu go uniewinnili. Sporo ludzi tu, w Colby, też uważa, że to nie on mordował, że zaszła pomyłka.

Nieprawdopodobne. Dotąd żył w przekonaniu, że zacni obywatele Colby łakną jego krwi. Miał szczęście, że nie znaleźli w sobie dość energii, by posunąć się do linczu.

– Naprawdę?

– Są i tacy, którzy wierzą w jego winę, co więcej, są przekonani, że kiedyś tu wróci, by dokończyć dzieła – powiedział Dok.

Griffin nawet nie mrugnął.

– Dlaczego dotąd się nie pojawił? Pewnie już dawno nie żyje.

– Nie on. To był twardy chłopak. Takiego nic nie złamie. Więzienie, nieszczęście... nic.

– A pan myśli, że zamordował te dziewczyny? – zapytał Griffin. Ledwie wypowiedział te słowa, zorientował się, że popełnił błąd.

Dok spojrzał na niego uważnie, przez długą chwilę nie spuszczał wzroku z jego twarzy.

– Nie wiem. Czasami miałem wrażenie, że ten chłopak jest uosobieniem zła, kiedy indziej myślałem, że to po prostu zagubiony dzieciak. Mógł je zabić, ale jeśli to zrobił, działał chyba w amoku, pod wpływem narkotyków czy czegoś takiego.

Dużo się dowiedziałem, pomyślał Griffin ponuro. Dok przyglądał mu się teraz wręcz natarczywie, jakby w gładko ogolonej, częściowo przesłoniętej okularami twarzy dostrzegł tamtą, młodszą o dwadzieścia lat twarz chłopca, który mógł być mordercą.

Pokręcił głową.

– Jeszcze jedna nierozwiązana zagadka. Podobnie jak historia Sary Ann Whitten.

– Whitten? – powtórzył Griffin.

– Siedemnastoletniej córki właścicieli chaty,

którą pan wynajął – wyjaśnił Dok. – Zniknęła w dwa lata po morderstwach. Po prostu wyszła z domu i nie wróciła. Przepadła bez śladu. Gdyby chłopak nie siedział już wtedy w więzieniu, ludzie uznaliby, że i ją zamordował.

– Mówi pan, że nie wszyscy uwierzyli w jego winę?

– Nikt nie wie, jak było naprawdę – powiedział Dok. – Czy chłopiec był seryjnym mordercą, czy zabił w afekcie, z zazdrości? A może sam padł ofiarą mordercy, został wplątany w ponure zbrodnie? Po prostu wrobiony? Teraz to nie ma już żadnego znaczenia. Minęło tyle czasu, nikt nie chce wracać do tamtych wydarzeń. Lepiej nie rozgrzebywać przeszłości, bo i po co?

Griffin nic nie odpowiedział. Jego przeszłość nie dawała mu spokoju, dręczyła, prześladowała. Nie spocznie, dopóki nie dojdzie prawdy. Za każdą cenę, może nawet nie przebierając w środkach.

Sophie ani myślała tracić czasu. Im prędzej wyprowadzi pana Smitha ze Stonegate i zasięgu spojrzeń siostry, tym lepiej. Nie był w typie Marty; smarkata lubiła odmóżdżonych mięśniaków, a on miał szron na skroniach i okulary w drucianych oprawkach na nosie. Z zupełnie innej materii utkane są dziewczęce marzenia.

A jednak Sophie wiedziała, czuła instynktownie, że wdziękom pana Smitha nie oparłaby się żadna młoda istota płci żeńskiej. Nawet ona sama, wystarczająco opancerzona, zupełnie niezainteresowana sąsiadem, wyczuwała bijący od niego seksapil. Na szczęście była osobą odporną na tego rodzaju pokusy.

Nie czekał na ganku, co w najmniejszym stopniu jej nie zdziwiło. Poszedł na brzeg jeziora. Stał tam wyprostowany, zapatrzony w gładką taflę wody, z twarzą zwróconą ku niewidocznej stąd wiosce. W dodatku znalazł sobie towarzystwo.

Tym razem nie była to Marty, ale nie stanowiło to wielkiej pociechy. Smith zdążył już zawrzeć znajomość z Gracey. Co prawda obecność Doka mogła być swego rodzaju buforem w kontaktach tych dwojga, jednak mimo to Sophie ruszyła szybkim krokiem ku jezioru.

– Nie mówiłaś mi, że mamy nowego sąsiada – odezwała się matka na jej widok.

Sophie przygryzła wargę. Znowu to samo...

– Owszem, mówiłam. Rozmawiałyśmy o tym wczoraj, nie pamiętasz?

Oczy Gracey rozbłysły na moment.

– Prawda, teraz sobie przypominam. Powiedziałam ci, że powinnaś się z kimś przespać.

Dziwny dźwięk, który wydał pan Smith, raczej nie poprawił atmosfery. Dok ujął dłoń Gracey.

– Nie powinnaś mówić takich rzeczy, moja droga – próbował interweniować.

– Kiedy to prawda. Seks jest bardzo zdrowy dla

młodych ludzi, a ten chłopiec prezentuje się całkiem nieźle. Prawda, Sophie?

Sophie czuła, że jeszcze chwila, a stanie się z nią coś strasznego.

– Nie jest w moim typie, mamo. Może wróciłabyś do domu? Dok cię zaprowadzi i...

– Co to znaczy, nie w twoim typie? Kaprysisz, moja droga. – Odwróciła głowę i wbiła spojrzenie w milczącego sąsiada. – Pan żonaty?

– Nie.

– Związany z kimś? Może gej?

– Nie. – Z rzucanych pozbawionym wyrazu głosem monosylab trudno było cokolwiek wywnioskować, a Sophie bała się spojrzeć na pana Smitha. Wolała nie sprawdzać, jaką reakcję wywołało skandaliczne zachowanie jej rodzonej matki.

– Sama widzisz! – zawołała Gracey triumfalnie. – Idealny kandydat. Dalej, prześpij się z nim, a ja przypilnuję zajazdu.

– Chodźmy do domu, Gracey. Przygotuję ci filiżankę herbaty. – Biedny doktor usiłował spacyfikować swoją pacjentkę.

Sophie nie czekała na dalszy ciąg, ruszyła w stronę ścieżki prowadzącej do chaty. Szła szybko, nie oglądając się za siebie. Było jej wszystko jedno, czy pan Smith idzie za nią, czy nie. Jeśli został, nie szkodzi. Ona po prostu dojdzie do szosy, zawróci i okrężną drogą wróci do zajazdu.

Szedł. Zrównał się z nią, dopiero kiedy dochodzili do chaty.

– Dlaczego wszystkie tak się interesujecie moim życiem seksualnym? – zagadnął. W jego głosie niby brakowało emocji, ale nie dała się zwieść. Nie była w ciemię bita.

Teraz albo nigdy. Zatrzymała się. Był tak blisko, że musiała zadrzeć głowę, żeby spojrzeć mu w oczy. Do rozmowy z takimi facetami należy wkładać pantofle na wysokich obcasach, inaczej przytłaczają człowieka swoim wzrostem.

– O co ci chodzi?

– Ty jesteś przekonana, że chcę się przespać z twoją siedemnastoletnią siostrą, twoja matka uważa, że powinienem przespać się z tobą, Marty też ma zapewne własną koncepcję.

– Możesz zignorować jej koncepcję, Marty ma pstro w głowie, a moja matka grzybieje i nie wie, co mówi, chyba zauważyłeś.

– Mam wrażenie, że jej umysł jest znacznie sprawniejszy, niż przypuszczasz – mruknął Griffin.

– Wysnułeś ten przenikliwy wniosek na podstawie pięciominutowej rozmowy, czy może zainspirowało cię twierdzenie, że powinnam iść z tobą do łóżka?

– Sama widzisz, masz obsesję na punkcie seksu.

– Nie mam żadnej obsesji. – Sophie wciągnęła

głęboko powietrze. – W ogóle mnie nie interesujesz. Jesteś sąsiadem, zgodziłam się pomóc ci, udzielić rady, to wszystko.

– Zgodziłaś się, bo zrobisz wszystko, żeby trzymać siostrę z dala ode mnie.

Nie było sensu zaprzeczać.

– Owszem, to też mną kierowało.

Griffin skinął głową.

– Przynajmniej jesteś ze mną szczera. Nienawidzę kłamstwa.

– Ja też, panie Smith. – Ktoś inny może przeoczyłby znaczący akcent położony na absurdalnym nazwisku „Smith". Griffin uśmiechnął się lekko, jakby z politowaniem dla własnej głupoty czy też kompletnego braku wyobraźni, ale zmilczał przytyk. Przed samym domem przyspieszył kroku i na ganek dotarł jako pierwszy.

– Wiesz, że w umowie najmu mam zawarowaną możliwość kupna tego domu? – zapytał ni stąd, ni zowąd.

Sophie zrobiła zdziwioną minę, nie do końca pewna, czy jej wysiłki przyniosą pożądany efekt. Cóż, zawsze warto spróbować.

– Po co ci on?

– Podoba mi się. Cisza, spokój. Z dala od ludzi.

– Jest w okropnym stanie. Trzeba by go wyremontować, przystosować do mieszkania w zimie. Po sezonie nie znajdziesz w okolicy żadnej pracy...

– Mógłbym urządzić tu mały pensjonat.

Na twarzy Sophie odmalowało się przerażenie.

– Co takiego?

– Żartuję – uspokoił ją Griffin. – Nie wyglądam chyba na aż tak gościnnego, prawda? Nie zniósłbym w domu obcych ludzi. Już sąsiedztwo Stonegate trochę mi przeszkadza.

– Nic dziwnego, że jesteś sam.

– Znowu będziemy mówić o seksie?

– Nie! – Minęła go, pchnęła podziurawione, ledwie trzymające się na zawiasach siatkowe drzwi i weszła do chaty. Nigdy wcześniej nie była w środku, ale wnętrze wyglądało dokładnie tak, jak sobie wyobrażała. Stare, masywne meble, kanapa i dębowy stół, zapewne z tego samego czasu, co sam dom, dwa niezgrabne fotele na biegunach, kominek z polnych kamieni, brudne palenisko, na regałach książki pozostawione przez kolejnych letników, skrócone wersje klasyki wydawane przez Reader's Digest i zaczytane kryminały. Skrzypiąca podłoga. Ślady myszy na dywanikach. Jeśli pan „Smith" ubiegnie ją w kupnie tej rudery, zabije go. Nie będzie się wahała ani chwili. Zabije z zimną krwią.

Gdyby rzeczywiście można zaadaptować dom na pensjonat, dawno należałby do niej. Gospodarstwo Nilesów było większe niż Stonegate, miało dłuższą linię brzegową, ładniejsze zejście do jeziora; mały klejnot ukryty w lesie.

– I co myślisz? – Griffin wyrwał ją z zadumy swoim pytaniem.

– Myślę, że potrzebna ci będzie cała armia ludzi, żeby doprowadzić to miejsce do porządku. Trzeba wstawić nowe siatki, przeczyścić komin, zmienić pogryzione przez myszy obicia na meblach. W jakim stanie jest dach?

– Nie mam zielonego pojęcia.

Niewiele myśląc, zaczęła się wspinać po stromych, wąskich schodach na piętro. Znajdowały się tu cztery sypialnie i łazienka. Staroświecka wanna na wygiętych żeliwnych nogach zarosła kamieniem, linoleum na podłodze dawno zdążyło popękać ze starości. W nieużywanych sypialniach unosił się zapach stęchlizny i mysich odchodów. Tylko jedna nadawała się od biedy do zamieszkania.

Był tu kominek i ogromne metalowe łoże przykryte kapą i zarzucone mnóstwem poduszek, jakimś cudem oszczędzonych przez myszy. Przy oknie z widokiem na jezioro wiklinowy fotel, obok na podłodze otwarta książka, położona grzbietem do góry. Sophie, zaciekawiona, podeszła bliżej. Dopiero teraz zauważyła, że Smith przyszedł za nią na piętro; stał w progu i obserwował, jak zwiedza jego sypialnię.

– Wygląda na to, że będziesz musiał wymienić dach, a przynajmniej naprawić. Przez lata nikt nie zrzucał śniegu, konstrukcja jest na pewno mocno nadwerężona – orzekła ze znawstwem.

– Naprawdę?

Irytujący facet. W najwyższym stopniu irytujący. Mówił albo za dużo, albo za mało.

– Na suficie są zacieki. Powinieneś sprawdzić, w jakim stanie są rynny, uszczelnić okna, ale dach jest najważniejszy. Zrób z nim coś, zanim zawali ci się na głowę, kiedy będziesz akurat leżał w łóżku.

Cholera, dlaczego musiała powiedzieć o łóżku? Obydwoje spojrzeli odruchowo na imponujący mebel.

– Tego byśmy nie chcieli, prawda? Kto mnie uratuje przed nagłą śmiercią?

Sophie nie przestawał intrygować opasły tom leżący koło fotela, była zdecydowana dowiedzieć się, co Smith czyta, bo może dzięki temu zajrzałaby w głąb jego duszy.

– Hank Maynard czyści kominy, Zebulon King naprawia dachy. Żona Zeba i jej syn mogliby wysprzątać chatę, o ile nie mają pilnej pracy u innych letników.

– Ja też jestem letnikiem? – Wyraźnie rozbawiło go to określenie.

– Owszem. Letnicy, jak sama nazwa wskazuje, pojawiają się z nastaniem lata i wyjeżdżają przed nadejściem zimy, ty też wyjedziesz.

– Skąd ta pewność?

Puściła jego pytanie mimo uszu.

– W jakim stanie są rury, sprawdzałeś?

– Może sama sprawdzisz? Znasz się chyba na wszystkim.

Nie reagować, nie dać się sprowokować.

– Uwierzę ci na słowo.

– Woda jest brunatna, ale rury chyba funkcjonują prawidłowo.

Podeszła do okna; szyby całe, framugi jeszcze jakimś cudem nie zbutwiały. Zerknęła na otwarty tom i cofnęła się szybko.

– Skończyłaś? – zapytał grzecznie.

– Skończyłam. Zapiszę ci nazwiska i numery telefonów tutejszych fachowców. Sezon się kończy, nie powinni mieć zbyt wielu zleceń. Marge Averill prześle rachunki właścicielom. Jest chyba jakiś właściciel... Spojrzała na Smitha. – Osobiście radziłabym ci poszukać wygodniejszego lokum. Chata jest naprawdę w okropnym stanie. Nie myśl nawet o jej kupnie.

– Skąd ta pewność, że o tym myślę?

Sophie odetchnęła z ulgą.

– Nie pewność, zaledwie przypuszczenie, do tego głupie, nikt nie kupiłby tej rudery...

– Poza tobą, ma się rozumieć. Nie martw się. Nie zamierzam zapuszczać tu korzeni. Niedługo uwolnię cię od przykrego sąsiedztwa.

Nie wierzyła w jego zapewnienia.

– Pomimo pozorów nie jest tu zbyt bezpiecznie. Mógłbyś wynająć dom Wilsonów w Black Point...

– Podoba mi się tutaj. – Cofnął się od progu,

robiąc jej przejście, ale i tak musiała się koło niego przeciskać. Wcale się jej to nie podobało. Wydostała się na korytarz, wstrzymując oddech.

Na dole usiadła przy stole i zaczęła zapisywać nazwiska fachowców. Smith stanął za jej krzesłem. Próbowała nie zwracać na niego uwagi, dopóki nie zagadnął:

– Co się stało z córką Whittenów?

Podniosła głowę.

– Chyba miała dość mieszkania tutaj i po prostu wyniosła się cichcem. To że w Colby zamordowano przed laty trzy dziewczyny, nie oznacza, że i ona musiała zginąć. Może ruszyła w świat, bo tęskniła za przygodą?

– Ty nie tęsknisz?

– Nigdy nie pociągało mnie takie życie.

– Kiedy zniknęła córka Whittenów? Zanim morderca znalazł się na wolności czy przedtem?

Sophie podniosła wzrok.

– Bardzo pana interesują te stare morderstwa, szanowny panie Smith.

Griffin wzruszył ramionami.

– Zwykła ciekawość.

– I ta sama zwykła ciekawość każe ci studiować „Encyklopedię seryjnych morderców”? Gonisz za sensacjami, jak, nie przymierzając, moja matka.

– Twoja matka interesuje się seryjnymi mordercami? Bardzo ciekawe.

– Pochłaniała swego czasu oparte na faktach kryminały. Teraz prawie nic nie czyta. – Sophie wstała zza stołu. – Masz tu nazwiska kilku majstrów, zacznij od nich. O ile oczywiście zdecydujesz się tu zostać.

– Już się zdecydowałem. Nie ruszę się stąd wcześniej, niż sobie zaplanowałem.

Nie była to wiadomość, która by ją szczególnie ucieszyła, ale też Sophie nigdy nie uważała się za szczęściarę. Trudno, jakoś zniesie sąsiedztwo Smitha.

– Muszę wracać do Stonegate.

– Oczywiście. Jesteś naprawdę bardzo... uczynną sąsiadką.

Miała ochotę posłać mu lodowate spojrzenie, ale dała sobie spokój. Ruszyła ku drzwiom, odwróciła się jeszcze w progu:

– Na twoim miejscu nie brałabym do picia wody z kranu. Kup kilka zgrzewek u Audleya. Ma chyba wodę z jeziora.

– Z domieszką benzyny? Chętnie.

– To akurat najmniejsze zmartwienie. Gorzej, jeśli złapiesz jakąś infekcję bakteryjną. Uważaj na siebie.

– Jakoś nie wierzę, żeby zależało ci na moim zdrowiu – mruknął Griffin.

– Ze względu na Marty byłoby lepiej, gdyby unieszkodliwiła cię biegunka, ale ucierpiałoby moje sumienie.

– Twoja siostra mnie nie interesuje. Nie ona.

Sophie miała wrażenie, że się przesłyszała. Wpatrywała się przez chwilę bez słowa w pana Smitha, w końcu odwróciła się i wyszła, trzaskając siatkowymi drzwiami.

Stchórzyła, jak zwykle.

ROZDZIAŁ PIĄTY

Po co to powiedział? Co go, do cholery, podkusiło? Wziął do ręki leżącą na stole kartkę, przebiegł wzrokiem nazwiska, ale bardziej interesował go charakter pisma Sophie. Był przygotowany na to, że zobaczy kreślone oszczędnie, ściśnięte litery albo przeciwnie, zbyt wiele zawijasów, a zamiast kropek nad „i" na przykład uśmiechnięte kółeczka.

Nic z tych rzeczy, Sophie miała zdecydowane, wyrobione pismo, trochę nieczytelne, ale skreślone pewną ręką. Zerknął w stronę drzwi, jakby spodziewał się, że zobaczy ją jeszcze na ganku. Dawno jej nie było.

Nie jest w moim typie, powtórzył sobie po raz kolejny. Lubił kobiety prawie chude, zadbane, wręcz wystylizowane, długonogie. Żadnych uczuć i głupich sentymentów. Nie interesowała go bogini domowego ogniska w powiewnych szatach, spoglądająca na niego tak, jakby za chwilę miał zjeść jej siostrzyczkę. Po co mu niby ta niezbyt seksowna smarkula? Sophie była znacznie bardziej... mięsista. Soczysta? Smaczniejsza?

Chryste, co za kretyńskie myśli.

Nie, nie zamierzał przekonywać się, jaka jest Sophie Davis. Przyjechał tu w określonym celu, załatwi swoje sprawy i natychmiast zniknie z jej życia, i to na zawsze. Blefował, kiedy wspomniał o ewentualnym kupnie chaty Whittenów. Za nic nie zamieszkałby w Colby. Po tym, co tu przeżył? Wykluczone. Chociaż, prawdę powiedziawszy, nęciła go ta myśl. To tylko nostalgia, nie mająca nic wspólnego z przeznaczeniem. Cholera, przeznaczenie! Nie wierzył w przeznaczenie. W ogóle w nic chyba nie wierzył.

Tymczasem musi się urządzić. Przede wszystkim zrobi porządek z myszami i doprowadzi kuchnię do takiego stanu, żeby dało się tam zaparzyć kawę. To dwie najważniejsze rzeczy, o które powinien zadbać. Prawda, musi jeszcze naprawić dach, jeśli nie chce, żeby spadł mu na głowę, kiedy będzie w łóżku z...

Sam.

Niech to szlag. Coś musiało być w tutejszym powietrzu. Jakiś afrodyzjak. Od chwili kiedy Sophie Davis wspomniała o łóżku, nie mógł dojść do porozumienia z własnym ciałem, które aż rwało się do seksu.

Zrób, co masz zrobić, i w drogę – mantra jego

życia. Zawsze mu wychodziła na dobre, w każdej sytuacji, tym razem też nie będzie inaczej. Musi skupić się na zrekonstruowaniu wydarzeń sprzed dwudziestu lat, nie pozwoli, żeby powodował nim zwierzęcy popęd. Nie jest przecież niewyżytym smarkaczem, dawno z tego wyrósł.

Odchylił się na krześle i omiótł przyprawiające o rozpacz wnętrze chaty świeżym spojrzeniem. A więc Sara Ann Whitten zniknęła, kiedy był jeszcze w więzieniu. Próbował przypomnieć sobie, jak wyglądała. Bez powodzenia. Późne dziecko starzejących się rodziców, musiała być za młoda, by przyciągnąć jego uwagę.

Ponownie rozejrzał się po wnętrzu. Colby stawało się coraz modniejsze, coraz bardziej snobistyczne. Chata, wyremontowana, warta byłaby fortunę, tymczasem całe lata stała opuszczona. W agencji nieruchomości usłyszał, że nie bardzo wiadomo, kto ma tytuł własności. Whittenowie od dawna nie żyli, po córce ślad zaginął. Nie było nikogo, kto dopilnowałby uznania Sary za zmarłą i zajął się domem. Rada gminy postanowiła wreszcie go wynająć i w ten sposób odzyskać przynajmniej część pieniędzy z tytułu zaległych podatków; wcześniej czy później ta nieruchomość będzie musiała trafić na aukcję.

Co sprowokowało dziewczynę do ucieczki? Trudno o bardziej zabity deskami świat niż północny Vermont, to prawda. Ale żeby nie dać znaku życia, zniknąć ot tak, bez słowa, nikomu się nie zwierzając? Mało prawdopodobne. Zważywszy, że w okolicy grasował morderca.

Biedna Sara Ann Whitten. Jednak Griffin wolałby okrutniejszą wersję wydarzeń. Chciał wierzyć, że spotkał ją ten sam los, co tamte trzy, i że jej ciało leży gdzieś zakopane w ziemi. To rozwiałoby ostatecznie wątpliwości, stanowiło dowód, że jednak nie zabił, że ktoś inny czyhał na życie dziewcząt z Colby. Nawet jeśli nikogo by to nie przekonało, on wreszcie zaznałby spokoju.

Otworzył notes, przejrzał po raz kolejny widniejące tam nazwiska i zaczął pisać. Punkt pierwszy: dostać się do starego skrzydła, może coś ożywi szwankującą pamięć. Punkt drugi: dowiedzieć się jak najwięcej o Sarze Ann Whitten. Kiedy dokładnie zaginęła, czy miała chłopaka, posłuchać, co ludzie mówią o jej zniknięciu, odszukać jej przyjaciół.

Punkt trzeci: przeszukać dokładnie chatę Whittenów, może jest tam coś, co naprowadzi go na ślad Sary.

Punkt czwarty: odnaleźć rodziny zamordowanych, jeśli mieszkają jeszcze w Colby. Nawet gdyby udało mu się skontaktować z kimś z bliskich tamtych dziewcząt, nie miał pewności, czy nie zostanie rozpoznany – to chyba zbyt ryzykowne.

Punkt piąty: trzymać się z daleka od Sophie Davis, jej napalonej siostry i zramolałej matki. Ta starsza pani ma niebezpiecznie przenikliwe spojrzenie. No i unikać Doka Henleya.

Tyle na początek. Jeśli wszystko dobrze pójdzie, zajmie mu to kilka tygodni, mniej, gdy chłody przyjdą wcześniej. Nie może tracić czasu, nie będzie siedział w Colby w nieskończoność, nie mając żadnych gwarancji, że znajdzie odpowiedź. Już stracił pięć lat, pięć lat bezpowrotnie wyjętych z życia.

Najwyższa pora przystąpić do działania. Wyjął z kieszeni telefon komórkowy i zaczął wystukiwać numer. Dopiero po chwili się zorientował, że nie ma sygnału. Martwa cisza. „Podłączyć telefon stacjonarny" – dopisał w notesie i schował komórkę.

– To dziennikarz.

– Że co? – Zaskoczona Marge spojrzała jakoś dziwnie. – Kto niby?

– John Smith. Dziennikarz pod przybranym nazwiskiem. Zbiera materiały na temat seryjnych morderców. Obłożył się literaturą prawniczą, medyczną, źródłową, sama widziałam te książki, w jego sypialni.

– W sypialni? – powtórzyła Marge tępo. – Już zdążyłaś zwiedzić jego sypialnię, ty, Niepokalana Dziewica?

– Pomagałam mu. Ściśle mówiąc, doradzałam – oznajmiła Sophie z godnością.

– Doradzałaś? Oczywiście.

– Chciał wiedzieć, jakie roboty trzeba wykonać w chacie. Powiedziałam mu, żeby rachunki przysłał ci do agencji.

– Urządziłaś mnie.

– Nie bardzo – uspokoiła przyjaciółkę Sophie. – Po sprzedaniu domu gmina zwróci ci koszty. Tymczasem możesz je sobie odliczyć z czynszu.

– Tymczasem to gmina zabiera cały czynsz, za zaległe podatki.

– Przekonaj ich, żeby sprzedali chatę. Powiedz, że ja ją kupię.

– Na razie nie kupisz, nie masz za co.

– Słusznie – przytaknęła Sophie smętnie, dziobiąc widelczykiem spory kawałek placka brzoskwiniowego. – A ten facet pewnie nie jest biedny. Najpierw wspomniał, że ma zawarowane w umowie prawo kupna, potem zarzekał się, że nie chce kupować. Nie wierzę w ani jedno jego słowo. Pojawia się tu Bóg wie skąd, wlecze ze sobą całą bibliotekę literatury na temat seryjnych morderców... W porządku, zbiera materiały. Ale po diabła miałby kupować tę ruderę? Może specjalnie drażnił się ze mną, bo chciał mnie nastraszyć. Dlaczego? Jaki ma w tym interes? Nie, to bez sensu... – Sophie ze szczętem się pogubiła we własnych domysłach.

– Powiedział ci, że jest dziennikarzem? – Marge przerwała niezborny monolog przyjaciółki.

– Skąd. Mogę się mylić. Może wcale nie jest dziennikarzem, tylko pisarzem i pisze z życia wzięte kryminały. Założę się, że gdybym przejrzała książki Grace, w którejś na tylnej okładce znalazłabym jego zdjęcie.

– Oby na tylnej, nie na pierwszej – mruknęła Marge. – Wiesz co, Sophie, poniosła cię wyobraźnia. Mnóstwo ludzi czyta książki o seryjnych mordercach. To jeszcze o niczym nie świadczy.

– Świadczy. Na przykład o tym, że jest bardzo bogatym pisarzem. I kupi chatę, a ja niestety zostanę na lodzie.

– Weź głęboki oddech i spróbuj ochłonąć. – Marge odsunęła pusty talerzyk. – I przestań mnie karmić swoimi wypiekami. Przytyłam siedem i pół kilograma, od kiedy tu zamieszkałaś.

– Ja też – przytaknęła Sophie ponuro. – Już nie mogę.

– Coś ci powiem, zagoń matkę i siostrę do garów, będziesz miała gwarancję, że nikt nie tknie jedzenia.

– Świetny pomysł. Po kilku tygodniach mogłabym zwijać interes. Chcesz, żebym poszła z torbami?

– Myślałam, że to już się stało.

– Niewiele brakuje.

– To po co zawracasz sobie głowę chatą Whittenów i tym twoim Smithem?

– Po pierwsze, żadnym „moim" – żachnęła się

Sophie. – Po drugie, może chcę się oderwać od własnych problemów.

– Po trzecie, może ten facet interesuje cię bardziej, niż gotowa byłabyś przyznać. Jest bardzo przystojny, o ile ktoś gustuje w takich mężczyznach.

– W jakich? Wysokich, antypatycznych i ponurych brunetach?

Marge uśmiechnęła się promiennie.

– O właśnie, dziecino. Myśl tak dalej, ale posłuchaj, co ci powiem. Byłoby grzechem nie zagospodarować takiego łakomego kęska.

– Dziękuję uprzejmie. Muszę zajmować się matką i Marty. Nie będę zagospodarowywać pana Smitha. Niech tam sobie zgłębia tajemnice psychiki seryjnych morderców do woli.

– Naprawdę jest ci zupełnie obojętny? – zagadnęła Marge leniwym tonem. – W takim razie ja się nim zainteresuję. Jest dla mnie trochę za młody, ale mam liberalne poglądy.

Sophie otworzyła usta, żeby zaprotestować, ale szybko się rozmyśliła. Marge celowo się z nią drażni, a ona nieomal dała się na to złapać. Owszem, nie chce, żeby przyjaciółka przespała się z panem Smithem. Nie chce, żeby ktokolwiek sypiał z panem Smithem. Byłoby najlepiej, gdyby przepadł bez śladu, jak Sara Ann Whitten. Mogłaby się wtedy skupić na naprawdę ważnych sprawach, zamiast tracić czas i energię na tajemniczego osobnika, który pojawił się w Colby w sobie tylko wiadomym celu.

– Daję ci wolną rękę – rzuciła lekko. – Nie mów tylko potem, że cię nie ostrzegałam. Przyjechał tu zbierać materiały na temat morderstw i gotów jest wykorzystać każdego, kto mu się nawinie.

– Marnujesz się, Sophie. Z twoją wyobraźnią sama powinnaś pisać książki, zamiast radzić gospodyniom, jak przerobić truskawki na dżem, a kosiarkę na ozdobną donicę.

– Truskawki na dżem, to i owszem, przyznaję się do winy. Natomiast kosiarek nigdy nikomu jeszcze nie kazałam przerabiać. A właśnie, Jeff Prichard już wyjechał do college'u. Nie znasz kogoś, kto mógłby mi pomóc w ogrodzie?

– Przyślę ci Patricka Laflamme'a. – Marge była wyraźnie ubawiona swoim pomysłem. – On jeden potrafi się oprzeć syrenim śpiewom twojej siostry.

– Stary i głuchy?

– Młody i piękny, ale twardy. Z zasadami. Wiesz, jankeskie wartości, bojaźń boża, surowa matka, zimny wychów, kindersztuba. Nie zdeprawuje ci Marty.

– On jej może nie, ale ona jego... – mruknęła Sophie ponuro.

Kiedy Marge wyszła, zabrała się do pracy. Musiała wyrwać chwasty w warzywniku, zrobić pranie, stoczyć walkę z siostrą, żeby ta cokolwiek zjadła. Zupełnie niepotrzebnie, bo dziewczyna odżywiała się normalnie, tylko taką już miała przemianę materii. Jednak do Sophie to nie docierało, ciągle się bała, że Marty zapadnie na anoreksję. Genetyka to zadziwiająca i niezbyt sprawiedliwa sprawa. Grace zawsze była wiotka, matka Marty całe życie wojowała z nadwagą. Zdawałoby się, że Sohpie powinna odziedziczyć po matce szczupłą sylwetkę.

Trudno. Upiecze chyba jeszcze jeden placek z brzoskwiniami. I pewnie zje prawie cały sama, jak ten poprzedni, ale nie może przecież pozwolić, żeby brzoskwinie się zmarnowały. Marty zostawiła brudne naczynia w zlewozmywaku. Normalne. Teraz wyleguje się nad jeziorem, pracowicie zwiększając swoje szanse na wyhodowanie raka skóry. Sophie pokręciła głową i włożyła naczynia do zmywarki. Już miała wyjąć mąkę ze spiżarni, kiedy jej wzrok padł na pożółkłą gazetę leżącą na blacie kuchennym.

W pierwszej chwili pomyślała, że to jakiś druk reklamowy, ale nie; poddany bliższej inspekcji druk okazał się być starym egzemplarzem „Northeast Kingdom Gazette". Bardzo starym, sprzed dwudziestu lat. Z nagłówkiem na pierwszej stronie: „Morderstwo w Kingdom".

Straciła ochotę na placek brzoskwiniowy. Nalała sobie kawy i ostrożnie sięgnęła po gazetę, po czym, z lekturą pod pachą i z kubkiem w dłoni, usadowiła się na ganku od strony kuchni. Kawę postawiła na parapecie za plecami. Zaczęła uważnie czytać.

Artykuł był rzeczowy, autor nie snuł pustych domysłów, unikał sensacyjnego tonu. Nic dziwnego, zarówno dziennikarze pisujący dla „Gazette", jak i jej właściciel mieszkali w Colby od pokoleń, znali doskonale rodziny zamordowanych. Łatwo na pierwszej stronie umieścić mrożące krew w żyłach zdjęcie, jeśli człowiek nie zetknął się nigdy z ofiarą, co innego, gdy widywało się ją niemal codziennie.

Zamieszczono jednak zdjęcie mordercy. Domniemanego sprawcy, jak go określano. Słusznie, skoro kilka lat później został uniewinniony i wyszedł na wolność. Thomas Ingram Griffin wyglądał jak typowy młody wagabunda z tamtych, posthipisowskich, czasów: długie włosy, długa broda. Druk zdążył wyblaknąć, jakość fotografii też nie była najlepsza, ale twarz na zdjęciu zdawała się dziwnie znajoma. Sophie wzruszyła ramionami; przez dwadzieścia lat fizjonomia podejrzanego musiała bardzo się zmienić. Zapewne nie nosił już hipisowskiej brody, strzygł włosy, ważył dobrych kilkanaście kilogramów więcej. O ile jeszcze żył.

Wszystkie trzy dziewczęta znaleziono w przeciągu dwóch dni. Alice Calderwood sprawca udusił, ciało porzucił w pobliżu North Road. Na zmasakrowane od ran zadanych nożem zwłoki

Valette King natrafiono na polu kukurydzy, a Lorelei Johnson, z podciętym gardłem – w szuwarach opodal chaty Nilesów. Każda zginęła inną śmiercią...

Tylko Lorelei znała bliżej Thomasa Griffina. Artykuł nie mówił tego wprost, ale z tekstu wynikało jasno, że byli kochankami. Z delikatnych sugestii, delikatnych przez wzgląd na pogrążone w żałobie rodziny, dało się też wywnioskować, że ofiary prowadziły dość swobodne życie.

Ale bo też w tamtych czasach, kiedy nad ludźmi nie wisiał jeszcze straszak AIDS, wszyscy młodzi korzystali ze zdobyczy rewolucji seksualnej. Wszyscy, ma się rozumieć, z wyjątkiem mnie samej, pomyślała Sophie markotnie. Ona nie miała czasu na szaleństwa, od kiedy sięgała pamięcią, opiekowała się swoją nieodpowiedzialną matką, potem małą siostrą. Przykład Gracey wystarczająco zniechęcił ją do przygód. Na uniwersytecie pochłaniała ją wyłącznie nauka, na chłopaków nie zwracała uwagi, czego matka nie mogła zrozumieć. Kiedy po studiach obiecywała sobie, że wreszcie zacznie żyć pełnią życia, trzeba było zająć się osieroconą Marty. I znowu nie mogła pozwolić, by zawładnęły nią hormony.

Przychodziły chwile, kiedy miała ochotę rzucić wszystko w diabły, zapomnieć o obowiązkach i zaszaleć.

Nigdy się na to nie zdobyła. No cóż, jeśli jednak

Sophie w wersji szalonej i rozrywkowej miałaby skończyć z poderżniętym gardłem, to dziękuję, z dwojga złego wolała żyć, jak żyła. Jedyna trzydziestoletnia dziewica na naszej planecie.

Nie lubiła się nad tym zastanawiać, lecz artykuł o tragicznym końcu lekkomyślnych cór Colby skłonił ją do refleksji. Zerknęła w stronę jeziora, gdzie nad wodą piekła się w słońcu Marty. Może Sophie była za surowa dla siostry, może to wieczne niezadowolenie i dąsy to normalny stan ducha u każdej nastolatki.

Szuwary. To tam znaleziono ciało Lorelei. A właściwie, mówiąc dokładniej, znalazł je Thomas Griffin. To tam dopadła go policja, z ciałem dziewczyny w ramionach, wymazanego krwią.

Sophie przeszedł dreszcz, odłożyła gazetę. A swoją drogą, skąd na Boga wziął się w kuchni egzemplarz sprzed dwudziestu lat? Nie miała ochoty rozpamiętywać minionych tragedii. Przyjechała do Colby po spokój, chciała wieść sielskie życie, nie niepokojona przez przeszłość. Po co miałaby w piękne sierpniowe popołudnie wracać myślami do dawnych zbrodni?

Wszystko przez Smitha, to on wniósł ze sobą przeszłość. Gdyby Grace miała umysł sprawny jak kiedyś, Sophie mogłaby się czegoś od niej dowiedzieć. Matka pochłaniała historie kryminalne jak łakomy smakosz tartinki z kawiorem, wiedziałaby coś o morderstwach popełnionych w Colby. Jeśli powstała na ten temat książka, Grace na pewno ją znała.

Tyle że przestała interesować się czymkolwiek. Była chodzącą karykaturą umysłowego zniedołężnienia, jakby zniedołężnienie już samo w sobie nie stanowiło karykatury ludzkich możliwości. Całe dnie spędzała w fotelu na biegunach, patrząc bezmyślnie w przestrzeń i nucąc pod nosem, ale przynajmniej była pod kontrolą, a kiedy oddalała się z domu, Sophie mogła zawsze liczyć na Doka Henleya.

Niebo go chyba zesłało. Mieszkał w Colby od niepamiętnych czasów, wszystkich tu leczył, wszystkich znał, nawet letników.

Sophie zerknęła ponownie na gazetę. Może Dok ją podrzucił w nadziei, że obudzi dawne zainteresowania Grace. Nawet tak ponure hobby było lepsze niż brak jakiegokolwiek.

Znał te dziewczęta. Jego nazwisko powtarzało się wielokrotnie w artykule, autor cytował jego wyważone opisy śmiertelnych obrażeń, jego słowa współczucia adresowane do rodzin ofiar. Być może to dzięki niemu Colby przetrwało jakoś tragedię, nie podzieliło się na wrogie frakcje. Oczywiście nie bez znaczenia był też fakt, że tak szybko ujęto sprawcę.

Sophie raz jeszcze sięgnęła po „Gazette", przerzuciła strony, ale nic więcej nie znalazła na temat zbrodni. Trudno, to co przeczytała, już i tak wystarczająco rozbudziło jej ciekawość. Chciała dowiedzieć się czegoś więcej. Dlaczego, na przykład, wyrok został uchylony?

Jakby nie miała większych zmartwień! Matka z Alzheimerem, zbuntowana siostra, zajazd, codzienna troska, czy zdoła ich trójce zapewnić egzystencję. Nie, niepotrzebne jej żadne zbrodnie. A jednak nie mogła przestać o nich myśleć.

Jeśli zatrzymany chłopak nie był mordercą, kto zabił te trzy dziewczęta, w tym jedną tuż obok Stonegate? I kto powiedział, że psychopata nie zaatakuje ponownie? Szczególnie teraz, kiedy w Stonegate pojawiła się kolejna lekkomyślna nastolatka. Marty miała tyle rozumu co królik. Jak większość smarkul w jej wieku uważała, że nic złego nie może się jej przytrafić. W nosie miała wszelkie ostrzeżenia, tym bardziej zlekceważy te oparte na wątłych podstawach i mglistych obawach.

Tylko czy naprawdę wątłych i mglistych?

Dość tego, gotowa wykrakać nieszczęście. Lepiej zrobi, jeśli zajmie się pieczeniem placka. I co z tego, że pewnie będzie musiała zjeść go sama?

Tak, z dwojga złego lepszy placek niż zbrodnie. Lepiej myśleć o wyrośniętym cieście, zamiast zaprzątać sobie głowę tajemniczym sąsiadem. Nie podobał się Sophie. Nie budził za grosz zaufania. Prawdę powiedziawszy, trochę się go bała, choć nie potrafiła powiedzieć dlaczego.

Paskudna sprawa. Już nawet nie chodziło o Marty i o to, że siostra może się w nim zadurzyć. Rzecz miała się znacznie gorzej – osoba enigmatycznego Johna Smitha jej samej nie dawała spokoju. Fascynował ją, intrygował, pociągał. Niech to!

Że też akurat teraz rzuciła palenie!

Czuł, że to znowu wraca. Głęboka, przemożna potrzeba. Zaledwie iskra, a potem płomień ogarniający całe ciało. Myślał, że to już zamknięty rozdział, ale Pan Bóg miał widać inne plany. Trzy lata minęły od dnia, kiedy dla pomsty bożej pozbawił życia tamten pomiot szatana. Potem żałował. Wiedział, że źle zrobił, i ta świadomość była dotkliwą karą. Wymierzać sprawiedliwość, a potem żałować.

A teraz ta dziewczyna, co maluje twarz i obnaża grzeszne ciało na większą chwałę szatana.

On ją wybawi. Oczyści jej duszę, uwolni od zła. Umrze z jego ręki, by ponownie stać się niewinną.

ROZDZIAŁ SZÓSTY

Obudził go łoskot. Za oknem ciemno, choć oko wykol. Zasnął ukołysany ciszą i nagle ten dźwięk, co wdarł się w sny. Spojrzał na zegarek; wpół do drugiej. Był sam w domu, a jednak z dołu doszedł go wyraźnie jakiś hałas.

Usiadł na łóżku, wciągnął dżinsy. Chociaż intruz nie krył się ze swoją obecnością, Griffin starał się poruszać bezszelestnie, nie chciał przepłoszyć nieproszonego gościa.

Może to tylko mysz, która złapała się w pułapkę albo wścibski szop, nie daj Boże skunks. Podszedł ostrożnie do drzwi, ale stare deski pomimo to zaskrzypiały przeraźliwie pod jego ciężarem. Zatrzymał się, prawie pewien, że intruz czmychnie, tymczasem ten dalej hałasował w najlepsze, zapalił nawet światło w bawialni.

Kiedy Griffin dotarł do podnóża schodów, buszowała już w kuchni. Nie od razu ją rozpoznał. Wariatka ze Stonegate. Nachodzi go w środku nocy, kręci się po jego kuchni i nuci coś pod nosem. Najwyraźniej czuła się jak u siebie. Interesujące.

– Pani... – Cholera, jak ona właściwie ma na imię? – Grace?

Spojrzała na niego tym swoim zamglonym wzrokiem. Była w szlafroku, boso.

– Jak się masz – zagadnęła pogodnie. – Dobrze, że wróciłeś, stęskniłam się za tobą.

Przeszedł go zimny dreszcz, ale szybko sobie przypomniał, z kim rozmawia.

– Jestem tu pierwszy raz, Grace – odparł spokojnie.

Jakby nieco spochmurniała.

– Tak? Nie wiedziałam. Chcesz loda?

– Nie, dziękuję. – Nie miał lodów w domu, nawet Ben&Jerry's, z których słynął Vermont. – Szukasz czegoś?

– Nie. Pomyślałam, że wpadnę z wizytą. – Z okrzykiem triumfu wydobyła z przepastnej lodówki puszkę coli. – Mogę?

– Proszę bardzo. Nie boisz się, że twoje córki będą się martwić, gdzie jesteś?

– Córka – poprawiła go Grace. – Marty jest córką tej wrednej baby, z która Morris się ożenił, kiedy go zostawiłam. Nic dziwnego, że dziewczyna buntowała się przeciwko Eloise, chociaż koniec końców oboje nie byli najgorszymi rodzicami. To straszne, że zginęli, ale Marty pogodziła się jakoś z ich śmiercią. Gdyby tylko Sophie tak się nad nią nie trzęsła. Ta mała da sobie radę.

Nic nie rozumiał.

– Kto da sobie radę?

– Jak to? Obie – oznajmiła Grace z głębokim przekonaniem, niepomna, że przed sekundą użyła liczby pojedynczej. – Nie wyobrażam sobie, żeby mogło być inaczej. Powiedz mi, młody człowieku – zmieniła temat – po co tu przyjechałeś? Chodzi o te morderstwa, prawda?

Griffin ruszył za Grace do bawialni. Zanim usadowiła się wygodnie na kanapie, miał gotową odpowiedź, ściśle mówiąc pytanie.

– Jakie morderstwa?

Chichot Grace miał w sobie coś upiornego.

– Wiesz dobrze jakie. Widziałeś go.

– Którego?

– Kogo, nie którego – poprawiła go tonem nauczycielki ze szkoły podstawowej. – Mordercę. Widziałeś go.

– Skąd pomysł, że jego widziałem?

– Że go widziałem – skorygowała ponownie. – Sperma.

Zamrugał.

– Przepraszam?

– Sperma. Te dziewczyny przed śmiercią uprawiały seks. Kobiety nie mają ejakulacji – uśmiechnęła się słodko.

– Nie mają – zgodził się Griffin, kompletnie

skołowany. – Grace, jest druga w nocy. Odprowadzę cię do domu.

– Naprawdę? To bardzo miło z twojej strony. Sophie na pewno się martwi. Ciągle tylko się martwi, biedactwo. Trzeba jej faceta. – Zmierzyła go krytycznym spojrzeniem. – Ty byś się nadał.

– Nie otrzymałem propozycji.

– Nie czekaj na propozycje. Jesteś inteligentnym chłopcem, widzę to po twoich oczach. Dość inteligentnym, by wiedzieć, że moja Sophie jest warta zachodu.

– Zachodu?

– Nie, jednak się nie nadasz. Powinieneś stąd jak najszybciej wyjechać.

Griffin nie był w stanie nadążyć za tokiem rozumowania swojego nocnego gościa.

– Dlaczego?

– Dlatego, że go widziałeś – powiedziała prawie opryskliwie. – Będzie musiał cię zabić. Wyjedź stąd.

– Kto będzie musiał mnie zabić? – Powinien wiedzieć, że nie ma sensu pytać. Przeskakiwała z tematu na temat z wdziękiem kolibra.

Podniosła się z kanapy, dla odmiany niezwykle majestatycznym ruchem.

– Odprowadź mnie do domu, chłopcze. Robi się późno. Sophie będzie zła na ciebie, że tak długo mnie zatrzymałeś.

Griffin westchnął.

– Może nie dowie się o twojej nocnej wycieczce. Miejmy nadzieję, że śpi.

– Nie byłam na żadnej nocnej wycieczce. Przyszłam z wizytą towarzyską. – Grace poprawiła szlafrok gestem godnym królowej. – Nie doceniasz mnie, a ja świetnie wiem, co robię.

Znowu ten sam bystry błysk w oku, który już wcześniej przykuł uwagę Griffina. Może Gracja Dystrakcja wcale nie była taka nieprzytomna, za jaką chciała uchodzić?

– Być może – mruknął.

– Poradziłabym ci, żebyś zapiął koszulę, ale nie, nie rób tego. Niech Sophie obejrzy sobie twój uroczy tors – stwierdziła nagle, rzucając mu kokieteryjne spojrzenie.

Cholera. Rzeczywiście nie zdążył zapiąć koszuli. Wystarczył gwałtowniejszy ruch, żeby spod flaneli ukazała się głowa węża. Zmienił się przez te dwadzieścia lat, ale tatuaż pozostał.

Powinien był go usunąć. I usunąłby, ale nie zrobił tego dla zasady, bo Annelise za bardzo nalegała. Poza tym chyba czuł przywiązanie do węża. Stanowił w jakimś sensie część jego samego, a przecież od przeszłości i tak nie ma ucieczki.

Lubił faceta, którym stał się w miarę upływu lat, ale żeby od razu usuwać laserem ostatni ślad po młodym, zbuntowanym włóczędze? Nie. Przynajmniej dopóty, dopóki nie znajdzie odpowiedzi na dręczące go pytania.

Jego życiem zawsze rządził łut szczęścia i pech, w równych mniej więcej proporcjach. Pech zrządził, że znalazł się w złym czasie w złym miejscu. Łut szczęścia postawił na jego drodze głupiego prokuratora. Po trzech latach studiów prawniczych podjętych za kratkami Griffin wiedział już, że wyrok, który zapadł w jego sprawie, oparty na samych poszlakach, łatwo będzie podważyć. Pozostawało tylko znaleźć dobrego pełnomocnika.

Minęły kolejne dwa lata, ale Bill Cragen, adwokat Griffina, wywalczył wreszcie uniewinnienie, po czym wziął chłopaka pod swoje skrzydła. Pomagał mu do czasu ukończenia studiów, ułatwił start zawodowy, przyjął do swojej kancelarii i pobłogosławił, kiedy pupil zaręczył się z jego córką Annelise.

– Pewnie zdążyła już zadzwonić na policję – zachichotała Grace. – Albo do doktora. Może powinnam wrócić do domu sama. Jeszcze coś sobie pomyślą...

Może powinna. Nie uśmiechało mu się spotkanie z policjantami, ale nie był aż takim draniem, żeby puścić starszą panią samą po nocy. Kołatały się w nim jeszcze resztki przyzwoitości. Nie wierzył, żeby była tak sfiksowana, jak się wszystkim wydawało, jednak wolał nie ryzykować.

– Dżentelmen zawsze odprowadza damę – powiedział z przekonaniem, chociaż nikt go nigdy nie uczył manier. Wychowywał się w zasadzie sam i jeśli miał ogładę, to wyniósł ją z lektur, nie z domu. – Nie chcemy przecież martwić twojej córki, prawda?

Na ganku Grace wsunęła mu rękę pod ramię, ruszyli w drogę.

– Nie zabiłeś jej, prawda? – zapytała tym swoim słodkim, melodyjnym głosem.

Musiała poczuć, jak drgnął. Bardziej już nie mógł się odsłonić.

– Kogo?

– Nie pamiętam. Wiem tylko, że ktoś został zabity. Chyba nie Sophie, ale nie mam pewności. Nie zabiłeś Sophie, prawda, chłopcze?

Nie odpowiedział, bo co mógł odpowiedzieć? Grace zresztą nie oczekiwała odpowiedzi.

– Ma się rozumieć, nie zabiłeś – stwierdziła, poklepując go po ramieniu. – Sądzisz, że szłabym sobie teraz z tobą tak spokojnie, gdybyś był mordercą?

Ciągle nie wiedział, co o niej myśleć. Czy grała komedię, czy rzeczywiście nie miała pojęcia, co się wokół niej dzieje? Nie mogła być bardzo stara, ale robiła wrażenie zniedołężniałej. No właśnie, robiła wrażenie; Griffin nie zwykł kierować się wrażeniami. Może jej umysł przestał już sprawnie funkcjonować. A może potrafił rejestrować fakty, które umykały innym. Może każdego, z kim się zetknęła, pytała, czy nie jest przypadkiem mordercą.

Jeśli tak, to gotowa nawarzyć sobie niezłego

piwa. Ktoś przecież zabił te trzy dziewczęta i w każdej chwili mógł zaatakować ponownie.

Nadzieje Griffina, że nocna wyprawa starszej pani przeszła niezauważona, rozwiały się, kiedy dotarli do Stonegate. We wszystkich oknach parteru paliły się światła, Sophie biegała po ganku. Na szczęście nie wezwała policji, w każdym razie nigdzie nie było widać wozów patrolowych. Na podjeździe stało tylko nowe subaru należące do Sophie.

– Hop, hop, kochanie! Wróciłam! – obwieściła zaginiona radośnie i donośnie. – Zobacz, kogo prowadzę!

– Będę już wracał. – Griffin czynił daremne wysiłki, by uwolnić ramię. – Córka się panią zajmie.

– Nie dojdę do domu – poskarżyła się. Jeszcze przed chwilą donośny głos zadrżał i zaczął się łamać. – Taka jestem zmęczona.

Griffin nie miał wyjścia. Podtrzymując opadłą z sił amatorkę nocnych przygód, ruszył w stronę ganku.

– Co ty, do cholery, wyprawiasz? – napadła na niego Sophie, groźna niczym anioł zemsty, w długiej białej szacie, zapewne koszuli nocnej, z rozpuszczonymi włosami, lśniącymi w blasku lampy. Nie przypuszczał, że są takie długie. Miał ochotę wyciągnąć dłoń i dotknąć ich. Sprawdzić, czy naprawdę są takie miękkie.

– Przyprowadziłem do domu zbłąkaną owieczkę – poinformował. – Znalazłem ją niespodziewanie w mojej kuchni.

– Nie przyszło ci do głowy, że można było do mnie zadzwonić, zanim całkiem odejdę od zmysłów?

– Wziąwszy pod uwagę, że nie znam twojego numeru, mój telefon nie jest podłączony, a komórka na tym cholernym zadupiu nie ma zasięgu, mogłem dzwonić do upojenia. Skądinąd w pełni zgadzam się z twoją sugestią. Wolałbym, żebyś sama pofatygowała się po mamusię i oszczędziła mi spacerów po nocy.

Grace cudownym sposobem odzyskała energię, wbiegła na ganek niby rącza sarna.

– Idę spać, Sophie – oznajmiła. – Obudź mnie wcześnie, mam jutro kilka spraw do załatwienia.

– Jakich spraw?

– Bardzo interesujących. On nikogo nie zabił. Tak mi powiedział.

– Kto? – Pytanie Sophie pozostało bez odpowiedzi, bo Grace już zniknęła w głębi domu, beztrosko podśpiewując pod nosem.

– Ja. Pytała mnie, czy jestem mordercą i sama sobie odpowiedziała, że nie. – Powinien wrócić do domu i szybko naciągnąć kołdrę aż po samą szyję. A jednak wolał patrzeć na Sophie odzianą w dziwaczną szatę. Tylko przez chwilę.

Sophie, o dziwo, nie odwróciła się na pięcie i nie

pobiegła za swoją obłąkaną rodzicielką, tylko przyglądała mu się z najwyższą nieufnością, jakby nieoczekiwanie ujrzała niedźwiedzia. Z nieufnością, ale nie z lękiem.

– W porównaniu z tym, kim była dawniej, jest... – nie dokończyła zdania. – Uwielbia kryminały oparte na faktach. Myślałam, że dawno zarzuciła lekturę, ale dzisiaj wieczorem zastałam ją nad książką. Nie potrafi już chyba oddzielić fikcji od rzeczywistości.

– Dziękuję za taką fikcję. – Co go napadło, wystawać w środku nocy na podjeździe Stonegate i prowadzić rozmowy o literaturze faktu? Sophie Davis nie pomoże mu rozwiązać zagadki. Dwadzieścia lat temu nie miała nawet pojęcia o istnieniu zapadłej wioski w stanie Vermont. Powinien się grzecznie pożegnać i wynosić w cholerę. Jak najdalej od niewytłumaczalnej pokusy.

– Ja też. Wolę własne fantazje.

O nie, nie będzie się żegnał, jeszcze chwilę sobie pogada.

– Własne fantazje? – powtórzył niezbyt inteligentnie.

Sophie wskazała na osrebrzony księżycową poświatą dom.

– Wiktoriańskie wartości, edwardiańska prostota, układanie bukietów, stare koronki, dobre jedzenie. Ład. Nie jestem wariatką, panie Smith. Doskonale wiem, że naginam rzeczywistość do swoich wyobrażeń i że nie ma ona nic wspólnego z tym, jak i czym żyją dzisiaj ludzie, ale to lubię.

– Świat ze snów?

– Jest znacznie lepszy niż realny.

W powiewie wiatru szato-koszula przylgnęła do ciała, wydobywając krągłość kobiecych kształtów. Trochę nadto bujna, odnotowało bystre oko Griffina. Nieznacznie, ale jednak. Bujna i staroświecka, z rozwianym włosem.

Nie w jego typie. A jednak przez krótki moment chciał, żeby była. W jego typie. I żeby potrafił wieść życie, w które wnosiłaby ten swój staroświecki ład. I żeby nie błądził już w ciemnościach. Wszedłby teraz na ganek, wziąłby ją w ramiona, zaniósł do staroświeckiego łoża tonącego w falbanach i koronkach i zdjął z niej tę dziwaczną koszulę.

Odpędził absurdalną myśl.

– Sny łatwo zamieniają się w koszmary – powiedział trzeźwo. – A tych nie da się z nikim dzielić.

– Wyglądasz na takiego, co rzeczywiście miewa koszmary, ale idę o zakład, że nigdy nie próbowałeś dzielić się nimi.

Dziwną prowadzili rozmowę, choć Sophie zdawała się tego nie zauważać. Światła w oknach pogasły, już tylko jasny półksiężyc rozświetlał mrok srebrzystą poświatą. Co by zrobiła, gdyby teraz do niej podszedł? Odwróciłaby się i uciekła?

Ma się rozumieć, że tak. Niechby, wcale nie myślał podchodzić. Nie dotknie gładkiej skóry, nie poczuje zapachu koniczyny i świeżego chleba. Dawno zapomniał, czym jest niewinność, zresztą akurat niewinności w amorach nie lubił, a czuł, że Sophie Davis, rzeczowa, twarda, stanowcza, jest niewinna jak owieczka. Nie miał ochoty wcielać się w rolę wygłodniałego wilka.

– Prześpij się – powiedział, gotów wracać do domu.

– Nie sądzę, bym zdołała zasnąć. – Sophie bezradnie wzruszyła ramionami. – Całą noc nie zmrużyłam oka, przewracałam się z boku na bok. Chyba za dużo mam zmartwień.

Rzeczywiście niewinna. Podobne stwierdzenie w ustach innej kobiety, na przykład Annelise, byłoby otwartym zaproszeniem. „Oczywiście, kochanie, zajmę się tobą, tak cię wymęczę, że natychmiast zaśniesz. Po prostu potrzebny ci dobry numerek".

– Jest takie powiedzenie: nie marnuj wyobraźni na zmartwienia. – Zabieraj się stąd, powtarzał sobie. Nie stój tu w świetle księżyca i nie prowadź pogadanek na temat pozytywnego stosunku do życia.

Sophie uśmiechnęła się i odparła:

– Ja najwidoczniej marnuję. Może napijesz się kawy?

O Chryste. Może źle ją ocenił, może zmyliła go

ta jej dziewicza biała szata. I może wcale nie miał ochoty walczyć z pokusą.

– Nic dziwnego, że nie możesz spać, jeśli pijasz kawę o tej porze – mruknął. – Chyba że w ten subtelny sposób dajesz mi do zrozumienia, żebym poszedł z tobą do łóżka.

Wiktoriańska dziewica, jak żywa – zgorszona, obrażona, zniesmaczona.

– Masz przywidzenia, Smith – oznajmiła lodowatym tonem. – Seks zupełnie mnie nie interesuje. – Ledwie to wypowiedziała, uświadomiła sobie, że chyba nie tak miało zabrzmieć. – Nie z tobą – dodała. – Z kimś innym, kiedy indziej, owszem. Jestem zupełnie normalną kobietą, ale nie mam najmniejszej ochoty...

– Przestań bredzić. Zdążyłem zauważyć, że nie masz ochoty, ale twoje zachowanie kazało mi zrewidować wcześniejsze wnioski. Spróbuję ci to wyjaśnić. Stoisz w środku nocy na ganku w samej koszuli nocnej, światło pada z tyłu, czyniąc to cholerne giezło prawie przeźroczystym, na domiar proponujesz obcemu facetowi kawę. Można odnieść mylne wrażenie.

Otworzyła usta i zaraz je zamknęła. Ładne usta, pomyślał Griffin z niewczesnym żalem. Bardzo ładne.

– No, dalej, wyduś to z siebie, Sophie. Widzę, że cię korci. Śmiało, nie zgorszysz mnie.

– Pierdol się. – Po prostu, bez wahania, z wściekłością. Powinno być mu głupio, że ją aż tak rozdrażnił, ale nie było.

– Kiedy tylko zechcesz. – Gdyby stał bliżej, pewnie by ją pocałował. Żeby przekonać się, jak zareaguje. I poczuć smak jej ust.

Zanim wszedłby na ganek, zdążyłaby zamknąć za sobą drzwi na cztery spusty. Zrobiłby z siebie głupka, no i nie zdołałby ukryć zawodu.

Nie będzie tracił czasu na sentymentalne głupoty. Odwrócił się i ruszył w stronę ścieżki nad jeziorem, oczekując, że zaraz coś ciężkiego trafi go w głowę.

Usłyszał tylko trzaśnięcie zamykanych z impetem drzwi. Musiał przyznać, że chętnie znalazłby się po ich drugiej stronie. I piłby jej kawę, i spijał słodycz z jej warg. Auu!

Pieczołowicie gromadził narzędzia, niczym biegły w swoim rzemiośle mistrz rękodzielnik. Był wirtuozem, artystą wypełniającym bożą misję w świecie pełnym grzechu. Nigdy nie zabijał dwa razy w ten sam sposób, bo istnieje nieskończona ilość dróg, którymi można wysyłać zbłąkanych na tamten świat.

Zadawał śmiertelne rany nożem i pięścią, podawał truciznę, dusił, wieszał, topił. Zawsze ginęły inaczej, a policja nie była w stanie natrafić na jego ślad. Przedstawiciele prawa, sami zdeprawowani, nie mieli pojęcia, ile kobiet straciło życie z jego ręki, zanim zdążyły posiać zarazę grzechu w czystych i niewinnych duszach.

Zaczynało brakować mu pomysłów, a był człowiekiem, który nie lubił się powtarzać. Już myślał, że jego zadanie skończone, gdy w starym zajeździe pojawiły się trzy obce niewiasty.

Płomienie. Tak. Oczyszczający ogień wypali zło z ciał i dusz. Dom Nilesów zajmie się jak huba i obróci w popiół, zostaną tylko zgliszcza. Nikt nigdy się nie dowie, co spowodowało pożar; czy zwarcie w starej instalacji, czy niedopałek rzucony przez małą wszetecznicę. A że zginą i tamte dwie? Cóż, święta wojna wymaga ofiar.

Będzie się za nie modlił.

ROZDZIAŁ SIÓDMY

Marty otworzyła oczy i zaraz je zamknęła z głośnym przekleństwem. Stojące wysoko na niebie słońce raziło niemiłosiernie. Południe. Obudził ją jakiś wredny, warkotliwy hałas, jednostajny, świdrujący w głowie, niczym dźwięk gigantycznej bormaszyny. Po omacku zaczęła szukać papierosów; powinny leżeć na szafce nocnej. Sophie zabroniła jej palić w domu, to wystarczyło, żeby kopciła bez opamiętania. Dłoń natrafiła na pustą, zmiętą paczkę.

Odrzuciła kołdrę, opuściła stopy na podłogę. Kompletna mgła, jak zwykle. Wyjęła z szuflady okulary, wetknęła na nos i odetchnęła z ulgą, kiedy świat nabrał ostrości. Gdyby Sophie zgodziła się na zabieg laserowy, Marty nie musiałaby nosić tych przeklętych soczewek kontaktowych. Nigdy tak naprawdę nie przyzwyczaiła się do nich, a rano, zanim na dobre się rozbudziła, musiała, jak dzisiaj, ratować się okularami. Ale tylko wtedy. Za nic nie pokazałaby się w nich nikomu. Buczenie stawało się nie do zniesienia. Podeszła do okna, chciała je zatrzasnąć, ale znieruchomiała na widok rozebranego do pasa chłopaka. Wstrzymała oddech. Zafascynowana obserwowała grę mięśni pod opaloną skórą. Twarzy ocienionej kaskiem ochronnym nie mogła dojrzeć. Chłopak musiał poczuć jej spojrzenie, bo podniósł wzrok.

Jak oparzona odskoczyła od okna, w tej samej chwili piła mechaniczna wydała zgrzytliwy jęk i ucichła. Nie, za nic nie wyjrzy ponownie. Nie mogła dopuścić, żeby ktokolwiek zobaczył ją w okularach, a bez nich z kolei ona nic by nie zobaczyła. Pat.

Gdzie się podział gamoń, który dotąd zajmował się ogrodem? Był po prostu beznadziejny, dlatego Marty szybko uznała, że to lato może już spisać na straty. Sophie z rozmysłem skazała ją na to odludzie, gdzie ktoś chyba wymordował wszystkich wartych uwagi facetów. Nie, nie była żadną maniaczką seksualną, nimfomanką, nic takiego. Po prostu lubiła chłopaków, i to bardzo.

Muskularny chłoptyś za oknem dowodził, że coś się zmieniło w tej materii. Jeśli, oczywiście, jego twarz okaże się równie pociągająca, jak opalony tors. Przyjaciółki przekonywały ją, że twarz się nie liczy, ale Marty nie upadła jeszcze tak nisko, chociaż była na najlepszej drodze.

Sophie chyba specjalnie zatrudniała do pomocy

w zajeździe samych niewydarzonych facetów. Ten dzisiejszy był pierwszym, na którego można było patrzeć bez odrazy. Zejdzie do niego, zagadnie, czy nie ma przypadkiem fajek. Jeśli chłopak nie pali, będzie krucho, bo Audley miał twarde zasady – nie sprzedawał papierosów nieletnim, a ona dotąd nie znalazła nikogo, kto zgodziłby się jej w tej sprawie pomóc. Ludzie tutaj byli okropnie praworządni. Jakby sami nie palili, kiedy mieli po naście lat. Robiła to nawet jej siostrzyczka, to chodzące ucieleśnienie wszelkich cnót.

Ale nie jest źle, skoro na horyzoncie pojawiło się interesujące męskie ciało. Nawet nie jęknęła na radosne dzień dobry Sophie, kiedy natknęła się na nią w drodze do łazienki. Może Colby okaże się w końcu znośnym miejscem do życia i nie będzie musiała stąd uciekać.

Sophie otworzyła drzwi najciszej, jak mogła. Grace spała w najlepsze. Nic dziwnego, nocna wycieczka musiała ją wyczerpać.

Co ją, na litość boską, podkusiło, żeby składać wizytę w chacie Whittenów? Wcześniej nie przejawiała najmniejszego zainteresowania opuszczonym domem. W ogóle niczym się nie interesowała. Na krok nie wychodziła z domu, czasami tylko żonie Doka udawało się zaprosić ją na domową kolację. Najczęściej jednak przesiadywała w swoim pokoju albo na ganku, wpatrywała się nieobecnym wzrokiem w przestrzeń i nuciła coś pod nosem.

Sophie nie wiedziała, co pocznie, jeśli matka zagustuje w samodzielnych spacerach. Nie stać jej było w tej chwili na wynajęcie opiekunki, a sama nie mogła poświęcać Grace więcej czasu niż dotąd. Mogłaby poprosić o pomoc Marty, ale ta, jak zwykle, zgodzi się niechętnie, a potem zapomni o swej obietnicy.

Grace pochrapywała cicho. Obok łóżka leżała sterta książek, jedna otwarta, na poduszce. Zapewne któryś z ukochanych kryminałów matki, zdjęcie na okładce mówiło samo za siebie. Właściwie Sophie powinna się cieszyć, że Grace zabrała się do czytania. Po raz pierwszy od wielu miesięcy wreszcie czymś się zainteresowała. Lektura choćby najbardziej makabrycznych historii była lepsza od apatii.

Musi powiedzieć o tym Dokowi. Staruszek się ucieszy. Ciągle powtarzał, że Grace powinna znaleźć sobie jakieś zajęcie. Wróciła co prawda jedynie do starego hobby, ale Sophie z dwojga złego wolała to, niż obserwować jej martwe spojrzenie utkwione w jeziorze.

Wyszła na palcach z pokoju, cichutko zamknęła drzwi. Dopóki matka spała, była bezpieczna. Sophie mocno wątpiła, czy po jej nocnej wyprawie będzie w stanie kiedykolwiek zmrużyć oko.

Przygotowała sobie kawę i z kubkiem przeszła

na ganek. Na jeziorze panowała cisza; kilka łodzi wracało z połowów, nie pojawiły się jeszcze uprzykrzone motorówki. Grace spała spokojnie, nawet Marty, o dziwo, wstała dzisiaj w lepszym humorze. Sielanka.

Sophie zamknęła oczy, zadowolona z chwili błogiego wytchnienia. I zaraz szeroko je otworzyła. Dopiero teraz dotarło do niej, co czyta matka. „Zbrodnia w Northeast Kingdom". Ponura, utrzymana w sensacyjnym tonie relacja o morderstwach w Colby, napisana przez wziętego autora z życia wziętych kryminałów. Sophie nigdy do niej nie zajrzała. Dok i inni mieszkańcy miasteczka wyrażali się o książce z pogardą, uważali, że roi się od fantastycznych domniemań i żeruje na najniższych ludzkich instynktach. Grace najwidoczniej nie miała tego rodzaju obiekcji.

Dziwne. Zaraz po przeprowadzce do Stonegate Sophie wyjęła tę książkę z matczynej biblioteczki i zamierzała przeczytać, ale Dok przekonał ją, że szkoda czasu. Jeśli będzie miała jakieś pytania, on służy wyjaśnieniami, opowie o wydarzeniach sprzed dwudziestu lat tak, jak je zapamiętał, bez melodramatycznych upiększeń. Po takiej deklaracji wyrzuciła książkę do śmieci. Skąd zatem Grace wzięła swój egzemplarz? Jak go zdobyła, skoro wykonywanie najprostszych codziennych czynności przerastało jej możliwości?

Powinna wrócić do pokoju matki i zabrać

książkę. Grace nawet nie zauważy jej braku. Najprawdopodobniej nie zdawała sobie sprawy, że czyta o morderstwach popełnionych tu, w Colby, tuż w sąsiedztwie ich obecnego domu. Nawet jeśli zdawała sobie sprawę, to chyba nie w pełni.

Może książkę pożyczył jej pan Smith? Czy też raczej człowiek zwący się panem Smithem. Ciągle nie mogła pozbyć się wrażenia, że nie jest tym, za kogo się podaje. Żaden spragniony wypoczynku mieszczuch nie zamieszkałby w sypiącym się domu na odludziu. Poza tym każdy, kto przyjeżdżał do ukrytego w głuszy Colby, trafiał tu z czyjegoś polecenia, a pan Smith pojawił się Bóg wie skąd. Nie ufała mu, po prostu.

Musiał być dziennikarzem, ta wersja wydawała się Sophie najbardziej prawdopodobna. Tak, dziennikarzem, którego do Colby przyciągnęły popełnione przed dwudziestu laty morderstwa i nadzieja znalezienia nowych materiałów, może nawet chęć rozwiązania zagadki. Pewnie wziął Grace w krzyżowy ogień pytań, a ona, do cna skołowana, uciekła na powrót w swój świat fantazji pełen seryjnych morderców i ich niewinnych ofiar.

Musi rozmówić się z panem Smithem. Zażąda, żeby zostawił jej matkę w spokoju. Grace była już wystarczająco nieszczęśliwa i bez pismaka o wampirycznych upodobaniach.

Upiecze ciastka, ot co. Imbirowe. Zaniesie je sąsiadowi. Usiądą na ganku Whittenów i wtedy mu powie, żeby odczepił się od starej, schorowanej kobiety. Będzie uprzejma, ale stanowcza, twarda i brutalnie szczera. Przy okazji być może dowie się wreszcie, kim naprawdę jest ten facet i jakie licho przyniosło go do Colby.

Przecież nie będzie się bała byle Smitha. Nie da się zbić z pantałyku. Niech sobie szanowny pan o ponurym wejrzeniu stroi wyniosłe miny, proszę bardzo. Ma tylko zostawić jej rodzinę w spokoju.

Tak, zdecydowanie złoży mu wizytę. Korciła ją ta perspektywa, wolała jednak nie zastanawiać się dlaczego. Co podniecającego mogło być w wyprawie do jaskini lwa? Widać w podeszłym wieku lat trzydziestu zagustowała w krwiożerczych lwach.

Tutejszy ludek zaprawdę hołdował dziwacznym nawykom. Tubylcy już bladym świtem przystępowali do wykonywania zbożnych czynności dnia codziennego. Griffin źle spał tej nocy. Zamiast pogrążyć się w błogiej nieświadomości, nie wiedzieć czemu rozmyślał o bosych stopach Sophie Davis i absurdalnym gieźle służącym jej za koszulę nocną. Kiedy wreszcie zdrzemnął się nad ranem, obudził go stłumiony warkot piły mechanicznej. Jęknął i nakrył głowę poduszką. Mógłby zamknąć okno, ale żeby tego dokonać, musiałby podnieść się z łóżka i prysłaby ostatnia nadzieja na sen. Wolał zacisnąć powieki i powtarzać sobie, że nic nie słyszy.

Już zapadał na powrót w sen, gdy rozległo się łomotanie do drzwi wejściowych ulokowanych akurat pod oknem sypialni. Zaklął głośno i soczyście, potem niechętnie zwlókł się z łóżka. Natarczywe łomotanie nasuwało niemiłą myśl o najściu policji, ale policji akurat nie miał powodów się obawiać. Był przecież prawnikiem, na litość boską, i w przeciwieństwie do Annelise, trzymał się zawsze ściśle litery prawa. Za punkt honoru stawiał sobie prowadzenie gry w zgodzie z wymogami systemu, któremu zawdzięczał pięć lat w więzieniu o zaostrzonym rygorze. Pięć długich lat, za zbrodnię, której nie popełnił.

Przez szyby dojrzał dwie czy trzy osoby czekające na ganku. W pierwszej chwili pomyślał, że to zagorzali wyznawcy jakiejś równie zagorzałej w fanatyzmie religijnym sekty, chodzący od domu do domu i usiłujący nawracać maluczkich. Otworzył drzwi, nie kryjąc grymasu niechęci. Wysoki mężczyzna stojący na czele delegacji przypominał Abrahama Lincolna, tyle że pozbawionego poczucia humoru, które cechowało prezydenta. Pociągła, surowa, okolona siwą brodą twarz, przenikliwe, podejrzliwie spoglądające oczy, wąskie, zacięte usta. Wyglądał jak żywcem wyjęty z powieści Stephena Kinga, znanego na całym świecie mistrza thrillerów.

Jeśli miał zamiar zabierać się do zbawiania duszy wiecznej Griffina, to spotka go przykra niespodzianka. Na razie udało mu się tylko obudzić grzeszny wybuch wściekłości.

– Pan Smith? – Cierpki ton głosu i charakterystyczny akcent, którego nie słyszało się nigdzie poza Northeast Kingdom.

– Owszem, a z kim mam przyjemność? – Potrafił być równie opryskliwy w obejściu, jak jego nieproszony gość. Tuż za mężczyzną stała starsza pani, ale żadne z nich nie miało w dłoniach Biblii, może więc pospieszył się z wnioskami. Przed gankiem stał jeszcze ktoś trzeci.

– Zebulon King – przedstawił się mężczyzna. – To moja żona i syn. Przysyła nas Marge Averill. Do roboty. Pan podobno niezadowolony z tego lokum.

Cholera. Wcale nie był przekonany, że chce, by miejscowi kręcili się po domu. Raptem otworzyła się jakaś klapka w głowie Griffina. Zeb King był ojcem jednej z zamordowanych dziewcząt. Zeznawał podczas procesu, nie potrafił powiedzieć nic konkretnego, opierał się raczej na domysłach, pogłoskach, plotkach, niemniej zdołał się przyczynić do wyroku skazującego. Griffin pamiętał jego córkę. Valette King sypiała z każdym, na tym polegał jej bunt przeciwko surowym zasadom panującym w domu rodzinnym. Spędził z nią upojną noc, ale wystraszony jej nienasyconym apetytem na seks zajął się bardziej umiarkowaną Lorelei. Valette była na niego wściekła. Nawet Zeb wiedział o krótkiej i burzliwej przygodzie młodych.

Minęło od tamtego czasu dwadzieścia lat, nic dziwnego, że Griffin nie rozpoznał w dobiegającym sześćdziesiątki mężczyźnie o surowej, zniszczonej twarzy, ojca Valette. Zapewne Zeb też nie rozpoznał rozmówcy, chociaż kto wie...

– Pan weźmie nas do roboty? – zapytał King z niejakim zniecierpliwieniem. – Po przyzwoitości wyczekaliśmy, ile trzeba, żeby nie nachodzić pana o świcie, ale czas ucieka.

Griffin spojrzał na zegarek. Przyjeżdżając do Colby, dla niepoznaki zamienił swojego roleksa na taniego swatcha. Ot, jeden z elementów perfekcyjnego planu. Ósma rano. Zeb był najwyraźniej przekonany, że „po przyzwoitości" godzi się składać ludziom wizyty o tej porze.

Griffin otworzył siatkowe drzwi. Gdyby miał krztę rozumu, odesłałby tych ludzi do diabła, ale nie mógł przecież nie wykorzystać okazji, kiedy, i to dosłownie, pojawiła się na progu jego domu. Tych dwoje zbrodnia dotknęła bezpośrednio. Być może byli jedynymi spośród krewnych ofiar, którzy nadal mieszkali w Colby. Bogowie ich zesłali, pomyślał Griffin.

Zebulon King, uzbrojony w staromodną skrzynkę na narzędzia, wkroczył do bawialni, za nim chyłkiem, ze spuszczoną głową, wsunęła się żona w spranej sukience i jeszcze bardziej spranym, ale czyściutkim, sztywno wykrochmalonym fartuchu.

– Zacznij od kuchni, Addy – zakomenderował Zebulon – a ja wezmę Perleya i pójdziemy zobaczyć, co z dachem. Avril twierdzi, że przecieka – powiedział to takim tonem, jakby obwieszczał, że dom nawiedziła zaraza morowa.

Griffin nie zamierzał oświecać go w kwestii własnych kompetencji. Ostatnie lato na wolności spędził, wykonując różne roboty ciesielskie i stolarskie dla Peggy Niles. Znał się na rzeczy, wiedział mniej więcej, do czego służy młotek i zdawał sobie sprawę, ile trudu wymaga naprawienie przeciekającego dachu.

Pierwszy rok w więzieniu przepracował w warsztacie stolarskim. Był naprawdę dobry. Na krótko przed aresztowaniem zbudował dla Peggy altanę w ogrodzie, prawdziwe dzieło sztuki, najpiękniejszą rzecz, jaką udało mu się kiedykolwiek stworzyć. Po wyjściu na wolność nigdy już nie dotknął narzędzi. Ukochane rzemiosło przypominało mu o koszmarze, przez który przeszedł.

Brakowało mu tego, owszem. Od chwili gdy zamieszkał w rozpadającym się domu Whittenów, ręce go świerzbiły do pracy. Wymieniłby okiennice, doprowadził do porządku podłogi i schody. Nie zrobił nic. Mógł przecież pozwolić sobie na wynajęcie ludzi i zapomnieć o chłopaku, który czerpał radość z dobrze wykonanej roboty.

– Możecie zaczynać – powiedział. – Nie ruszajcie tylko na razie mojej sypialni. Mam tam rozłożoną pracę.

– Nic mi do pańskiej pracy. – Zeb wzruszył ramionami. – Mamy naprawić, co jest do naprawienia, nic więcej. I niech pan trzyma się z daleka od mojej kobiety.

Addy umknęła do kuchni. Miała około sześćdziesiątki, figurę kształtu worka ziemniaków, siwe włosy ciasno upięte w koczek, jakiego nikt już nie nosił co najmniej od stu lat.

– Postaram się zapanować nad pokusą – obiecał Griffin.

Zebulonowi do głowy nie przyszło, że jego przestroga może być śmieszna.

– Pan się postara.

Kiedy Griffin wszedł do kuchni, Addy szorowała właśnie ceratę na stole. Podskoczyła wystraszona, jakby zobaczyła przybysza z piekła rodem. Albo człowieka, który zamordował jej córkę.

Nie potrafił powiedzieć, czy była na jego procesie. Adwokat, przydzielony z urzędu kauzyperda był wściekły, że Griffin pojawia się na rozprawach w okularach słonecznych. Addy King mogła siedzieć na sali i wpatrywać się w niego z zapiekłą nienawiścią, utrwalając w pamięci rysy jego twarzy.

Ale, z drugiej strony, czy ta zahukana kobieta była w stanie wykrzesać w sobie iskrę zapiekłej nienawiści? Wątpliwe. Griffin zajął się przygotowywaniem kawy; w końcu skapitulował i kupił rozpuszczalną.

– Powinien pan nową ceratę kupić – bąknęła Addy ledwie słyszalnie.

– Można jeszcze gdzieś kupić coś takiego? – Starał się, żeby jego głos brzmiał miło oraz przyjaźnie.

Nie podniosła nawet głowy.

– A u Audleya. Tam wszystko dostanie.

– Nowe życie też?

– Że co proszę? Przygłucha jestem.

– Nic, nic. Mówiłem do siebie. – Griffin oparł się o blat kuchenny i zapatrzył na jezioro. Spokój, cisza, niemal bezruch. Trudno uwierzyć, że właśnie tam znalazł skrwawione ciało swojej przyjaciółki. Jezioro nie budziło w nim złych wspomnień, widok połyskliwej tafli przynosił raczej ukojenie, ale z daleka. Do brzegu nie odważył się podejść.

Spojrzał na kobiecinę. Kiedy zginęła jej córka, Addy zapewne nie znalazła wielkiego wsparcia u swojego oschłego męża.

Usiłował sobie gorączkowo przypomnieć, co właściwie wie o Kingach. Mieszkali w Colby od pięciu czy sześciu pokoleń, ale z początkiem dwudziestego wieku wielu wyjechało, inni brali żony z obcych stron, powoli zapominali o genealogii i historii swego rodu.

– Od dawna mieszkacie w Colby? – zapytał od niechcenia.

– Mój nie kazał z panem rozmawiać – mruknęła Addy, nie przerywając szorowania starej ceraty.

– To żaden grzech zamienić z kimś kilka słów, pani King.

Spojrzała na Griffina tak żałośnie, że zrobiło mu się głupio, jakby mimowolnie wyrządził jej wielką przykrość.

– Nie rozmawiam z obcymi. Urodziłam się w Colby, wszystkich tu znam, to mi wystarczy.

– Rozumiem, proszę pani – bąknął stropiony, ale jeszcze się nie poddawał. – Udanego ma pani syna – ciągnął uparcie. – Dużej dochowaliście się gromadki?

Przez twarz kobiety przebiegł skurcz bólu, do wyblakłych oczu napłynęły łzy. Drań ze mnie, pomyślał Griffin z niesmakiem.

– Tylko tego jednego. Bóg nie pobłogosławił.

Nie chciał bardziej naciskać. W palestrze uchodził za bezwzględnego, potrafił zniszczyć nawet najlepiej przygotowanego czy święcie przekonanego o prawdziwości własnych zeznań świadka kilkoma pytaniami. Świadka tak, ale nie steraną, doświadczoną cierpieniem kobietę.

Powinien iść na górę i schować książki o seryjnych mordercach, zanim wpuści do swojej sypialni Kingów.

Za późno. Już z korytarza zobaczył Perleya. Facet stał na środku pokoju z jego notatnikiem w dłoni.

Niech to szlag, zaklął w duchu i odchrząknął, szukając wiarygodnego wyjaśnienia.

ROZDZIAŁ ÓSMY

– A to co? – Uznał, że z taktycznego punktu widzenia rozsądniej i bezpieczniej będzie przejść do ofensywy.

Perley, czerwony jak burak, rzucił notatnik na łóżko.

– Ja... nic... – zaczął się jąkać. – Przyszedłem sprawdzić, gdzie są zacieki, tato kazał.

– I zająłeś się lekturą?

– Ja nie... – bąkał.

– Co?

– Nie umiem czytać. Głowy do nauki nie miałem, ale tato mówi, że bez tego idzie żyć. Podpisać się umiem.

– Bardzo mnie to cieszy. – Griffin podszedł do łóżka i wziął notes, otwarty na zapiskach z poprzedniego dnia. Perley mówił chyba prawdę. Gdyby potrafił czytać i zrozumiał tekst, nie miałby takiej głupkowatej miny.

Jedną ofiarę Griffin już miał na swoim koncie

– biedną, zahukaną Addy. Skoro tak sympatycznie zaczął dzień, nic nie stało na przeszkodzie, żeby teraz podokuczać niedorozwiniętemu umysłowo ciemiędze. Och, to na pewno natychmiast poprawi mu humor.

– Lubisz Colby, Perley? – Trudno o bardziej idiotyczne imię, pomyślał mimo woli. Zwalisty facet o perłowym imieniu. Głuptak Perełka. Klejnocik.

Perley opukiwał ścianę, szukał miejsc, gdzie deski mogły przegnić od zacieków.

– Może być – mruknął – ale bez Valette jakoś smutno.

Za łatwy początek. Zdecydowanie zbyt łatwy. Griffin podszedł do komody i zaczął niby to szukać czegoś w szufladach.

– Valette? Kto to taki?

– Moja siostra. Bardzo ładna. Już jej nie ma. Dawno, jak odeszła. Szatan ją zabrał.

– Szatan?

– Tato mówi, że była grzesznicą. I żeby nigdy nie wspominać jej imienia. Ale ja tęsknię. Jak mnie tato prał, zawsze wstawiała się za mną. I chcący niechcący, musiał pasa odłożyć. Jak odeszła, tato pić przestał i bić przestał. Ani mamy, ani mnie nie tyka. Jest dobrze. Śliczna była jak z obrazka. Nasza Valette śliczna była.

– Co się z nią stało?

Perley dał sobie spokój ze ścianą i zaczął

sprawdzać stan sufitu wokół przewodu kominowego.

– No mówię, szatan ją zabrał. – Pełen cierpliwości ton głosu mógł oznaczać, że role się odwróciły. Teraz to Griffin był wiejskim matołkiem, któremu wszystko trzeba po kilkakroć powtarzać, żeby cokolwiek zrozumiał. – Mama mówi, że Bóg ją wziął między anioły, ale tato tylko powtarza, że to był szatan. A kiedy tato tak mówi, to tak musiało być. Jak z tamtymi.

Bingo.

– Z tamtymi? – zachęcił Griffin.

– Nie wolno mi o tym gadać. Dawne czasy, nic nam do tego, tak mówi tato. – Perley dźgał śrubokrętem deski. Rytmiczne, monotonne ruchy. Czy to Valette została zadźgana nożem? Griffin przyglądał się unoszącej się i opadającej dłoni Perleya z jakąś niezdrową fascynacją.

– Bardzo smutne – skwitował.

– Chodzę na jej grób. Dawniej tato bił, że chodzę, choćby i bez wódki bił, to teraz chodzę, jak go w domu nie ma. Nie tylko ja chodzę. On też.

– Twój ojciec?

Perley powoli pokręcił głową.

– Nie. Szatan. Chodzi do nich, niby tych dziewczyn, kwiaty kładzie. Żal mu, że je musiał wziąć do siebie. Wszystkim kwiaty zostawia. Wszystkim takie same. Stąd wiem, które on zabrał, a które nasz Pan Wszechmogący.

Tylko spokojnie. Griffin próbował zapanować nad podnieceniem.

– Mówisz, że ktoś zostawia kwiaty na grobach trzech zamordowanych dziewcząt?

Perley dalej dźgał sufit. Nie zdziwił się, skąd obcy może wiedzieć o trzech zamordowanych dziewczętach.

– Więcej jak trzy. Wszystkie wziął do siebie – wyjaśniał cierpliwie. – Nie mówię, że zabił. Kwiaty im zostawia. Za wsią, koło jeziora. Czasem go obserwuję, o świtaniu, kiedy myśli, że nikt nie widzi, ale ja widzę.

Griffina przeszedł zimny dreszcz.

– Jak on wygląda?

Długi śrubokręt wszedł miękko w deskę, co wywołało pełen satysfakcji, głęboki pomruk Perleya.

– Znalazłem – oznajmił z dumą i podszedł do okna.

– Tata, znalazłem!

– Idę, synu!

Griffin musiał kończyć swoje przesłuchanie, nie mógł jednak wyjść, nie uzyskawszy odpowiedzi na ostatnie pytanie.

– Jak wygląda Szatan?

Perley zwrócił na niego niewinne spojrzenie.

– Jak Bóg, tylko inaczej.

Wspaniale. Podszedł do stołu i ledwie zgarnął papiery, w pokoju pojawił się Zebulon King.

– I czego zawracasz głowę panu Smithowi, synu? – zagadnął podejrzliwie. – Pracować masz, a nie trzaskać jadaczką po próżnicy.

– Ja tylko tak, tata. – Perley zwiesił głowę. – Opowiadałem panu różne rzeczy.

– Cóżeś opowiadał?

Cholera. Nieszczęście wisiało w powietrzu.

– O wędkowaniu mówiłem. Gdzie najlepiej łowić pstrąga tęczowego – oznajmił Perley z miną niewiniątka. Nawet jeśli jego umysłowi czegoś nie dostawało, potrafił kłamać jak z nut.

– Dobre miejsce nie wystarczy, żeby łowić pstrąga – mruknął Zeb, jasno wyrażając, co myśli o umiejętnościach obcego. – Człowiek nie powinien sięgać po to, czego nie zje. Oprawić tęczowego pan umie? – zapytał z pełnym pogardy powątpiewaniem.

Ostatniego lata, które spędził w Colby, Griffin często chodził na pstrągi, doskonale potrafił je oprawiać i przyrządzać.

– Pytałem się z ciekawości, ale chyba nie będę wędkować.

– Wiadomo, jak się przyjechało odpoczywać, to i czasu na nic nie ma – sarknął Zeb. – My raz dwa, co trzeba, naprawimy, tylko niech pan z moim chłopakiem w rozmowy się nie wdaje. Powolny jest i trudno mu się skupić na robocie.

Griffin skinął głową na znak, że rozumie i przyjmuje ostrzeżenie.

– Nie będę już z nim rozmawiał. Najlepiej, jak zostawię was samych. Przejadę się, wstąpię gdzieś na lunch.

– W Wybury jest gospoda. – Zeb mówił o sąsiedniej wsi.

– Może kupię coś w sklepie i pozwiedzam okolicę. Bardzo lubię stare cmentarze. – Griffin powiedział to z naciskiem, ciekaw reakcji Zebulona.

Nie docenił starego. Perley jakby się stropił na wzmiankę o cmentarzach, ale Zeb tylko wzruszył ramionami.

– Pańska rzecz. Nie wiem, co może być zajmującego w kupie starych nagrobków, ale są tacy, co ich to interesuje. Niech pan uważa.

– Na co?

– Szosa nad jeziorem bywa podmokła po bokach, a pan ma stary wóz, byle jaki, widać, nie na nasze błoto. Zabuksuje, utknie i trzeba będzie wyciągać.

– Dziękuję za ostrzeżenie. – Griffin ponownie skinął głową.

– Ostrożność nigdy nie zawadzi – stwierdził stary. – Pan jedzie, my do trzeciej na pewno skończymy z robotą.

Było dopiero wpół do dziewiątej. Mnóstwo czasu. Długi, niczym nie zapełniony dzień, ale Griffin potulnie godził się na wszystko. Do Stonegate nie mógł jechać. Tam też trwały prace, trudno się spodziewać, by Sophie przyjęła go z otwartymi ramionami. Poza tym w najbliższej okolicy były trzy czy cztery cmentarze. Odnalezienie grobów zamordowanych dziewcząt mogło zająć trochę czasu.

Kingowie wpatrywali się w niego, najwyraźniej czekając, kiedy wreszcie zostawi ich samych.

– Mogę się ogolić przed wyjściem? – zapytał zjadliwie.

– Byle migiem, bo mam robotę w łazience.

Branie prysznica i golenie udało mu się przeciągnąć do godziny. Niezbyt wymyślna zemsta, ale bardzo przyjemna.

Kiedy w końcu zszedł na dół, Addy myła podłogę na ganku od strony kuchni. Nie zareagowała na jego obecność. Może rzeczywiście była głucha? Nie, chyba raczej nie.

Wyjął butelkę coli z lodówki, wziął kluczyki samochodowe i gotowy do drogi ruszył w stronę głównego wyjścia. Otworzył drzwi i niemal wpadł na Sophie Davis. W ręku miała talerz z ciastkami, a na twarzy podejrzanie miły uśmiech.

Oparł się o framugę, tarasując przejście.

– A to co?

Przestraszył ją. Zadziwiające, jak delikatny układ nerwowy miała ta panna. Sophie Davis. Delikatny, ale odporny na słowicze trele w głosie mężczyzny. I bardzo dobrze, bo Griffin potrafił szafować nimi iście po mistrzowsku. Mądrze z jej strony, że mu nie ufała, on z kolei nie mógł oprzeć się wrażeniu, że Sophie coś ukrywa.

Była za młoda, żeby pamiętać medialną wrzawę wokół morderstw. Miała dwadzieścia kilka, góra trzydzieści lat, w Colby mieszkała zaledwie od paru miesięcy. Za krótko, by poznać miejscowe tajemnice, chyba że przywiozła jakieś ze sobą.

Poza tym, że nie darzy go szczególną sympatią, nic o niej nie wiedział. W innej sytuacji nie przejmowałby się jej stosunkiem do swojej osoby. Ba, łatwo powiedzieć, gorzej z wykonaniem. Na wszelki wypadek posłał Sophie zabójczy uśmiech.

– Przyniosłam ciastka – powiedziała, jakby wymagało to wyjaśnienia.

– Widzę. Czemu zawdzięczam poczęstunek?

– Chciałam ci podziękować, że odprowadziłeś mamę do domu.

– Nie mogłem przecież pozwolić, żeby w środku nocy wracała sama.

– Po tobie akurat można by się tego spodziewać.

Griffin przyjął tę opinię z kamienną twarzą. Wiktoriańska zjawa zdjęła białe rękawiczki, zdecydowana unurzać rączki w błocie. Proszę bardzo, on chętnie się przyłączy.

– Nie przyszłaś z towarzyską wizytą – zauważył przenikliwie. – Można wiedzieć, co cię sprowadza?

Od strony kuchni doszedł stłumiony łoskot, to Addy musiała coś upuścić. Sophie pobladła.

– Ktoś jest u ciebie...

– Marge Averill przysłała ekipę remontowo-porządkową. Nie odpowiedziałaś na moje pytanie. Co cię sprowadza?

– Muszę z tobą porozmawiać – powiedziała z taką miną, jakby rozmowa z Griffinem miała być najgorszą katorgą.

– Świetnie, ale nie tutaj. Ekipa właśnie wygoniła mnie z domu. Wybieram się na przejażdżkę, możesz jechać ze mną.

– Mam mnóstwo roboty...

– Chcesz porozmawiać czy nie?

Wahała się przez moment.

– Chcę. Co mam zrobić z tymi ciastkami?

– Weź je ze sobą. Nie jadłem jeszcze śniadania. – Kiedy zrobił krok, cofnęła się gwałtownie. Nie dowierzała mu, posądzała o najgorsze i traktowała jak trędowatego. Od chwili kiedy opuścił mury więzienia, nikt go tak podle nie traktował.

Ruszyła jednak za nim, szła, trzymając się o dziesięć kroków w tyle, niczym posłuszna muzułmańska żona. Dopiero na widok samochodu zatrzymała się gwałtownie.

Był przygotowany na taką reakcję. Nikt nie mógł zrozumieć jego przywiązania do tego wozu, nawet Zebulon King uznał, że nowy letnik jeździ kompromitująco starym gratem. Stary był, owszem, ale wart więcej, niż roczne dochody Zebulona. Jaguar Griffina osiągnął po prostu wiek przejściowy – na tyle zaawansowany, że sprawiał wrażenie sypiącej się landary, a jeszcze nie dość dostojny, by mógł uchodzić za pożądaną staroć. Działał znakomicie, a Griffin chuchał na niego i dmuchał. Kabina robiła imponujące wrażenie. Nowe skórzane obicia, deska rozdzielcza wyłożona orzechem. Za to szpachlowana w wielu miejscach, nadgryziona rdzą karoseria prezentowała się żałośnie.

Griffin otworzył drzwiczki od strony pasażera z przesadną galanterią.

– Zaskoczona, wiem, ale niczym godniejszym nie dysponuję. Powóz czeka, madame.

Zbliżyła się ostrożnie, jakby oczekiwała, że z wnętrza wozu wypełznie oddział szturmowy włochatych pająków.

– To X16. – W głosie Sophie zabrzmiało głębokie, zupełnie nieoczekiwane uznanie. – Siedemdziesiąty czwarty czy piąty?

– Siedemdziesiąty czwarty – odpowiedział zaskoczony.

– Piękny – szepnęła, wręczyła mu talerz z ciastkami i wsunęła się do kabiny z wniebowziętym wyrazem twarzy. Przymknęła oczy i westchnęła z satysfakcją. – Pachnie jak trzeba.

Griffin stał bez ruchu i gapił się na zachwyconą Sophie. Annelise nienawidziła starego wozu, upierała się, żeby jeździł jej mercedesem albo swoim lincolnem. Akurat tutaj, na tutejsze drogi, lincoln z napędem na cztery koła byłby lepszy, ale Griffin w ostatniej chwili zdecydował się wziąć jaguara. Lincoln zbyt rzucał się w oczy, poobijany jaguar nie zwracał uwagi, co najwyżej mógł wywoływać lekceważące uśmieszki. W gruncie rzeczy był to rodzaj usprawiedliwienia, bo Griffin po prostu chciał jechać ukochanym wozem, zobaczyć, jak się sprawdzi na długiej trasie.

Nie chciał natomiast, żeby Sophie Davis w kontakcie z jaguarem przeżyła orgazm, w dodatku pierwszy w życiu, jak podejrzewał.

Już miał zaproponować, żeby pojechali jej samochodem, ale rozmyślił się. Jaguar się jej spodobał. Hm. W oczach Griffina świadczyło to o duchowej głębi wiktoriańskiej dziewicy. Plus dla niej. Poczęstował się ciasteczkiem imbirowym. Nie pierwszy plus, musiał przyznać.

Zamknął drzwiczki. Sophie tymczasem umościła się w skórzanym fotelu niczym kotka na poduszce. Dla dopełnienia obrazu powinna jeszcze od czasu do czasu mruczeć z rozkoszy.

Otrząsnął się ze zdziwienia, w jakie wprawiła go ta dziwna kobieta, obszedł samochód i usiadł za kierownicą.

Sophie nadal miała zamknięte oczy, jakby zapadła w sen. Fotel był co prawda wygodny, ale żeby aż tak... Wpatrywał się w nią długo. W końcu uniosła powieki i spojrzała na niego trochę nieprzytomnie, jak ktoś, kto właśnie uprawia seks. Chyba udzieliło mu się jej podniecenie, o czym czytelnie zawiadamiał stosowny narząd. Griffin nigdy nie kochał się z nikim na tylnym siedzeniu samochodu, ale dla Sophie gotów był zrobić wyjątek.

Na szczęście zdołał się opanować.

– To tylko samochód – powiedział, nie do końca zadowolony z tego stwierdzenia.

– Wiesz tak samo dobrze jak ja, że to coś więcej niż tylko samochód. – Sophie zmarszczyła czoło. – Kolekcjonujesz stare samochody? Ktoś je dla ciebie odnawia, remontuje?

– Nikt poza mną nie dotknął tego wozu. I nie kolekcjonuję starych samochodów. Mam lincolna, którego używam na co dzień, a to... – Chciał powiedzieć, że kocha swojego jaguara całym sercem i duszą, bardziej niż kiedykolwiek jakąkolwiek istotę ludzką. – Moje hobby... – dokończył, przekręcił kluczyk w stacyjce, wrzucił wsteczny bieg i zaczął powoli wycofywać samochód z zarośniętego zielskiem podjazdu. – Nawet o tym nie myśl – mruknął po chwili.

– O czym mianowicie?

– Nie dam ci prowadzić, wykluczone. Nikomu nie pozwalam nim jeździć. Ma za duże przyspieszenie dla kogoś nieprzyzwyczajonego do silnika o takiej mocy, poza tym nigdy pewnie nie prowadziłaś wozu z normalną skrzynią biegów.

– Lubię zmieniać biegi.

– Tak? Nie wyglądasz mi na doświadczonego

kierowcę. Założę się, że do tej pory miałaś do czynienia wyłącznie z automatami.

Był ciekaw, czy świadoma jest seksualnych podtekstów tej wypowiedzi. Jeśli nawet, to twardo je ignorowała.

– Nie będziesz osądzał mojego doświadczenia – burknęła.

Może jednak nie ignorowała.

– Dlaczego nie? – W głosie Griffina zabrzmiała uwodzicielska nuta. – Nauczę cię przyspieszać i zwalniać łagodnie, pokażę, jak gładko...

– Dość tego! Nie mam zamiaru rozmawiać o samochodach – oznajmiła surowo.

– A to my rozmawiamy o samochodach?

– A niby o czym?

– Myślałem, że o seksie.

– Źle myślałeś.

– To po co do mnie przyszłaś? Nie dla mojego miłego towarzystwa?

Sophie przez chwilę mocowała się z pasem bezpieczeństwa.

– Gdybym tęskniła za miłym towarzystwem, jak to nazywasz, poszukałabym go gdzie indziej. Wiem, kim jesteś i po co tu przyjechałeś, panie Smith – nazwisko wymówiła z ironicznym naciskiem. – I chcę, żebyś trzymał się z daleka od mojego domu.

ROZDZIAŁ DZIEWIĄTY

Nie spodziewała się takiej reakcji, ale też rzekomy pan Smith był nietypowym osobnikiem. Nie próbował zaprzeczać, nie zirytował się, okiem nie mrugnął.

– Kim jestem? – zapytał spokojnie.

Samochód sunął cicho i Sophie miała ochotę oprzeć się wygodnie, zamknąć oczy, o niczym nie myśleć, nie prowadzić dziwnych rozmów, tylko rozkoszować się jazdą. Człowiek, który kupuje taki samochód, zasługuje na uznanie, ale ten tutaj i tak pozostanie w jej mniemaniu podstępnym, niebezpiecznym wężem.

– To jasne – sarknęła. – Jesteś dziennikarzem, usłyszałeś, że kiedyś ktoś zamordował tu kilka dziewcząt i przyjechałeś węszyć. Tacy jak ty nie mają za grosz sumienia, żadnego współczucia dla ofiar, żerują na cudzym cierpieniu.

– Powiedziałbym, że ofiarom jest już wszystko jedno.

– Ofiarami były nie tylko te dziewczyny. Tragedia dotknęła ich rodziny, całą wioskę – Sophie mówiła wzburzonym głosem.

– Nie mieszkałaś tu wtedy. Dlaczego tak się przejmujesz?

– Skąd wiesz, że nie mieszkałam?

– Jako dziennikarz powinienem wiedzieć, kto pamięta tamte czasy, do kogo mam się zwrócić, z kim rozmawiać. A ty sama mi powiedziałaś, że sprowadziłaś się do Colby zaledwie kilka miesięcy temu. Zapomniałaś już?

Nie pamiętała, żeby mówiła, ale to niczego nie dowodziło.

– Co z tego, że mieszkam w Colby od niedawna? Mogłam przyjeżdżać tu na wakacje, mogłam tu być akurat tamtego roku.

– I mogłaś mieć najwyżej dziesięć lat. Poza tym nie było cię tutaj tamtego roku.

– Powiesz mi, po co przyjechałeś do Colby? – nie ustępowała.

– Przecież już mnie rozgryzłaś. Jestem dziennikarzem na tropie zbrodni sprzed lat, chociaż nie mam pojęcia, dlaczego dziennikarz miałby się interesować taką zamierzchłą sprawą.

Pewność Sophie zaczęła jakby lekko słabnąć.

– Nie wiadomo ostatecznie, kto zabił. Ludzi fascynują nierozwiązane zagadki. A jest w niej wszystko, czego spragnieni są czytelnicy: seks, narkotyki, morderstwo.

– Czytelnicy spragnieni są plotek o sławnych i bogatych, a tu nie mamy ani zakopanego skarbu, ani wyuzdanego polityka. Poza tym gdzie tu zagadka? To, że chłopaka w końcu wypuszczono z więzienia, bo udało się podważyć wyrok pierwszej instancji, nie oznacza, że wszyscy są zgodni co do jego niewinności. To był typ spod ciemnej gwiazdy, każdy potwierdzi tę opinię. Poczciwi mieszkańcy Colby wolą trwać w wygodnym przeświadczeniu, że dziewczęta zabił przybłęda, niż dopuścić myśl, że morderca żyje wśród nich – zakończył minorowym tonem.

– Muszą istnieć jakieś wątpliwości, skoro się tu pojawiłeś. – Sophie obstawała przy swoim.

– Co naprowadziło cię na myśl, że jestem dziennikarzem? Powiedziałem coś takiego?

– Wystarczy zdrowy rozsądek. Widziałam twoje książki o seryjnych mordercach, trudno je nazwać wakacyjną lekturą.

– Mnóstwo ludzi czyta książki o zbrodniach, zajrzyj na pierwszą lepszą listę bestsellerów.

– Piszesz książkę – podchwyciła Sophie. – Wiedziałam. Dostałeś milion dolarów zaliczki i nie obchodzi cię, że możesz kogoś zranić.

Zerknęła na pana Smitha ukradkiem, ale nie potrafiła nic wyczytać z jego twarzy. Tak jak nie potrafiła powiedzieć, dlaczego jego osoba wzbudza w niej niepokój.

– Wszystko już wiesz. – Griffin nie odrywał

wzroku od wąskiej wiejskiej drogi. – Jeśli jesteś taka dobra w rozwiązywaniu zagadek, może sama powinnaś napisać książkę.

– Nie lubię kryminałów – stwierdziła zimno. – Nie bawi mnie cudze cierpienie. Gdybym wiedziała, co zdarzyło się w Colby, nie przeprowadziłabym się tutaj. W każdym razie mocno zastanowiłabym się nad swoją decyzją.

– Trudno byłoby ci znaleźć miejsce wolne od różnych niemiłych tajemnic. Za sielską atmosferą zawsze kryje się jakaś mroczna niespodzianka.

– Bardzo cyniczny punkt widzenia. Jeśli nie jesteś dziennikarzem ani pisarzem, to kim? Poza tym dokąd my właściwie jedziemy? – zaniepokoiła się. Dlaczego u licha zgodziła się wsiąść do samochodu zupełnie obcego, mocno podejrzanego faceta? Kingowie widzieli, że z nim odjeżdża. Gdyby zaginęła, będą świadkami...

– Wiem, że nie uwierzysz w ani jedno moje słowo – przerwał jej strumień bezładnych, panicznych myśli – ale przyjechałem tu na wakacje. Szukam ciszy i spokoju. Nie chcę natykać się w środku nocy na staruszki buszujące w mojej kuchni i przyjmować ciasteczek wypiekanych przez gospodynie domowe z sąsiedztwa.

– Gospodynie domowe? – żachnęła się, zapominając o strachu. – Nigdy nie byłam mężatką ani kurą domową.

– To ci dopiero niespodzianka – mruknął Griffin pod nosem.

Nie mogła go zdzielić w głowę, kiedy prowadził.

– Dokąd mnie wieziesz?

– Spokojnie. Jedziesz z własnej woli, to po pierwsze, po drugie, skoro tak łatwo wysnuwasz wnioski, powinnaś wiedzieć, dokąd zmierzamy.

Sophie spojrzała przez przednią szybę, rozejrzała się na boki.

– Dookoła pusto, tylko stara farma Mackinów i... – zamilkła.

– Cmentarz.

Poczuła niemiły ucisk w gardle.

– Nie przygotowałeś się – mruknęła po chwili. – Te trzy dziewczyny są pochowane na cmentarzu przy kościele w wiosce. Tutaj nie znajdziesz ich grobów.

– Nie ich grobów szukam. – Griffin zatrzymał się na poboczu, tuż obok starego cmentarza ogrodzonego kiedyś białym, dawno niemalowanym i już zniszczonym płotem.

– Po co tu przyjechaliśmy? Od ponad trzydziestu lat nikogo nie chowają na tym cmentarzu. Nikt nawet nie pamięta o jego istnieniu i nikt nie odwiedza grobów.

– Wiesz wszystko. – Griffin wysiadł z samochodu.

Sophie przez chwilę nie mogła się zdecydować,

czy pójść w jego ślady, czy nie. Wystarczyło przesunąć się na siedzenie kierowcy i odjechać. Nie ufała Griffinowi, budził jej niepokój. Nie wierzyła, że mógłby zrobić jej coś złego, ale też nie do końca mu ufała. To po pierwsze. Po drugie, miałaby okazję poprowadzić jego wspaniałego jaguara. Zostawił kluczyki w stacyjce, jedna sekunda i...

Puff! Wyjął kluczyki.

– Nawet o tym nie myśl – powiedział beznamiętnym tonem. – Nie odjedziesz stąd. Wysiadasz?

Nie miała innego wyboru, jak ruszyć za nim na cmentarz.

Griffin zdawał się czegoś szukać, choć nie miała pojęcia czego. Chodził powoli między płytami nagrobnymi, czytał wykute na nich napisy, przy jednej w końcu się zatrzymał.

– Wygląda na to, że ktoś tu jednak przychodzi. Jak myślisz, kto mógł przynieść kwiaty?

Spojrzała na przywiędnięty żółty bukiet, na nazwisko na płycie. Adeline Percey, zmarła w 1973 roku. Młoda, miała dziewiętnaście lat. Percey? Usiłowała sobie przypomnieć, czy zna Perceyów. Owszem, zetknęła się z nimi. Ich córka utonęła. Studiowała już, przyjechała do domu na wakacje, wypłynęła łódką na jezioro i zdarzył się nieszczęśliwy wypadek.

– Pewnie rodzice. Mieszkają nadal w Colby.

– Co to za kwiaty? – zapytał Griffin.

– Nie wiem.

– Jak to, nie wiesz. Ty, chodząca encyklopedia z dziedziny upraw w przydomowych ogródkach? Muszą być popularne w tych stronach.

– Smith... – Rzuciła mu wściekłe spojrzenie. – Nie zamierzam dłużej tak cię nazywać.

– Nazywaj, jak chcesz.

– Nie mam w swoim słowniku stosownych określeń. Nie wiem, co to za kwiaty, nie spotyka się ich tutaj. Gdzieś je już widziałam, ale nie pamiętam gdzie. Dlaczego to takie ważne?

– Nie takie znowu ważne.

– To co tutaj robimy, po co te pytania? Co grób niejakiej Adeline Percey, która zginęła w siedemdziesiątym trzecim roku, w wieku lat dziewiętnastu, ma wspólnego z tamtymi trzema morderstwami?

Griffin nie odpowiadał, w końcu oderwał wzrok od zaniedbanego grobu przybranego nędznym bukietem.

– Myślę, że były cztery morderstwa – powiedział. – Może więcej.

– A nie myślisz, że ktoś wpadłby już na to przed tobą?

– Nie. Policja miała kozła ofiarnego, sprawę zamknięto, chłopak dostał wyrok, nikt już potem nie był zainteresowany szukaniem mordercy. – Zapatrzył się znowu na grób, jakby ten krył w sobie odpowiedź na mnóstwo ważnych pytań.

Griffin wpatrywał się w nagrobek, Sophie wpatrywała się w Griffina – dla dopełnienia sekwencji spojrzeń ktoś powinien obserwować ich oboje z ukrycia – coraz bardziej nieufna i coraz bardziej zaintrygowana. Miał na nosie okulary i nie mogła dojrzeć jego oczu, zresztą nawet gdyby mogła, niewiele by jej zdradziły. Powiadają, że oczy są zwierciadłem duszy, w przypadku pana Smitha należałoby raczej mówić o lustrze weneckim. Można się w nim przejrzeć, ale wejrzeć w nie niepodobna.

– Masz jeszcze jakieś pytania? – zapytał z przekąsem i natychmiast sam sobie odpowiedział: – Zdziwiłbym się, gdybyś miała. Przecież ty wiesz wszystko.

– Wcale nie chciałam tu przyjeżdżać. Przyszłam do ciebie, bo uważałam, że powinnam ci podziękować za odprowadzenie mamy.

– I ostrzec mnie, żebym na przyszłość trzymał się od was z daleka. Wydaje ci się, że co, zwabiłem ją do swojej jaskini? Nie przyjechałem tutaj po to, żeby nachodziły mnie po nocach zdziwaczałe staruszki. Wizyt młodych dam, które poczuły wolę bożą, też sobie nie życzę.

– Jakoś nie poczułam woli bożej – oznajmiła chłodno.

– Nie mówię o tobie, tylko o twojej siostrze.

– Aha. – Poczuła niejakie rozczarowanie. – Miło mi to słyszeć – powiedziała już spokojniej.

– Dopilnuję, żeby mama nie sprawiała ci więcej kłopotu.

– A smarkata? – Dochodzili do bramy cmentarnej. Słońce zniknęło za chmurą, powietrze natychmiast się ochłodziło.

– Zajmę się tym. Ma jeszcze pstro w głowie, gotowa ubzdurać sobie, że ci się podoba, a ja nie chciałabym...

Miło gawędząc, dotarli do samochodu. Sophie zamierzała już wsiąść, kiedy Griffin chwycił ją z ramię i gwałtownie odwrócił ku sobie. Poczuła się jak w potrzasku – odludzie, pusta wiejska droga wiodąca chyba wprost do piekła. Może krzyczeć do upojenia, nikt nie usłyszy. Posłała twarde oraz nieulękłe, no, prawie nieulękłe spojrzenie. I, jak się zaraz okazało, mało skuteczne, albowiem na twarzy pana Smitha pojawił się kpiący uśmieszek.

– Ma pstro w głowie? – powtórzył. – Ale ty nie masz pstro w głowie, prawda?

– Powiedzmy. – Lekkie drżenie w głosie, oby go nie usłyszał. Nie może okazać, że się boi.

– To skąd ta panika? – Świetnie, przejrzał ją na wylot. – Można by pomyśleć, że mój widok wywołuje w tobie gwałtowne poczucie zagrożenia.

Nie poruszyła się. Nawet gdyby próbowała, nie bardzo mogła, bo Smith przypierał ją do samochodu, opierając dłonie na karoserii.

– Nie nazwałabym tego gwałtownym poczuciem zagrożenia, powiedzmy, że wytrącasz mnie z równowagi – sprostowała, mijając się nieco, ale tylko nieco, z prawdą.

– Tylko ja tak na ciebie działam, czy może mężczyźni w ogóle? – zainteresował się Griffin.

Miała ochotę odepchnąć go, ale żeby go odepchnąć, musiałaby go dotknąć. Wykluczone, jeszcze gotów uznać to za zachętę.

– Nie lubię, kiedy ktoś przypiera mnie do muru, nawet jeśli tym murem jest blaszana karoseria – oznajmiła lodowato.

– Karoseria jaguara – przypomniał. – Przynajmniej częściowo powinno ci to wynagrodzić straty moralne, jakie ponosisz z racji mojego skandalicznego zachowania. Od momentu kiedy zobaczyłem cię po raz pierwszy, mam wrażenie, że się boisz. Co ja takiego zrobiłem?

Pytanie ją zaskoczyło.

– Absolutnie nic. Po prostu nie lubię...

– Mężczyzn w ogóle, czy może mnie w szczególności?

Sophie zapomniała o lęku.

– Ciebie po prostu nie znoszę. A teraz puść mnie, z łaski swojej.

– Przekonaj mnie o swojej antypatii.

– Słucham?

– Przekonaj mnie – powtórzył i ku przerażeniu Sophie nachylił się ku niej. Zanim zdążyła wykonać jakikolwiek gest, co i tak nie byłoby proste, zważywszy, jak niewielkie miała pole manewru, ujął jej twarz w dłonie.

Zamknęła oczy, wmawiając sobie, że w tej sytuacji nie pozostaje jej nic innego. Nie wymknie się przecież, nie uniknie pocałunku, ale przynajmniej nie będzie widziała twarzy pana Smitha.

Prawdę powiedziawszy, nie miała najmniejszej ochoty uciekać. Chciała pocałunku, może niekoniecznie w wykonaniu tego akurat dziwnego mężczyzny, który wydawał się jedną wielką zagadką.

To mówił racjonalny umysł. Ciało i dusza mówiły coś zupełnie innego.

Kiedy oderwał w końcu usta od jej warg, otworzyła oczy i dopiero teraz zdała sobie sprawę, że cały czas mocno go obejmuje. Szybko opuściła ręce.

– Puść mnie – zażądała.

– Za chwilę. – Pocałował ją raz jeszcze, a kiedy oddała pocałunek, zaczął po omacku szukać klamki, druga dłoń zsunęła się niebezpiecznie nisko.

– Co powiesz na tylne siedzenie?

Po tym, zadanym zduszonym głosem pytaniu, Sophie otrzeźwiała w jednej sekundzie. Szarpnęła się z całych sił, wyrwała mu się, wskoczyła do samochodu i zanim zaskoczony Smith odzyskał równowagę, zdążyła zablokować wszystkie drzwi.

Ciężko dysząc, czekała, kiedy amator miłosnych

przygód na poboczach wiejskich dróg zażąda, żeby wpuściła go do środka. Miałaby okazję poradzić mu, by zabierał się do diabła.

On tymczasem najspokojniej w świecie wyjął z kieszeni dżinsów kluczyki. Próbowała ponownie zablokować zamek, ale Smith był szybszy.

– Wystarczyło powiedzieć „nie" – stwierdził, sadowiąc się za kierownicą.

– Mówiłam.

– Nie słyszałem.

– Zauważyłam – warknęła z wściekłością. – Trzymaj się ode mnie z daleka, szanowny panie.

– Tak jest, madame. Mam trzymać się z daleka od twojej matki, z daleka od twojej siostry, z daleka od ciebie. Madame jeszcze coś rozkaże? – Griffin zapalił silnik.

– Wyjedź.

– Obawiam się, że tego rozkazu spełnić nie mogę. Przyjechałem na wakacje i zamierzam spędzić je tu do końca.

– Tak ci uprzykrzę życie, że zapomnisz o wakacjach. Zobaczysz.

– Silniejsi od ciebie próbowali – mruknął pod nosem i zawrócił tak ostro, że spod opon wzbiła się chmura piachu.

Prowadził jak wariat, ale Sophie była zbyt wzburzona tym, co zaszło, żeby lękać się o własne bezpieczeństwo. Raczyła przemówić, dopiero kiedy zatrzymał się na podjeździe Stonegate.

– Dlaczego to zrobiłeś? – Nie mogła się powstrzymać, musiała zapytać.

– Co dlaczego? Dlaczego tak szybko jechałem?

– Dlaczego mnie pocałowałeś.

Kamienny wyraz twarzy.

– Z ciekawości. Chyba.

– I zaspokoiłeś ciekawość?

– Na jakiś czas.

Trzasnęła drzwiczkami tak mocno, jakby zamierzała unicestwić samochód. Jaguar, wóz doskonały, zniósł wybuch furii z właściwą sobie wytrzymałością. Oraz elegancją.

Griffin w drodze powrotnej do chaty Whittenów nucił pod nosem. Dzień mógł zaliczyć do udanych. Dowiedział się trzech niezwykle istotnych rzeczy.

Po pierwsze Adelina Percey mogła być jeszcze jedną z wcześniejszych ofiar mordercy. On w siedemdziesiątym trzecim roku miał jedenaście lat i mieszkał z ojcem w Kalifornii.

Po drugie Sophie Davis była istotą tak czystą i niewinną, jak to podejrzewał. W każdym razie o całowaniu nie miała pojęcia. Może nie powinien był ulegać pokusie, ale kiedy człowiek widzi takie usta, nie sposób się oprzeć. Musiał poznać ich smak, a smakowały imbirem, tęsknotą i obawą. Ciągle nie potrafił zrozumieć, dlaczego budzi w niej lęk.

Po trzecie odkrył teoretycznie coś niezbyt

istotnego, ale bardzo przyjemnego. Otóż budził w wiktoriańskiej dziewicy ukryte pragnienia. Owszem, pociągał ją, ale ona nie bardzo wiedziała, co z tym fantem zrobić.

W innych okolicznościach wyjaśniłby jej, co należy robić. Nie była w jego typie – niewinność, falbanki, ciasteczka, kształtów krągłych powaby, uprawa ogródka i karmienie drobiu – to nie dla niego. Jednak w przypadku Sophie był aż nadto chętny uczynić wyjątek. Tyle że przyjechał do Colby, żeby zrekonstruować wydarzenia sprzed dwudziestu lat, a nie wdawać się w amory.

Nie wolno mu się rozpraszać. Mijał drugi dzień pobytu nad jeziorem, a on nadal nie wiedział, jak dostać się do zamkniętego skrzydła zajazdu. I ciągle nie potrafił sobie przypomnieć, co zdarzyło się tamtej fatalnej nocy.

Zdecydowanie nie powinien zaprzątać sobie głowy osobą Sophie Davis.

ROZDZIAŁ DZIESIĄTY

– To był twój absztyfikant, skarbie? – zagadnęła radośnie Grace. Pech chciał, że siedziała akurat w towarzystwie Doka na ganku, niczym w loży teatralnej, i miała okazję oglądać powrót córki.

Sophie z westchnieniem weszła po stopniach.

– Żaden absztyfikant, mamo. Po prostu sąsiad, nic więcej. Wynajmuje chatę Whittenów. Pamiętasz przecież.

– Nic nie pamiętam – oznajmiła Grace ze słodkim uśmiechem. – Mówisz, że nie jest twoim absztyfikantem, a wyglądasz, jakbyś się przed chwilą migdaliła.

Ach, ta moja Droga Gracja Dystrakcja i jej zadziwiający sposób oblekania myśli w słowa, pomyślała Sophie z rezygnacją. I zaczerwieniła się. Grace chyba zauważyła rumieniec na twarzy córki, Dok dostrzegł go na pewno. Przyglądał się obydwu paniom z jowialnym zainteresowaniem i z jego strony Sophie nie miała co oczekiwać wsparcia.

– Z nikim się nie migdaliłam. – W zasadzie nie mijała się zbytnio z prawdą. W końcu dwa wymuszone przez Smitha pocałunki to jeszcze żadne migdalenie.

– Pamięć może mi szwankuje, ale zmysł obserwacji mam ciągle równie dobry jak dawniej – powiedziała Grace w kolejnym z rzadkich przebłysków umysłowej sprawności, które nieodmiennie wprawiały Sophie w zdumienie. – Miły jest?

– Kto?

– Nie próbuj się wykręcać, Sophie Marlborough Davis. Mówię o twoim amancie. Miły jest?

Uciec, schować się w mysiej dziurze, nie wysłuchiwać insynuacji, nie odpowiadać na żadne pytania. Sophie zerknęła tęsknie w stronę drzwi. Za kilka minut Grace nie będzie nawet pamiętała, że córka gdzieś z kimś wyjeżdżała.

– Muszę iść do siebie, chciałabym się umyć... – zaczęła, próbując uwolnić się od nagabywań, ale Dok, ten wredny zdrajca, nie dał jej szansy.

– Siadaj i opowiadaj – zachęcił z błyskiem w oku. – Doceń, że matka zainteresowała się twoim życiem uczuciowym.

Złapali mnie, pomyślała markotnie. Jak rybę w sieć. Wyciągnęli na brzeg, zaraz zaczną oprawiać. Uśmiechnęła się z przymusem i opadła na fotel.

– Nie ma żadnego życia uczuciowego, nie ma żadnego absztyfikanta, Smith nie jest żadnym młodym człowiekiem – wyrecytowała.

– To dlaczego całowałaś się z nim? – chciała wiedzieć Grace.

– Nie całowałam się.

– Nie okłamuj własnej matki, Sophie – napomniał ją dobrotliwie Dok. Najwyraźniej bawił się świetnie całą sytuacją. Może staruszek miał rację, może Sophie rzeczywiście powinna docenić to, że matka okazała zainteresowanie realnym światem, nawet jeśli odczytywała płynące z niego sygnały w sposób całkowicie błędny i wprawiający córkę w zakłopotanie.

– Nie całowałam się z nim – powtórzyła cierpliwie. – On mnie pocałował, to pewna różnica.

Grace wydała triumfalny okrzyk. Znów była dawną sobą.

– Wiedziałam! Czy to miłość od pierwszego wejrzenia?

– Nie ma żadnej miłości, a już na pewno nie od pierwszego wejrzenia. Nie mam pojęcia, dlaczego mnie pocałował i bardzo wątpię, by kiedyś jeszcze odważył się na coś podobnego.

– A ja ani trochę nie wątpię, że się odważy. Jeśli ma oczy i bodaj pół mózgu, już go zniewolił twój powab – zakomunikował Dok, zawsze pełen staroświeckiej galanterii.

Sophie powstrzymała się jakimś cudem od

westchnienia. Że jak? Zniewolony powabem? Już sobie wyobrażała, jak zareagowałby Smith, słysząc, że jest zniewolonym absztyfikantem. Już samo to powinno wystarczyć, by spakował walizki i wyjechał.

– Nie rób sobie nadziei, mamo – powiedziała cierpko. – Pan Smith nie jest w moim typie i z całą pewnością nie szuka miłości. Mówiłam już, nie wiem, dlaczego mnie pocałował, ale nie ma to nic wspólnego ze zniewoleniem.

– Moja Sophie ciągle jest dziewicą – oznajmiła Grace takim głosem, jakby mówiła o ciężkiej chorobie, kończącej się zgonem. – Nie wiem już, jak tej dziewczynie pomóc.

Mogło być jeszcze gorzej, pocieszyła się Sophie. Jej rodzicielka mogła podzielić się tą straszną prawdą z kimś innym, nie z Dokiem. Na przykład z panem Smithem.

– Chwali się, chwali – powiedział Dok z uznaniem. – Niewiele dzisiejszych panien myśli o tym, by zachować skarb cnoty do dnia ślubu.

Sophie ciarki przeszły na tę enuncjację, staroświecką i jakże zaściankową. Wcale nie myślała o tym, żeby zachować skarb cnoty dla bliżej nieokreślonego oblubieńca, raczej bała się, że jest najzwyczajniej w świecie oziębła. A to przecież dość nieprzyjemna przypadłość.

– Myli się pan, doktorze – wyprowadziła starego poczciwca z błędu. – Po prostu dotąd nie trafiłam na nikogo, z kim chciałabym pójść do łóżka. Wcale nie mam zamiaru umrzeć dziewicą, czekać do nocy poślubnej też nie zamierzam. Jestem tylko... wybredna?

– I bardzo dobrze – powiedział Dok. – Nie słuchaj matki, Sophie. Masz rację, szanuj się, dziewczyno, szczególnie w dzisiejszych czasach, kiedy zalety ciała, umysłu oraz charakteru są w tak niskiej cenie.

No nie. Dok żył w zupełnie innym świecie, tymczasem ona traktowała własne dziewictwo raczej jako swoistą ułomność niż walor przetargowy. Ile to razy postanawiała pozbyć się jej z pomocą pierwszego przedstawiciela płci męskiej, jaki się nawinie. Pech chciał, że ci, którzy byli pod ręką, okazywali się zawsze z tego czy innego powodu zupełnie nieodpowiednimi kandydatami i teraz była najstarszą dziewicą w całym Northeast Kingdom. Może nawet w całych Stanach Zjednoczonych.

– Skoro mówimy o seksie przedmałżeńskim, gdzie jest Marty? – zatroskała się. Grace parsknęła śmiechem, a na twarzy Doka pojawił się frasunek.

– Ugania się za chłopakiem Laflamme'ów – powiedział smutno. – Co cię też podkusiło, żeby go nająć do pracy? Dzieciak jest robotny, prawda, ale nie powinnaś wystawiać płochej dzierlatki na zbyteczne pokusy.

Tego było Sophie za wiele. Sama mogła krytykować Marty i jej zapatrywania oraz zwyczaje, Dok nie miał do tego prawa.

– Marty nie jest płochą dzierlatką – zaoponowała. – Jest... młoda. A jeśli chodzi o Patricka Laflamme'a, wydaje się bardzo rozsądnym chłopcem. Marge Averill ręczyła, że nie będzie zawracał Marty głowy.

– To mężczyzna, młodziutki, ale mężczyzna, i to w najgorszym wieku, już nie dziecko, jeszcze nie dojrzały facet. Może być najmilszym i najspokojniejszym chłopcem pod słońcem, ale hormony buzują i nie pytają o pozwolenie. Znam jego rodzinę, porządni ludzie, dobrze go wychowali, ale twoja mała rozpustnica namówiłaby do grzechu samego anioła.

– Postaram się mieć na nich oko. Idę poszukać Marty. Sprawdzę, czy nie zaciągnęła niewinnego Patricka do szopy na narzędzia – powiedziała Sophie pogodnym jak letni dzień tonem.

Grace przyjęła jej słowa z absolutną powagą.

– Na pewno nie, Sophie. Za dużo tam pająków. W dodatku straszy.

Filiżanka Doka wylądowała z cichym brzękiem na podłodze.

– Przepraszam, najmocniej przepraszam – wykrzyknął, zrywając się z fotela. – Taka piękna porcelana.

– Proszę się nie martwić. – Sophie zaczęła zbierać skorupy. – To nie od kompletu. Zawsze kupuję pojedyncze sztuki, to, co mi się akurat spodoba. – Dok rozbił niestety jej ulubioną filiżankę, ale był tak bardzo zakłopotany, że nie chciała go jeszcze bardziej denerwować.

– Co mówiłaś, mamo? – zwróciła się do Grace, ale ta odpowiedziała nieokreślonym uśmieszkiem.

– Nie pamiętam.

– Namawiam twoją matkę, żeby przyjechała do nas na kolację. Rima nie widziała jej już od tygodnia i zaczyna jej brakować towarzystwa Grace. – Dok mówił o swojej cichej, zawsze uśmiechniętej żonie.

– Powinnaś jechać, mamo. Przecież bardzo lubisz te wasze obiadki. – Sophie ruszyła z potłuczoną porcelaną w stronę drzwi. – Jeśli Dok nie będzie mógł po ciebie przyjechać, ja cię zawiozę.

– Przyjadę o piątej – zadeklarował się doktor. – Może być, Grace?

Grace łaskawie skinęła dłonią na znak zgody, dostojnie niczym królowa. Sophie zniknęła w kuchni, zanim ktokolwiek zdążył jej zadać kolejne niewygodne pytanie.

Marty wydała z siebie westchnienie ulgi – twarz miał wcale nie gorszą niż ciało. Zdążyła wziąć prysznic, szkła kontaktowe były na swoim miejscu, obcisły top i najkrótsze szorty, jakie posiadała, odsłaniały zalety figury. Wyglądała bosko, wiedziała o tym, ale w oczach nowego ogrodnika, a oczy miał zachwycające, jakoś nie dostrzegła zainteresowania.

– Cześć – powiedziała. Miała ochotę wyjść do niego w sandałkach na wysokich obcasach, w których jej nogi prezentowały się jeszcze lepiej, ale po chwili zastanowienia uznała, że byłaby to przesada. Należy działać subtelnie.

– Cześć – odpowiedział i zabrzmiało to mało obiecująco. Miał cudowny tors, ale ku ogromnemu rozczarowaniu Marty szybko włożył T-shirt. – W czym mogę pomóc? – zagadnął banalnie, niczym recepcjonistka w biurze.

– Jestem Marty Davis. Moja siostra jest twoim szefem.

– Aha – przytaknął bez entuzjazmu. – Ściąłem trzy topole, te, co złamała ostatnia burza, jeszcze muszę wypielić rabaty od wschodniej strony. Jakieś dodatkowe życzenia lub polecenia? – Na szczęście nie miał akcentu typowego dla Vermontu. Nie żeby jej przeszkadzały jankeskie śmiesznostki, ale wolała ich nie słyszeć u kogoś, kogo zamierzała uwieść.

– Nie mam zielonego pojęcia, jakie życzenia ma moja siostra. Nie powinieneś przypadkiem zrobić sobie przerwy? – zagadnęła chytrze, w każdym razie tak się jej zdawało. – Pracujesz bez wytchnienia od kilku godzin.

– Miałem już przerwę, o jedenastej. O pierwszej zrobię sobie następną.

– Skąd wiesz, gdzie jest wschodnia strona? – zainteresowała się nagle.

– Każdy głupi potrafi powiedzieć, gdzie jest wschód, gdzie zachód – burknął wyraźnie zniecierpliwiony tak banalnym pytaniem. – Coś jeszcze? Muszę wracać do pracy.

Zawsze jej mówiono, że bardzo seksownie wydyma usta. Spróbowała teraz.

– Nie lubisz mnie? – zapytała żałośnie.

Zmierzył ją uważnym spojrzeniem, od upierścienionych palców stóp po czubek głowy w kolorze fuksji, i wzruszył obojętnie ramionami.

– Dlaczego miałbym lubić? Nawet cię nie znam. Mówiłem ci, muszę wracać do pracy. Jeśli nie masz żadnych poleceń od swojej siostry, byłbym wdzięczny, gdybyś zostawiła mnie samego.

– Mam do ciebie prośbę – zaczęła Marty aksamitnym głosikiem.

– Słucham.

– Idź do diabła.

Odwróciła się i odeszła niebotycznie wkurzona. Na Sophie można polegać. Szukała, szukała i w końcu znalazła... ślicznego jak obrazek geja. Zrobiła to specjalnie, na złość siostrze, wiadomo. Żeby jeszcze bardziej uprzykrzyć jej życie. W porządku, na jednym geju świat się nie kończy, są przecież jacyś inni chłopcy w okolicy, trzeba się tylko rozejrzeć. Może powinna zabrać się z Dokiem, kiedy będzie wracał na drugą stronę jeziora?

Dok był okropny, fakt, ale czy ludzie w ogóle nie są okropni? Może...

– Hej.

Już miała skręcić za załom domu, kiedy usłyszała głos nowego ogrodnika. W pierwszej chwili postanowiła, że nie zareaguje, ale ciekawość wzięła górę. Odwróciła się i zmierzyła go lodowatym spojrzeniem. Przedtem nie podziałało na niego seksowne odęcie warg, teraz nie wzruszał go wrogi błysk w oku Marty.

– Czego? – warknęła.

– Jem lunch o pierwszej, nad jeziorem – powiedział, uśmiechnął się najbardziej olśniewającym uśmiechem, jaki zdarzyło się jej widzieć w swoim życiu, po czym odwrócił się szybko i odszedł, pogwizdując cicho.

Kiedy zbliżyła się do ganku, Dok żegnał się właśnie z Grace.

– Przyjadę po ciebie o piątej – rzucił jeszcze na odchodnym.

Świetnie. Zabierze się z Dokiem do Colby, może nawet staruszek przywiezie ją potem do domu, o ile w ogóle będzie miała ochotę wracać do tej nudnej egzystencji. Decyzja nie powinna nastręczać trudności. Albo Dok i wolność, może nawet dwie godziny wolności, albo lunch z tym mądralą, nad jeziorem, gdzie wszyscy będą mogli ich widzieć. Co wybrać?

Nie zastanawiała się długo. Nowy ogrodnik był

najpiękniejszą istotą, jaką zdarzyło się jej widzieć od chwili przyjazdu do Vermontu. U Audleya na pewno nie natknie się na nikogo bodaj w części tak interesującego. Jeśli los sprowadzał takie cudo na próg jej domu, być może warto się nim bliżej zainteresować.

Poza tym nie lubiła Doka. Grace i Sophie mogły jej pilnować i sarkać na jej zachowanie, proszę bardzo, w pewnym sensie miały do tego prawo, ale żaden obcy ramol nie będzie jej pouczał i wychowywał. Nie była podopieczną Doka, nie była nawet jego pacjentką. Mogła kopcić jak komin, spotykać się, z kim jej się żywnie podobało, nic mu do tego. Gdyby zabrała się z nim do wsi, na pewno zacząłby ją zaraz wypytywać.

Nie, lepiej zrobi, jeśli zostanie w domu. Przekona się, czy zdoła jeszcze raz zmusić do uśmiechu tego sztywniaka. Musi tylko zaciągnąć go w jakieś miejsce niewidoczne z okien domu.

Książka zniknęła.

Jednym ze skutków ubocznych choroby Grace była nieznana jej dotąd dbałość o porządek. Przez całe życie rzucała ubranie gdzie popadnie, suknie i spódnice poniewierały się na podłodze, wszędzie, gdzie przeszła, zostawiała coś swojego. Notesy, apaszki i inne drobiazgi rozsiewała po całym mieszkaniu. Uważała, że rano nie ma sensu ścielić łóżka, skoro i tak człowiek w nim znowu zlegnie wieczorem. Sophie dowiedziała się, że są ludzie, którzy jednak składają lub chowają pościel, dopiero kiedy matka znowu ruszyła w świat, a ona zamieszkała w ojcem i Eloise w ich lśniącym czystością domu. Czasami zastanawiała się, czy jej niemal obsesyjna fascynacja wszystkim, co łączy się z prowadzeniem domu, nie jest odreagowaniem matczynej obojętności wobec tak zwanych kobiecych zajęć, byłoby to jednak zbyt trywialne wytłumaczenie. Jedno wiedziała – smażenie konfitury malinowej dawało jej poczucie bezpieczeństwa, a stara porcelana była ukojeniem dla duszy.

Naprawdę nie zamierzała przeszukiwać pokoju Grace. Chciała tylko odzyskać pożyczony wcześniej po cichu egzemplarz „Zbrodni w Northeast Kingdom". Powinien leżeć na starannie zasłanym łóżku matki albo na równiutko ułożonym stosiku książek na podłodze obok łóżka.

Nigdzie go nie było.

Na regale stało kilka rzędów książek, ale między różnymi Tedami i Dusicielami z Bostonu nie znalazła tego, po co tu przyszła.

Zajrzała nawet pod łóżko. Nic. Nawet kłaczka kurzu, o książce nie wspomniawszy. Kiedy otworzyła szafę, pokazała się jej dawna Grace. Skotłowane, rzucone na dno ubrania, pokryte zaschniętym błotem buty.

Sophie z namysłem zamknęła szafę. Gdzie i kiedy matka ubłociła buty? Jakimi ścieżkami chodziła, skoro nie wychylała nosa z domu? Raz jeden urządziła sobie eskapadę bez wiedzy córki, kiedy poszła złożyć nocną wizytę sąsiadowi, ale wtedy w ogóle nie miała nic na nogach. Skąd wzięło się błoto?

Oparła się o drzwi szafy i zaczęła wodzić wzrokiem po pokoju, jakby spodziewała się znaleźć odpowiedź na swoje pytania. Przez otwarte okna z ganku dobiegł głos matki; żegnała się z Dokiem. Zaraz wróci do siebie i zastanie córkę myszkującą w pokoju. Sophie zrobiło się głupio. Jeśli tak bardzo zależało jej na książce, wystarczyło poprosić o nią Grace.

Ale książka zniknęła, a Grace z pewnością nie pamiętałaby, gdzie ją położyła.

To obrzydliwe szperać w czyichś rzeczach, tym bardziej własnej matki, pomyślała Sophie i najciszej jak mogła, otworzyła szufladę komody. Robiła to dla dobra Grace, niemniej czuła się wstrętnie. Czego właściwie szukała? Przecież nie książki. Gdyby bardzo chciała, mogłaby zamówić sobie egzemplarz przez Internet, ale nie interesowały jej morderstwa sprzed lat, chciała tylko zrozumieć, dlaczego fascynowały Johna Smitha. Po co więc grzebie w szufladach matczynej komody?

Panował w nich taki sam bałagan jak w szafie. Droga koronkowa bielizna, którą Grace zawsze lubiła, przemieszana ze zgrzebną bawełną, kupioną przez Sophie w przeświadczeniu, że jest praktyczniejsza i wytrzymalsza. Naprawdę nie miała tu czego szukać, bo cóż można znaleźć w stosie majtek i staników?

Tak sądziła, dopóki nie zobaczyła noża.

Będzie modlił się za ich dusze. Pochyli nisko głowę i będzie się modlił. Musi kroczyć wyznaczoną drogą, wypełnić złożoną na jego barki niewdzięczną powinność. Sprawiedliwi muszą zatriumfować, występek musi być ukarany, inaczej życie nie miałoby sensu, a przecież trudno nie wierzyć, że wszystko ma swoją przyczynę i cel. Bo inaczej po co Bóg zabrał mu dzieci?

Tak, występek musi być ukarany, sprawiedliwi zmartwychwstaną, a i jemu przypisany jest bolesny udział w wyrokach boskiej opatrzności.

Nie bolał nad tym, że musi zabijać.

Nie, duszę plugawiła rozkosz płynąca z zabijania.

Trzy kobiety w starym domu. Trzy niewiasty o grzesznych sercach. Wszystkie takie same – stara i najmłodsza, nawet ta średnia, przenajświętsza panienka, miewa wszeteczne myśli. Za jego sprawą umrze w stanie łaski. Powie jej, że zabił tamte, że uwolnił ją od troski. Za bardzo się wszystkim gryzła. Uwolni ją od obowiązku, uczyni szczęśliwszą.

Zrobi to, chociaż z żalem. Wypełni boże nakazy, będzie posłuszny woli Pana Naszego. I może wreszcie będzie mógł spokojnie zasnąć. Może wreszcie odzyska upragniony spokój.

ROZDZIAŁ JEDENASTY

Sophie obudziła się nagle, pokryta zimnym potem. Usiadła na łóżku, chwilę trwała tak, bez ruchu, czekając, aż serce się uspokoi. Noc była chłodna, rześka, taka spokojna noc na wsi. Wokół cisza, choć trochę złowroga, przez uchylone okno dochodził tylko szelest poruszanych powiewami wiatru liści i plusk wody w jeziorze.

Odgłosy, do których zdążyła już nawyknąć. Łagodne, kołyszące do snu. Dlaczego obudziła się zdjęta niezrozumiałą paniką?

Oparła się o zagłówek łóżka. Coś złego musiało się jej przyśnić. Ale dlaczego? Prawda, nie miała za sobą najspokojniejszego dnia, nie zdarzyło się jednak nic nadzwyczajnego. Marty zachowywała się, jak na nią, całkiem znośnie, po kolacji posprzątała nawet ze stołu. Grace spędziła wieczór u doktorostwa, po powrocie od razu się położyła. Jedna i druga nie dały Sophie powodów do zdenerwowania, tym bardziej do paniki, skąd zatem ten dziwny niepokój i nocne koszmary?

Owszem, znalazła w szufladzie matczynej komody nóż myśliwski, ale Grace kolekcjonowała najdziwniejsze przedmioty, znosiła je do swojego pokoju i utykała byle gdzie, choćby między bielizną. W minionych miesiącach Sophie znalazła wiele takich skarbów: trzy swoje ulubione letnie suknie w kwiaty, patelnię, cztery napoczęte bombonierki, rydel, elektryczną maszynkę do golenia, Bóg jeden wie gdzie pozyskaną, czerwoną dżokejkę. Żaden z tych przedmiotów nie był z pewnością potrzebny Grace, może jedynie czekoladki. W zachowaniu matki zachodziły tak radykalne zmiany, że Sophie nie potrafiła za nimi nadążyć, ale umieszczenie noża w szufladzie komody, pomiędzy majtkami i podkoszulkami, było czymś, co niejako mieściło się w konwencji.

Sophie zabrała nóż, schowała u siebie w szafie. Kolekcjonerski egzemplarz, jeśli ktoś oczywiście interesował się tego typu bronią, z piękną kościaną rękojeścią. Nie znalazłaby takiego w dużym dziale myśliwskim u Audleya. Może Dok będzie wiedział, komu mógł się zapodziać. Chętnie oddałaby ostatnie trofeum matki prawowitemu właścicielowi. Przy okazji wyjaśniłoby się może, jak Grace weszła w posiadanie noża i dlaczego schowała go w swoim pokoju.

W sumie nie był to szczególny powód do

zmartwienia. Podobnie jak zainteresowanie Marty nowym ogrodnikiem. Marge zapewniała, że Patrick Laflamme to poważny chłopak, zajęty studiami, i nie w głowie mu amory. Poza tym miał surową matkę, która krótko go trzymała.

Również z tej strony nie należało się spodziewać żadnych kłopotów. Ogólnie rzecz biorąc, sytuacja była pod kontrolą. Sprawy toczyły się gładko, zajazd niedługo miał ruszyć. Co zatem nie daje jej spać?

Doskonale wiedziała co, ale wolała o tym nie myśleć. Problem dało się zamknąć w jednym w słowie. No dobrze, w dwóch słowach: John Smith.

Dlaczego u diabła ją pocałował? Nie żeby wcześniej coś podobnego się jej nie zdarzyło. Całowała się z mnóstwem mężczyzn, z każdym, kto wydawał się wystarczająco atrakcyjny. Próbowała, wiele razy próbowała, ale dotąd nie znalazła tego właściwego. Ciągle trafiała na ropuchy i ciągle liczyła, że ta następna przemieni się w księcia. Jak dotąd żaden ropuch nie spełnił tych oczekiwań.

Dotyczyło to również Johna Smitha, jakkolwiek się naprawdę nazywał. Co on sobie wyobrażał? Skąd wpadł mu do głowy taki głupi pomysł? Wysyłała sygnały erotyczne? Mało prawdopodobne. A może to jeden z tych pewnych siebie bubków, którym się wydaje, że kobiety wprost marzą o ich pocałunkach. Przecież jasno dała mu do zrozumienia, że go najzwyczajniej w świecie nie lubi.

Czy aby rzeczywiście? Była chłodna, niemiła? Chciała taka być. Dlaczego? Dlaczego akurat przy Smisie ujawniały się najgorsze cechy jej charakteru?

Bo kłamał. Jeśli nazywa się John Smith, to ona jest Madonną. Nienawidziła kłamców.

Poza tym zachowywał się irytująco, zupełnie jakby czytał w jej myślach, jakby przejrzał ją na wylot i gdzieś za fasadą niemodnego domatorstwa, za tymi wszystkimi konfiturami, ciasteczkami i falbankami dostrzegł starannie skrywany lęk. Nie życzyła sobie, by ktokolwiek wnikał tak głęboko w jej psychikę, a już na pewno nie John Smith.

Przymknęła zmęczone grą cieni oczy. Powinna pomyśleć o roletach albo grubych zasłonach. Do tej pory nie miała nic przeciwko temu, by słońce budziło ją skoro świt, a nocą pokój rozświetlała księżycowa poświata.

Dzisiaj wszystko ją drażniło. Leżała bez ruchu i wsłuchiwała się w ledwie uchwytne odgłosy wydawane przez stary dom. Zdążyła się do nich przyzwyczaić, nawet je polubiła. Przypominały mruczenie kota. Wielkie stare domiszcze przemawiało do niej, jakby próbowało wyrazić zadowolenie, że zamieszkała pod jego dachem.

Dzisiaj naprzykrzało się, nagle czymś rozdrażnione. Co za głupota, pomyślała. To ona jest rozdrażniona. Martwi się o zajazd, o rodzinę. Złości się, bo pocałował ją obcy facet, i nie zrobił tego wcale z miłości, ba, nie powodowało nim nawet przelotne zainteresowanie. Dał jej do zrozumienia, że nie bawi go jej towarzystwo. I nawzajem.

To dlaczego ją pocałował?

Czy dane będzie jej jeszcze usnąć dzisiejszej nocy? Jutro zapowiadał się ciężki dzień, miała jechać do Burlington, zamówić materace, potem czekała ją wizyta inspektora budowlanego i instalacja programu do prowadzenia małych pensjonatów. Niedługo przecież zaczną zjeżdżać pierwsi goście.

Może w tym właśnie problem. Przeniosła się do Vermontu, kupiła wymarzony dom i włożyła w jego remont mnóstwo pracy, by nagle uświadomić sobie, że wcale nie chce widzieć w nim gości, obcych ludzi, którzy będą się panoszyć w pieczołowicie odremontowanych, wychuchanych wnętrzach.

– Przestań – mruknęła do siebie. W życiu trzeba dokonywać wyborów, zawsze jest coś za coś. Skoro chciała mieszkać na wsi, musiała znaleźć sposób, by utrzymać siebie, matkę i siostrę. Zajazd był jedynym rozwiązaniem, które samo się nasuwało. Czy chce, czy nie, będzie przyjmowała turystów.

Usłyszała jakiś hałas, którego nie potrafiła z niczym skojarzyć, jakby ciche szczęknięcie, gdzieś na parterze. Zajmowała pokój z widokiem na jezioro, „zajmowała" to właściwe określenie, bo wiedziała, że z chwilą pojawienia się pierwszych gości będzie musiała przenieść się do innego. Duży frontowy ganek znajdował się bezpośrednio pod jej oknami. Dopiero teraz uświadomiła sobie, co słyszała. Szczęk zasuwy na dole.

Wstała z łóżka i najciszej jak mogła, otworzyła drzwi. Przez chwilę stała na korytarzu, pewna, że robi z siebie kompletną idiotkę. Środek nocy, stary dom, dziewica z rozwianym włosem, w białym gieźle, a w mroku czai się morderca ze sztyletem gotowym do ciosu. Istna gotycka powieść grozy.

Oczywiście nie ma żadnego mordercy, to tylko strachy wywołane reminiscencjami tamtych zbrodni sprzed lat. Chłopaka złapano i chociaż w końcu wyrok unieważniono, większość mieszkańców Colby uważała, że to on zabijał.

Jej utrapiony sąsiad miał zapewne własną teorię na ten temat, w przeciwnym razie po co wracałby do starej sprawy?

Po co miałby węszyć po nocy w Stonegate? Nie. To najpewniej Marty albo Grace, któraś z pań wymknęła się z domu. Marty. Na papierosa albo na spotkanie z chłopakiem. Może Patrick Laflamme nie był wcale taki cnotliwy, jak zapewniała Marge.

Sophie uchyliła drzwi do pokoju siostry, na

szczęście naoliwiła je kilka dni wcześniej, i zerknęła do środka. Marty spała w najlepsze. Nie wymknęła się do szopy z narzędziami, gdzie rezydowały pająki. I duchy.

Dziwnie zabrzmiało to, co powiedziała Grace. Niech Bóg ma je wszystkie w swojej opiece, jeśli zaczęły się jej objawiać duchy. Za nic nie odda matki do domu opieki. Do niej należała opieka nad chorą i zamierzała wywiązywać się z tego obowiązku tak długo, jak będzie to możliwe. Tylko czy sfiksowana starsza pani nie wypłoszy jej klienteli?

Zamknęła cicho drzwi i zeszła po schodach na parter, omijając siódmy stopień od góry. Skrzypiał niemiłosiernie przy najdelikatniejszym stąpnięciu, chociaż od dawna usiłowała coś z nim zrobić. Oczywiście, od razu mogła się tego domyślić. Drzwi do pokoju Grace stały otworem, oświetlone jasnym blaskiem księżyca łóżko było puste.

Nie zastanawiała się ani chwili. Chwyciła latarkę, leżący na krześle szal i wybiegła w noc.

Księżyc akurat schował się za chmurą. Światło latarki odbiło się od miękkiej mgły idącej znad jeziora. Pusto, ciemno, głucho. Wokół żywego ducha.

Sophie była pewna, że Grace wyprawiła się znowu do chaty Whittenów. To miejsce zaczynało budzić w niej niezdrową fascynację. Miejsce albo pan Smith, chociaż ta druga możliwość wydawała się mało prawdopodobna. Słabość do sąsiada najwyraźniej przypadła w udziale zwykle odpornej na męskie wdzięki córce.

Ruszyła ścieżką przez las. Powietrze było wilgotne, lepkie. Sophie otuliła się szczelnie szalem. Przynajmniej miała na sobie przyzwoitą bawełnianą koszulę nocną, nie skąpą piżamkę z krótkimi szortami, ulubiony strój nocny Marty, i nie pajęcze koronki, w jakich zwykła sypiać Grace. Drżała z zimna, pewnie dlatego, że przedzierała się przez las na bosaka, ale była zdecydowana dogonić swoją szaloną matkę, zanim ta zdąży obudzić sąsiada. Nie miała najmniejszej ochoty na kolejne nocne spotkanie z tym człowiekiem. Wolała trzymać się od niego z daleka, szczególnie po ostatnim incydencie przy jaguarze.

Mogła oczywiście wrócić do domu i zadzwonić po Doka. Przyjechałby i odnalazł Grace. Byłby też bezpiecznym buforem, w razie niepożądanych odwiedzin Smitha. A jeśli Grace wyprawiła się w przeciwnym kierunku i Sophie traci tylko czas? Nie, poszła z pewnością do chaty Whittenów. W ostatnich dniach przejawiała dziwne zainteresowanie chatą i jej lokatorem. Tam się wybrała, nigdzie indziej.

Dom stał na niewielkiej polanie, otoczony sosnami, otulony srebrną mgłą. W oknach było ciemno, ale drzwi frontowe stały otworem. Sophie zaklęła pod nosem. Spóźniła się.

Może jednak nie? Światła się nie paliły, Grace

widać nie zdążyła jeszcze wyrwać sąsiada ze snu. Przy odrobinie szczęścia zdoła wyprowadzić matkę z chaty, zanim Smith się zorientuje, że jego spokój znowu został zakłócony.

Drewniane deski ganku zaskrzypiały pod bosymi stopami. Sophie pchnęła siatkowe drzwi, rozejrzała się niepewnie po mrocznej sieni.

– Mamo? – szepnęła. Pamięć i rozum diabli wzięli, ale słuch Grace miała na szczęście doskonały. Jeśli jest w domu, dojdzie ją ciche nawoływanie córki – Grace, jesteś tutaj?

Cisza, żadnej odpowiedzi. Sophie postąpiła kilka kroków w głąb domu.

– Mamo? – powtórzyła już głośniej.

Nie miała odwagi wejść na piętro. Już i tak igrała z ogniem. Poza tym Grace nie należała do osób cichych, Sophie już by ją usłyszała. Spróbowała jeszcze raz.

– Grace? – zawołała teatralnym szeptem.

– Nie ma jej tutaj.

Smith pojawił się nie wiadomo skąd, niczym nocna zjawa.

– Co tu robisz? – natarła na niego.

– Mieszkam. Nie pamiętasz? – W głosie Smitha zabrzmiało ledwie skrywane zniecierpliwienie. – Twojej matki nie było tu dzisiaj. Skąd ci przyszło do głowy szukać jej właśnie u mnie?

– Zniknęła – oznajmiła, jakby to nie było i tak oczywiste. Zachowywała się jak idiotka i tak mniej więcej się czuła. Stała na środku chaty, w koszuli nocnej, boso i udzielała oczywistych informacji. Do tego ten mrok. Nie, nie chciała eksponować się w pełnym świetle, chociaż koszula była grubsza niż niektóre jej sukienki. – Dlaczego łazisz po ciemku? – zapytała z pretensją.

– To mój dom, mogę robić, co mi się żywnie podoba. Prąd wysiadł. Właśnie dzwoniłem do pogotowia energetycznego.

– Twierdziłeś, że twój telefon nie działa.

– Wczoraj nie działał. Dzisiaj podłączyli. Zadzwoń do domu, może twoja matka już się znalazła.

– Nie podniesie słuchawki.

– Siostra podniesie. Dowiesz, się czy jest powód do paniki, czy też możesz odetchnąć z ulgą.

– Dobrze – przystała niechętnie. Kto by pomyślał, że on taki rzeczowy i zorganizowany. Chciała jak najszybciej wyjść z jego domu, musiała jednak sprawdzić, co z Grace. – Gdzie masz telefon?

– Koło kanapy. Musisz go wymacać. Nie mam ani latarki, ani świec.

– Ja mam – przypomniała sobie, włączyła latarkę i skierowała snop światła na Smitha.

Błąd. Poza obciętymi do pół uda dżinsami, nie miał na sobie nic. Patrzyła na całe połacie, ba, całe hektary opalonego, nagiego męskiego ciała. Szybko zgasiła latarkę.

– Mądre posunięcie – wycedził przez zęby. – Zobaczyłaś ducha?

Znowu te głupie pytania o głupie duchy.

– Nie wierzę w duchy.

– Może to i lepiej, zważywszy, co się zdarzyło w okolicy – mruknął Smith. – Daj rękę.

– Po co?

– Powiedziałem rękę, nie domagam się żadnej innej części twojego ciała. Chcę cię doprowadzić do telefonu i uchronić, jeśli się uda, od złamania karku.

– Może po prostu wrócę do domu...

Chwycił ją za dłoń. Poruszał się w ciemnościach pewniej niż ona. Niechętnie ustąpiła, ale nie do końca. Zanim weszła za nim do tonącego w atramentowych ciemnościach pokoju, zerknęła na szeroko otwarte drzwi wejściowe. Zastanawiała się, czy nie wyrwać ręki z jego mocnej dłoni i nie uciec.

– Wiem, co ci chodzi po głowie – powiedział, pociągając ją mocniej. – Nie myśl nawet o ucieczce. Nie chcę mieć cię na sumieniu, jeśli zabłądzisz w lesie. Mam jeszcze resztki przyzwoitości. Chodź.

Nie opierała się. Ona z kolei miała jeszcze resztki godności. Posuwała się za nim ostrożnie w ciemnościach, raz tylko po drodze uderzyła biodrem o jakiś mebel.

– Tu. – Smith położył jej dłoń na słuchawce telefonu. Był wyraźnie zniecierpliwiony. To nawet dobrze, myślała, bo zniecierpliwienie oznacza, że nocna wizyta jest mu tak samo nie w smak, jak mnie. Smith bardzo jasno dawał to do zrozumienia, ale czuł się w obowiązku udzielić jej pomocy.

Telefon okazał się być starym, tarczowym aparatem. Na tonowym w tych ciemnościach trudno byłoby wystukać cyfry, a i na tym muzealnym eksponacie Sophie połączyła się dopiero za piątym razem. Oby tylko z właściwym numerem. Nie miała ochoty usłyszeć po drugiej stronie nieprzytomnego głosu jakiegoś wyrwanego ze snu tubylca.

Czekała cierpliwie, aż ktoś podniesie słuchawkę. Oczy zdążyły już nieco przywyknąć do ciemności, zaczynała rozróżniać zarysy kształtów. Widziała, że Smith blokuje jej drogę odwrotu, tyle mogła dojrzeć. Dlaczego musi być taki wysoki i barczysty? Dlaczego w ogóle istnieje? W dodatku prawie jest nagi... Noc przecież zimna, powinien spać w piżamie, jak każdy normalny facet, a nie w obciętych dżinsach.

– Tak? Co jest? – rozległ się wreszcie zaspany głos Marty.

– Grace zniknęła. Szukam jej. Możesz zajrzeć do jej pokoju i sprawdzić, czy przypadkiem nie wróciła? Nie chciałabym wszczynać niepotrzebnego alarmu.

– Dobra – zgodziła się Marty tonem męczennicy i odłożyła słuchawkę na bok. Sophie słyszała, jak powłócząc nogami, siostra oddala się w głąb domu, a potem bez końca czekała, aż smarkula dopełznie z powrotem do telefonu.

– Śpi jak zabita – oznajmiła Marty.

– Jesteś pewna? – Sophie z trudem panowała nad narastającą wściekłością. – Słyszałam, że ktoś otwiera drzwi i...

– Przyśniło ci się. A właściwie to skąd ty, do diabła, dzwonisz?

– Z chaty Whittenów. Myślałam, że znowu się tu wybrała z wizytą...

– Aha, jesteś w chacie Whittenów – powtórzyła Marty takim tonem, jakby Sophie prowadziła rozmowę, leżąc w objęciach sąsiada. – Postaraj się nie obudzić mnie, kiedy będziesz wracała do domu.

– Będę za kilka minut, nie zdążysz usnąć.

Marty zaśmiała się.

– Może tak, może nie. Baw się dobrze, siostrzyczko. Nie rób nic, czego ja bym nie zrobiła.

– Marty... – Marty odłożyła już słuchawkę. Sophie nie pozostawało nic innego, jak uczynić to samo. Teraz musiała jeszcze przejść koło Smitha tak, żeby nie zdołał jej dotknąć.

Nie było go w pokoju. Zniknął, kiedy rozmawiała z Marty, najwyraźniej straciwszy zainteresowanie jej osobą. Znowu ogarnęło ją powracające w ostatnich dniach uczucie – ulga zaprawiona żalem. Cóż, przynajmniej będzie mogła wyjść spokojnie z jego domu.

Ruszyła do drzwi, obijając się po drodze o jakieś meble.

– Dzięki, że pozwoliłeś mi skorzystać z telefonu – krzyknęła przez ramię.

– Zawsze do usług – doszedł ją z ganku głos Smitha. – A teraz powiedz mi, po co tu naprawdę przyszłaś.

ROZDZIAŁ DWUNASTY

Powinna była wiedzieć, że nie uda się jej wyjść tak łatwo. Na pewno nie przy prześladującym ją pechu. Smith stał na ganku, oparty o balustradę. Księżyc wyjrzał zza chmur, posrebrzył nieruchomą jak lustro taflę jeziora, posrebrzył uśpiony las wokół domu.

Smith... ciągle Smith.

W świetle księżyca wygląda jeszcze bardziej interesująco niż za dnia, pomyślała ze złością. Dlaczego życie musi być tak cholernie skomplikowane? Dlaczego nic nie jest proste?

Pchnęła drzwi siatkowe z całych sił, jakby chciała na nich wyładować swój osobisty żal do świata, i wyszła na ganek.

– Powiedziałam ci, dlaczego przyszłam. Szukałam matki – wyjaśniła cierpliwie.

– A ona tymczasem spała w najlepsze w swoim łóżku.

– Raz już złożyła ci wizytę. Wydawało się

całkiem logiczne, że postanowiła znowu cię odwiedzić. Wydawało mi się, że słyszę odgłos zamykanych drzwi frontowych. Kiedy zajrzałam do sypialni matki, nie było tam nikogo.

– A pomyślałaś, żeby zajrzeć i do łazienki?

– Nie – bąknęła. – Na pewno tam była. Wstaje kilka razy w ciągu nocy.

– Nadmiar informacji – przystopował ją Smith. – I po co była ta panika? Wystarczyło po prostu sprawdzić, czy matka rzeczywiście wyszła. Złodziei też nie musiałaś się bać. Zamykasz chyba drzwi na noc, prawda?

– Myślisz, że jestem idiotką? – obruszyła się. Złe pytanie.

– Owszem. Jaki masz zamek?

– Nie wiem. Po wprowadzeniu się do Stonegate nie zmieniałam zamków.

– Jezu miłosierny, czyś ty na głowę upadła? – huknął Smith. – Pierwsza rzecz, którą powinnaś była zrobić, to zmienić zamki. Trzy samotne kobiety na tym kompletnym odludziu, wokół żywej duszy...

– A ty?

– Co ja? Przyjechałem raptem kilka dni temu, poza tym patrzysz na mnie jak na Kubę Rozpruwacza. Nie masz zupełnie instynktu samozachowawczego? – Nie udawał, był autentycznie poirytowany jej lekkomyślnością.

– Wskaźnik przestępczości w Colby jest bardzo niski – oznajmiła wyniośle.

– W tym roku może tak. Wstaw natychmiast nowe zamki. Jeśli ktoś bardzo będzie chciał włamać się do domu, i tak się włamie, ale przynajmniej utrudnisz mu zadanie.

– Dlaczego ktoś miałby się włamywać do Stonegate? Po co?

– Ludzie robią różne dziwne rzeczy. Może ktoś zapałał do ciebie dziką namiętnością.

– Dziękuję bardzo – powiedziała cierpko. – To akurat nie byłoby takie dziwne.

W mroku nie mogła dojrzeć jego miny. Księżyc oświetlał go od tyłu. Otoczony srebrnym blaskiem Smith wyglądał trochę jak zjawa. Zjawa z szerokimi barami. Lubiła szerokie bary. Nagle uświadomiła sobie, że ten facet jej się podoba i zdjęła ją zgroza. Nie chodziło o osobowość, charakter, nic takiego. Ciało, ot co. Piękne ciało. I usta.

Dlaczego akurat musi ją pociągać najbardziej irytujący człowiek, jakiego kiedykolwiek spotkała? Dlaczego to musiało jej się przydarzyć akurat teraz, w tym, a nie innym momencie życia?

– Pójdę już – rzuciła obojętnie.

Obserwował ją uważnie, jakby nie miał nic lepszego do roboty, tylko drażnić ją i denerwować. Może to kwestia emocjonalnej huśtawki, ale miała wrażenie, że mimo niemal lekceważącej postawy, jest równie spięty, jak ona. Mogła się mylić, nie bardzo potrafiła dociec, co naprawdę dzieje się w głowie Smitha.

– Aha – mruknął, ale nie drgnął nawet, mimo że zagradzał przejście. – Powiedz mi, co ty takiego, u licha, masz na sobie?

Na szczęście nie mógł chyba dostrzec, że zrobiła się czerwona jak piwonia. Szczelniej owinęła się szalem. Jak na koniec sierpnia, noc była wyjątkowo ciepła, a ona paradowała w obszernej koszuli z grubego płótna, na dodatek boso.

– To jest koszula nocna. Nie widziałeś nigdy czegoś takiego? Ty, z twoim doświadczeniem? Musiałeś już kiedyś widzieć kobietę w koszuli nocnej. – Cholera. Chciała być kąśliwa, chłodna, ale nie udało się. Mimo woli przywołała temat seksu, a przecież nie miała ochoty rozmawiać z Johnem Smithem, czy jak mu tam, o seksie.

Na jego ustach, ach te usta, pojawił się ironiczny uśmieszek, tyle zdołała dojrzeć. Niestety nie poprzestał na tym.

– Tak się składa, że większość kobiet, z którymi sypiam, kładzie się do łóżka nago, a jeśli już coś mają na sobie, to ich strój na pewno nie przypomina twojego. Brakuje ci jeszcze bukietu suchych kwiatów, postrzępionego woalu i mogłabyś udawać zjawę.

Duchy nie były wcale lepszym tematem niż seks. Zważywszy, że przyjdzie jej wracać do domu koło miejsca zbrodni.

– To jest koszula nocna, w dodatku nie byle jaka, bo kupiona w Victoria's Secret.

– Znam ich bieliznę nocną, ale czegoś takiego jeszcze nie widziałem. Pewnie uważasz, że jest bardzo seksy.

– Wcale nie uważam, że jest seksy – żachnęła się, mając ochotę uciec stąd.

– To po co w tym sypiasz?

– Bo nie obchodzi mnie seks. – Cholera, cholera, jest coraz gorzej. Dała się sprowokować. W dodatku kłamała. Do tej pory rzeczywiście seks raczej jej nie obchodził. A teraz? Wystarczyłby jeden pocałunek Smitha i nie potrafiłaby myśleć o niczym innym. Poza tym dlaczego ten facet nie włoży czegoś przyzwoitszego. Rozpraszał ją widok nagiego torsu, nagiego brzucha. Wpatrywała się w Smitha i przychodziły jej do głowy rzeczy, które nie powinny tam gościć.

Odsunął się od balustrady. Pomyślała, że wreszcie robi jej przejście i będzie mogła ruszyć w drogę powrotną. Myliła się. Podszedł do niej, stanął tak, że nie mogła się cofnąć. Za plecami miała drzwi, przed sobą Smitha. Szerokie bary. Usta.

– Czyżby? – zdziwił się. Zdjął jej szal z ramion. Próbowała go chwycić, ale spóźniła się i szal opadł na podłogę ganku. Smith tymczasem zaczął rozpinać pierwszy guzik koszuli nocnej. – Udowodnij mi, że tak jest – szepnął, zabierając się za następny guzik.

Sophie odważyła się wreszcie spojrzeć mu w oczy.

– Co ty robisz? – wykrztusiła.

– Uwodzę cię. – Powiedział to obojętnie, jakby przeprowadzał doświadczenie laboratoryjne na żywym organizmie. I skrupulatnie rozpinał guzik po guziku. Koszula miała całe mnóstwo guzików. – Kobieta z twoim doświadczeniem powinna już się zorientować, co robię.

– Ale... dlaczego?

Smith zaśmiał się.

– Bo mam ochotę.

Jeszcze chwila i będzie zupełnie naga. Dlaczego ten przeklęty facet nie pojawił się w jej życiu dziesięć lat wcześniej, kiedy ważyła o dziesięć kilogramów mniej? Nie pozwoli się rozebrać komuś, czyjego nazwiska nawet nie zna, komuś, kto patrzy na nią spod przymkniętych powiek, a w oczach ma pożądanie. Rozpiął ostatni guzik i koszula opadła na podłogę.

Stała bez ruchu, jak sarna oślepiona światłem reflektorów. Może Smith zapomni, że stoi przed nim naga kobieta, odwróci się i pójdzie sobie... Płonne nadzieje. Poczuła jego dłonie na ramionach, usta na szyi.

Cichy pomruk rozkoszy nie mógł chyba dobyć się z jej gardła. Może to sowa albo nury na jeziorze?

Smith otworzył drzwi i popchnął lekko Sophie.

– Nie zrobię tego – ostrzegła go.

– Zrobisz, na pewno. Pytanie tylko, czy zrobimy to tutaj, na dole, czy uda nam się dotrzeć do łóżka.

Sophie zamrugała nerwowo. Znowu ogarnął ich mrok, którego nie mogło rozproszyć światło księżyca sączące się przez jedyne okno. Teoretycznie powinna poczuć się pewniej, ale była tak zaszokowana, że nie potrafiła dobyć z siebie choćby słowa protestu, kiedy przyciągnął ją i zaczął całować powoli, niemal leniwie.

Drżała. Drżała na całym ciele. Jakie to głupie, przemknęło jej przez głowę. Przecież nie jest aż tak zimno. Dlaczego drży?

Smith oderwał usta od jej ust, zaklął cicho:

– Do diabła z tym.

Przeraziła się, że zmienił zamiar, że się rozmyślił, że już jej nie chce. Jeszcze bardziej się przeraziła, kiedy chwycił ją w ramiona i w ułamku sekundy znalazła się na podłodze.

Dywan łaskotał ją w plecy, ale kiedy poczuła, jak dłonie Smitha wędrują po jej ciele, zapomniała o dywanie, łaskotaniu, niewygodzie. Jakiej niewygodzie?

W ostatnim odruchu obronnym otworzyła usta, żeby zaprotestować. Nie zdążyła, bo oto Smith znowu ją całował, pieścił jej piersi.

Zamknie oczy i... niech się stanie. Pozbędzie się w końcu tego przeklętego dziewictwa, szybko, gładko, jak za dotknięciem czarodziejskiej różdżki, a potem znajdzie sobie kogoś bardziej odpowiedniego...

Wszystko działo się zbyt szybko. Nie mogła oddychać, nie mogła mówić, nie mogła myśleć.

– Obejmij mnie mocno – usłyszała ochrypły szept Smitha.

– Powinnam ci powiedzieć, że... ja... – zaczęła zdławionym głosem.

– Chcesz tego czy nie? – przerwał jej zniecierpliwiony.

Czy chciała? Miała ochotę odepchnąć go, ale nie zrobiła tego. Objęła go mocno, jak prosił.

– Tak – wykrztusiła.

Kiedy wszedł w nią, krzyknęła cicho. Zapomniała, że będzie bolało. Chyba podświadomie zakładała, że błona dziewicza jakimś cudem zniknęła sama z siebie, rozpadła się z biegiem lat.

Smith znieruchomiał, a Sophie ocknęła się ze zmysłowych uniesień.

– Cholera – mruknął i nie zabrzmiało to szczególnie romantycznie.

Kiedy próbował z niej wyjść, chwyciła go mocniej za szyję.

– Nie – zaprotestowała. – Nie przerywaj.

– Nie zamierzam. – Pocałował ją, zaplótł sobie jej nogi wokół bioder i wszedł w nią jeszcze głębiej, mocniej. – Cholera – powtórzył, a po chwili dodał: – Spokojnie, zdaj się na mnie. Mam doświadczenie.

Co tam romantyczne iluzje, pomyślała Sophie. Liczyło się tylko to, co czuła w tej chwili. Dawno już przestała drżeć, dawno znikł ból, ciało pokrył pot. Zatraciła się, zapomniała o świecie, o własnych rojeniach i niedawnych uprzedzeniach. Chciała się kochać, tylko kochać, chciała, żeby ta chwila trwała wiecznie, w nieskończoność.

Kiedy Smith opadł na nią bez tchu, kiedy rozkosz zaczęła odpływać powoli, falami, w jej miejsce pojawiło się coś na kształt żalu. Do diabła, straciła dziewictwo z doświadczonym uwodzicielem. A co uzyskała w zamian? Jedynie krótką chwilę przyjemności. Żałosne...

Może niezupełnie. Po pierwsze rzecz trwała dłużej niż chwilę, a określenie przyjemność było bladym odbiciem doznań, których dostarczył jej sam akt. Gdyby jeszcze Smith powiedział coś miłego, coś choć umiarkowanie sympatycznego.

– Cholera – powiedział Smith coś miłego i podniósł się z podłogi.

Znowu poczuła dywan pod sobą, znowu było jej zimno. I chyba jeszcze nigdy w życiu nie doświadczyła takiego wstydu. Nie wyrzucała sobie, że to zrobiła, upokarzające było to, że Smith zostawił ją leżącą na środku pokoju, klnąc przy tym jak szewc.

Usłyszała w ciemnościach odgłos zamykanych drzwi, potem szum wody.

Nie zastanawiała się ani chwili. Zerwała się z podłogi, ale musiała chwycić się jakiegoś mebla, żeby nie upaść, bo nogi odmówiły jej posłuszeństwa.

Musi stąd wyjść, natychmiast. Nie wiedziała, które z nich byłoby bardziej zakłopotane i nie zamierzała się dowiadywać. Wiedziała jedno, musi zniknąć, zanim Smith jeszcze raz powie „cholera".

Zaczynało już świtać. Ostrożnie zamknęła drzwi wejściowe. Koszula nocna leżała na ganku, chwyciła ją i zbiegła po stopniach, wkładając nieszczęsne giezło po drodze.

Myślała, że usłyszy jego wołanie, ale ze starej chaty nie doszedł żaden dźwięk. Smith pewnie odetchnie, kiedy zobaczy, że się wyniosła cichcem. Żadnych porannych pogaduszek czy raczej nieklejących się rozmów. Niech to wszyscy diabli, właściwie po tej katastrofie powinien spakować walizki i wyjechać stąd.

Może „katastrofa" to nie najlepsze określenie. Na pewno nie ucieszył się, że ma do czynienia z dziewicą, przynajmniej z technicznego punktu widzenia, ale jakoś go to nie zraziło. Niemniej dość niezręcznie jest spojrzeć w twarz komuś, kogo, całkiem niechcący, pozbawiło się dziewictwa. Tak, Smith najpewniej wyjedzie z Colby. Taką w każdym razie miała nadzieję.

Kiedy Stonegate w końcu wyłoniło się zza drzew, była bliska łez. Dniało, musiało być już po piątej, ale nie miało to żadnego znaczenia. Ani Grace, ani Marty nie będą przecież czekały na nią w drzwiach i nie zasypią gradem kłopotliwych pytań. Obydwie lubiły się wyspać.

Sophie zeszła nad jezioro, stanęła na pomoście. Cicho, pusto, za wczesna pora dla najbardziej nawet zagorzałych wędkarzy, za wcześnie nawet dla miejscowych rybaków. A nawet gdyby ktoś się pojawił, miała to w nosie. Zdjęła koszulę, przyjrzała się sobie, zatrzymała wzrok na zakrwawionych pachwinach.

Gruntownie, raz na zawsze rozdziewiczona, pomyślała i zanurzyła się w wodzie.

Zniknęła, oczywiście. Powinien był wiedzieć, że czmychnie jak spłoszony zając. Zaklął pod nosem. Niech to wszyscy diabli. Poszedł tylko na chwilę do łazienki, a ona rzuciła się do ucieczki niczym zniewolona branka.

No tak, jeśli trzymać się faktów, pozbawił ją dziewictwa. Jak, u licha ciężkiego, ktoś z takim ciałem mógł dotąd ani razu nie pójść do łóżka z facetem? Dobiegała przecież trzydziestki. Żyła w klasztorze? Na bezludnej wyspie? Nie spotkała odpowiedniego mężczyzny? Z jakimi patałachami musiała się zadawać... Nie widzieli tych zmysłowych ust, tych wspaniałych kształtów?

Nie można powiedzieć, żeby zbytnio się opierała. Lubił kobiety, lubił seks i doskonale wyczuwał, kiedy podoba się kobiecie, kiedy ją pociąga, nawet wbrew jej woli. Sophie Davis nie znosiła go, ale i nie mogła oderwać od niego oczu. Od chwili kiedy pocałował ją na cmentarzu, wiedział, jak będzie wyglądał ciąg dalszy.

Nie spieszył się, skoro jednak pojawiła się w środku nocy na progu jego domu, ubrana w tę dziwaczną koszulę, nie byłby sobą, gdyby nie przyjął nieoczekiwanego daru losu. Przespał się z nią, bo chciała tego, obydwoje są dorośli, wiedzieli, co robią. Właściwie nawet nie powinien odczuwać wyrzutów sumienia. Jednak nie mieściło mu się w głowie, że Sophie Davis aż do dzisiejszej nocy była dziewicą.

Nie mógł zrozumieć, dlaczego mu nie powiedziała. Może chciała powiedzieć, może próbowała, a on był tak pochłonięty działalnością o charakterze seksualnym, że jej po prostu nie słuchał. Gdyby jednak słuchał, gdyby rzeczywiście mu powiedziała, jak by się zachował? Zostawiłby ją w spokoju, okazał rycerskość, kląłby się na wszystkie świętości, że nie jest aż takim szubrawcem?

Akurat. Gdyby mu powiedziała, zaniósłby ją do łóżka, zamiast tarzać się z nią na podłodze, jak napalony smarkacz. To wszystko, na co by się zdobył. Tyle samokontroli zdołałby jeszcze z siebie wykrzesać. Kiedy zobaczył ją wyłaniającą się w świetle księżyca z lasu, wiedział, że to się stanie, i żadna siła nie mogła powstrzymać biegu zdarzeń.

Błąd. Popełnił błąd, to oczywiste, ale dziewictwo Sophie nie miało tu nic do rzeczy. Teraz będzie go unikała jak zarazy. Skomplikował sobie sytuację, że aż strach. Teraz w ogóle może nie dostać się do starego skrzydła zajazdu. Trzeba było trzymać ręce przy sobie i nie wdawać się w amory z sąsiadką. Gdyby miał trochę oleju w głowie... Zachował się jak ostatni idiota. Ale bo też Sophie Davis warta była zachodu.

Oczywiście uciekła, nie chciała go widzieć. Pewnie ostatecznie go znienawidziła. Albo jeszcze gorzej, doszła do wniosku, że jest w nim zakochana. Griffin wstrząsnął się na tę myśl. Tego tylko jeszcze brakowało.

Kobiety lubią być sentymentalne, szczególnie gdy w grę wchodzi pierwszy kochanek. Gotowa sobie wmówić, że to romans stulecia i że tak długo strzeżoną cnotę straciła z wielkiej miłości.

Będzie musiała mocno się nabiedzić, żeby z tego, co się stało, zbudować historię miłosną, pomyślał, wciągając dżinsy. Spojrzał na dywan. Trudno uwierzyć, że jeszcze kilka minut temu kochał się z nią tutaj. Przez okno sączyło się pierwsze, szare światło brzasku i wypełniało pokój tajemniczymi cieniami. Przy jego szczęściu za chwilę pojawią się pewnie Kingowie o posępnych twarzach. Na szczęście przynajmniej nie przyłapią go na seksualnych ekscesach.

Przeszedł do kuchni i zrobił sobie kawę. Prawdę powiedziawszy, liczył na to, że zlegnie wygodnie w swoim łóżku obok Sophie. Dziewica zasługiwała na coś więcej niż szybki numerek na dywanie. Miał zamiar poświęcić jej swój czas i uwagę, kiedy już znajdą się na górze, choć powinien był przewidzieć, że ona ucieknie. Nie miał ochoty kłaść się sam do łóżka. Może później się zdrzemnie. Może Sophie znajdzie jakiś pretekst, żeby wrócić i zrobić mu solidną awanturę, zdrzemnęliby się razem.

Wyszedł z kawą na ganek, usiadł na balustradzie i spojrzał w stronę jeziora. Ktoś, pomimo wczesnej pory, pływał przy pomoście należącym do Stonegate. Nie musiał specjalnie się głowić, kim jest ten amator porannych kąpieli.

Podniósł się i poszedł na brzeg, skąd mógł ją lepiej widzieć. Dobrze pływała, bardzo dobrze. Cięła powierzchnię wody eleganckimi, oszczędnymi ruchami. Przypomniał sobie, jak stał w tym samym jeziorze z ciałem Lorelei w ramionach i przeszedł go dreszcz.

Lorelei nie potrafiła pływać, bała się wody. Że też musiał znaleźć ją właśnie w jeziorze. Miał nadzieję, że nie żyła już, kiedy morderca wrzucał zwłoki do wody, że nie czuła, jak pogrąża się w ciemnej, nieprzyjaznej toni...

Odwrócił się gwałtownie i ruszył z powrotem w stronę ganku. Nie chciał myśleć o Lorelei, o tym, jak umierała. Nie teraz. Owszem, przyjechał do Colby, żeby dojść prawdy, dowiedzieć się, jaki miał udział w zbrodni, ale najbliższe godziny wolał poświęcić rozmyślaniu o Sophie. Chciał na chwilę zapomnieć o przeszłości.

Obserwował ją z ukrycia i płakał. Wszetecznica piekielna, córa szatana, zbrukana krwią grzechu cielesnego, posoką występku. Wody jeziora nie oczyszczą zmazy. Do tego potrzebna będzie jego karząca ręka.

Nigdy nie wzdragał się, kiedy Bóg nakazywał mu wypełnić powinność, tym razem też się nie cofnie. Sophie Davis uległa złym podszeptom, kroczyła prostą drogą ku zatraceniu. On oczyści jej ciało i jej duszę. Sophie wstąpi do królestwa niebieskiego wolna od grzechu.

Do niego należy decyzja, kiedy to się dokona.

Patrzył, jak Sophie wychodzi z jeziora, jak idzie po łagodnym, trawiastym stoku w stronę domu. W pierwszym świetle brzasku widział ją wyraźnie. Taka spokojna, pogodzona ze sobą. Gdyby dojrzał na jej twarzy cień skruchy, może by się zawahał. Ale w tej występnej kobiecie nie było skruchy, nie było żalu. Zgrzeszyła i poniesie karę.

Bolesne to, ale będzie musiała umrzeć, by narodzić się na nowo. On tylko zdecyduje, kiedy to się stanie i czy będzie cierpiała.

ROZDZIAŁ TRZYNASTY

Natrętny dźwięk wdzierał się do mózgu, nie chciał przebrzmieć. To tylko sen. Erotyczny, niestosowny i bardzo miły sen, który zaraz się ulotni, pryśnie jak bańka mydlana. Czuła się rozkosznie odprężona, rozleniwiona. Jeśli erotyczne sny mają na nią tak działać, gotowa śnić je każdej nocy, nawet jeśli ich bohaterem będzie antypatyczny sąsiad.

Telefon nie przestawał dzwonić, ale nie zamierzała odbierać. Jeszcze trochę pomarzy, zatrzymując resztki snu, jeszcze trochę się nim nacieszy, a telefon niech odbierze ktoś inny, w najgorszym razie ranny ptaszek zostawi wiadomość na automatycznej sekretarce.

Dzwonek zamilkł gwałtownie, widocznie włączyła się sekretarka. Sophie zawsze wstawała o bladym świcie, gdy Grace i Marty spały jeszcze w najlepsze. Dzisiaj może być inaczej. Przyśnił się jej rozkoszny sen. Rozkoszny i okropnie nieprzyzwoity...

Poruszyła się w pościeli i zamarła. Nie miała na sobie koszuli nocnej. Nigdy nie sypiała nago, źle się czuła bez żadnego okrycia. Gracey zbyt się obnosiła ze swoją nagością, chyba dlatego Sophie była pruderyjna. Teraz matka co prawda ubierała się przyzwoicie, ale Sophie pozostał uraz.

Tymczasem leżała w łóżku naga. W dodatku miała wilgotne włosy. Obróciła się, zerknęła na budzik i wydała zduszony okrzyk zgrozy. Po dziesiątej. Nigdy nie spała tak długo, nawet kiedy była chora.

Rozległo się energiczne pukanie do drzwi i zaraz potem doszedł ją głos siostry:

– Telefon do ciebie, śpiochu. I masz gościa, czeka na dole.

– Cholera. – Powoli zaczęła przypominać sobie szczegóły. To przecież tylko sen. Nie mogła być aż taką idiotką. Jeśli nie śniła, to na dole czeka John Smith. Jak teraz spojrzy mu w twarz...?

– Telefon – powtórzyła Marty już zirytowana, odwróciła się na pięcie i wyszła.

Sophie z głośnym jękiem usiadła na łóżku. Była naga, po prostu naga, a jej włosy pachniały jeziorem. Ręka jej drżała, kiedy sięgała po słuchawkę, ale usiłowała nadać swojemu głosowi rzeczowe, spokojne brzmienie.

– Tak?

– Wydawało mi się, że powiedziałaś już „tak". – Chłodny, ironiczny ton.

Miała ochotę trzasnąć słuchawką, ale duma jej na to nie pozwoliła. W porządku, nie miała erotycznego snu. Smith musiał podać jej jakiś środek odurzający.

– Nie wiem, o czym mówisz – oznajmiła lodowato. Słaba linia obrony, ale jedyna, która przyszła jej do głowy.

Usłyszała śmiech Smitha. Gdyby nie był tak irytujący, mógł nawet brzmieć seksownie, tyle że Sophie nie potrafiła dostrzec w tej rozmowie nic seksownego.

– Jeśli tak chcesz to rozegrać, proszę bardzo – zgodził się. – Mam tylko jedno pytanie.

– Mianowicie?

– Skoro tak długo strzegłaś swojego skarbu, dlaczego oddałaś go właśnie mnie? – Uff, co za sformułowanie.

Trzasnęła jednak słuchawką.

Dzień zaczął się okropnie, potem było jeszcze gorzej. Kiedy wreszcie poczłapała na dół, Marty już na nią czyhała. Widać umierała z ciekawości, dlaczego siostra zaspała i czego mógł chcieć John Smith. Sophie zignorowała wścibską smarkatą i przeszła do kuchni, gdzie, jak na złość, natknęła się na Doka. Stary doktor posłał jej baczne spojrzenie spod krzaczastych brwi.

Najgorsza była Grace, czego można się było spodziewać.

– Bardzo przystojny młody człowiek z tego naszego sąsiada – oznajmiła bez żadnego skrępowania, wsypując kolejną łyżeczkę cukru do swojej kawy. Zawsze pijała kawę bez mleka i bez cukru. Dok wreszcie zauważył, co wyczynia jego pacjentka, odsunął cukiernicę na bezpieczną odległość i pacnął Grace po łapie.

– Nie taki znowu młody – burknęła Sophie. Kawa, którą przygotowała Marty, okazała się lurowata. No tak, akurat dzisiaj, kiedy Sophie marzyła o mocnym, aromatycznym napoju.

– Dla ciebie w sam raz, kochanie. – Na twarzy Grace pojawił się rozmarzony uśmiech. – Zaopiekuje się tobą, będziesz przy nim bezpieczna.

– A niby na co jej opiekun? – zdziwił się Dok. – Wygląda mi na osobą, która sama potrafi zadbać o swoje sprawy.

– Potrafię zadbać – przytaknęła Sophie z głębokim przekonaniem, ale interlokutorów nie interesowała jej opinia.

– Potrzebuje mężczyzny, a pan Smith byłby w sam raz. Seksowny, tajemniczy, trochę niebezpieczny – wyliczała Grace. – Ma dobre serce, będzie ci wierny, nie pozwoli nikomu cię skrzywdzić.

– Wywnioskowałaś to wszystko na podstawie dwóch spotkań? – zapytała Sophie.

Grace upiła łyk kawy i z obrzydzeniem odsunęła kubek.

– Coś ty zrobiła z tą kawą? Smakuje jak trucizna.

– Przesłodziłaś, Grace – powiedział Dok. – Weź moją, proszę.

Grace spojrzała na niego podejrzliwie.

– Nie zatrułeś jej?

– Nie zatrułem, Grace, zaklinam się. Możesz mi wierzyć.

– No dobrze. – Grace łaskawie przyjęła kawę. – Dużo lepsza, ale za słaba. Sophie, gdzie byłaś w nocy?

Sophie poczuła się tak, jakby dostała obuchem w głowę.

Dok i Grace wydawali się być tak pochłonięci swoją sprzeczką, że miała nadzieję wymknąć się z kuchni, zanim padną niewygodne pytania. Niestety.

– W łóżku, Grace – mruknęła i ruszyła szybko ku drzwiom.

– Domyślam się. Pytanie tylko, w czyim? – Grace zrobiła figlarną minę, ale włosy w nieładzie i pęknięte okulary do czytania psuły zamierzony efekt.

Sophie zdążyła jeszcze zauważyć zdumioną minę Doka i wyraźne ożywienie na twarzy Marty. Wszystkie znaki wskazywały, że powinna natychmiast wynieść się z kuchni.

– W swoim, mamo – oznajmiła stanowczym tonem. Tu akurat nie mijała się z prawdą. Kochali się przecież, czy też uprawiali seks, bo to chyba trafniejsze określenie, na podłodze, za całe posłanie mając szorstki dywan, który podrapał jej skórę na pupie.

– Szkoda – zmartwiła się Grace. – Ale nie tracę nadziei. Może wpadłabyś dzisiaj do pana Smitha, zobaczyła, co porabia? A nuż uda ci się go uwieść?

– Dość tego, Grace – włączył się Dok. – Zostaw Sophie w spokoju. – Gdyby jeszcze sam potrafił stosować się do własnych rad.

Sophie z kawą umknęła na ganek, licząc na chwilę spokoju, ale Dok już był przy niej.

– Z twoją matką jest coraz gorzej – zaczął i Sophie poczuła ulgę. Widać staruszek nie zamierzał wypytywać o jej życie seksualne. Które, o dziwo, wreszcie miała, czego jeszcze wczoraj nie dałoby się powiedzieć.

– Tak – przytaknęła, sadowiąc się w fotelu. – Mówiłeś mi, że jej stan będzie się pogarszał. Nie myślałam tylko, że nastąpi to tak szybko.

– W tym stadium Alzheimera paranoiczne urojenia i ataki wrogości to typowe objawy. Jeszcze trochę, a zacznie oskarżać wszystkich wokół, że ją okradają. Albo będzie wam wmawiała, że ktoś usiłuje ją zabić. Musisz uzbroić się w cierpliwość, okazywać jej wiele wyrozumiałości. Ja ze swojej strony obiecuję daleko idącą pomoc.

Sophie zbierało się na płacz.

– Jesteś dla nas taki dobry, Dok – powiedziała ze ściśniętym gardłem. – Nie wiem, co byśmy bez ciebie zrobiły.

Dok usiadł w fotelu obok.

– Staram się tylko robić to, co mogę i potrafię. Chcę wam pomóc. Rima też będzie pomagać. Ostatnimi czasy rzadko wychodzi z domu, ale zawsze bardzo wygląda każdej wizyty Grace. Twoja matka powinna częściej nas odwiedzać. Przywoź ją codziennie na kilka godzin. Rima będzie szczęśliwa, że ma towarzystwo, a ty nie będziesz musiała się martwić, że Grace znowu napyta sobie jakiejś biedy.

– Nie mogę obarczać was...

– Przestań. Powiedziałem ci, Rima będzie szczęśliwa. – Dok zamilkł, najwyraźniej wahał się, szukał słów. Sophie czekała, pewna, że zaraz padną pytania na temat Johna Smitha. W głębi duszy korciło ją, żeby powiedzieć Dokowi, co się stało, odwołać się do jego mądrości, doświadczenia i zdrowego rozsądku. Poprosić o radę...

I być może powiedziałaby. Gdyby był kobietą, powiedziałaby. Ale jak oznajmić zacnemu staruszkowi, że ostatniej nocy w chacie Whittenów tarzała się po podłodze z człowiekiem, którego prawie nie znała? Jak mu powiedzieć, że w czasie doniosłego aktu defloracji zasób słów, którymi posługuje się przeciętny człowiek, u Smitha uległ gwałtownej redukcji do jednego, kilkakroć powtórzonego „cholera"?

Dok nie zamierzał jednak rozmawiać ani o seksie, ani o tajemniczym sąsiedzie.

– Grace twierdzi, że ktoś myszkuje w jej pokoju – zaczął. – Kradnie suknie, książki, różne drobiazgi. To urojenia, wiem, ale proszę, obchodź się delikatnie z jej rzeczami. Nawet jeśli zapytasz, czy możesz coś pożyczyć, nie będzie prawdopodobnie pamiętała, że pytałaś. Wystarczy, byś wzięła ubranie do prania, a poczuje się zagrożona. Najlepiej, żeby widziała, co robisz, a ty postaraj się za każdym razem wytłumaczyć jej swoje intencje. Jeśli coś cię zaniepokoi w jej zachowaniu, nie wahaj się ani chwili, tylko przychodź do mnie. Po to jestem, nie muszę ci tego chyba powtarzać.

– Wiem, Dok, i dziękuję.

Powinna powiedzieć o nożu. Zardzewiałym nożu myśliwskim, który znalazła w szufladzie w pokoju matki. W ostatniej chwili ugryzła się w język. Nie chciała, by Dok pomyślał, że Grace może być niebezpieczna dla otoczenia. Najpewniej znalazła gdzieś nóż przypadkiem i schowała, jak sroka. Sophie zawsze natykała się na dziwne przedmioty w pokoju Grace: kamyki, zasuszone kwiaty, przeżutą gumę, kolczyki nie od pary. Nóż był jeszcze jedną osobliwością, którą Grace potraktowała jak skarb, który należy ukryć.

– Przyrzeknij, że powiesz mi, jeśli natrafisz na coś, co cię zaniepokoi – powiedział Dok.

– Obiecuję. – Nóż nie zaniepokoił Sophie. Grace nie była groźna, dziwne znalezisko nic nie znaczyło.

Doktor podniósł się gwałtownie z fotela.

– Co z waszym sąsiadem? Nie naprzykrza ci się? Mogę z nim porozmawiać, jeśli chcesz. Akurat teraz nie powinnaś komplikować sobie życia, a seks byłby komplikacją, niepotrzebną komplikacją.

Sophie osłupiała na to stwierdzenie.

– Dok!

– Wiem, wiem – powiedział ze śmiechem. – Myślisz, że ze mnie stary piernik, ale ja rozumiem naturę ludzką, a pożądanie jest czymś naturalnym i normalnym. Nie chcę tylko, żebyś narobiła sobie niepotrzebnie kłopotów. On ci się podoba, prawda?

– Podoba? – żachnęła się Sophie. – Nie znoszę go, patrzyć na niego nie mogę. To podstępny wąż, oszust i krętacz. Ukrywa się pod przybranym nazwiskiem, nie ma odwagi przyznać się, kim naprawdę jest.

– A kim jest? – zainteresował się Dok.

– Jakimś dziennikarzem albo pisarzem. W każdym razie interesuje się morderstwami. Nie mam pojęcia, jak naprawdę się nazywa, ale na pewno nie John Smith.

– Fascynujące.

– Możesz mi wierzyć, nie chcę mieć z tym człowiekiem nic wspólnego.

– To dobrze. – Dok pokiwał głową. – Bo widzisz, Marty mówi, że wróciłaś dzisiaj od niego o bladym brzasku i wyglądałaś tak, jakbyś miała za sobą... burzliwą noc.

– Marty musiało się coś przyśnić – oznajmiła Sophie kategorycznym tonem. Zabawne, nigdy nie kłamała, a teraz łgała w żywe oczy i nie sprawiało jej to najmniejszego kłopotu.

Dok uśmiechnął się, ale raczej smutno niż radośnie.

– Zapewne – przytaknął. – Tak czy inaczej, dzwoń do mnie o każdej porze dnia i nocy, jeśli tylko będziesz mnie potrzebowała.

Po co tyle gadania? – irytowała się Sophie, kiedy wreszcie sobie poszedł. Obawiał się, że Grace wdrapie się na szczyt dachu i spróbuje latać? Już ona potrafi zaopiekować się matką i Marty oraz zadbać o siebie.

To wszystko stało się, bo byłam bardzo zaskoczona, uznała po namyśle. Gdyby miała choć cień podejrzenia, że John Smith chce się z nią przespać, trzymałaby się od niego z daleka. Oczywiście nie da się zaprzeczyć, że pocałował ją na cmentarzu, co powinno było dać jej do myślenia, ale ona z całym rozmysłem zignorowała ten znak.

A iść do chaty Whittenów po prostu musiała, nie miała wyboru. Była przecież pewna, że Grace znowu wybrała się tam z niewczesną wizytą. Nie mogła pozwolić, żeby jej matka po nocy zakłócała ludziom spokój albo, co gorsza, błąkała się po lesie.

Zamiast ratować matkę z opresji, sama wpadła w jeszcze gorszą, lądując na dywanie pod obcym praktycznie facetem. Nie dawało jej to spokoju. Nie mogła przestać myśleć o ostatniej nocy. Jak to możliwe, że jej życie odmieniło się tak radykalnie? Tak szybko, bez uprzedzenia i żadnych znaków ostrzegawczych...

Głupotą było myśleć, że jest inna, różni się od pozostałych kobiet. Ludzie robią tyle zamieszania wokół seksu, a w końcu to tylko absolutnie naturalna funkcja organizmu. Unikała seksu przez całe wieki, tak, znacznie dłużej niż inni, ale to jeszcze nie znaczy, że teraz ma wyolbrzymiać nocny epizod w chacie do Bóg wie jakich rozmiarów.

Nie, wcale nie jest oziębła. Kto wie, może nawet wręcz przeciwnie. Nie powinna odczuwać przyjemności. Kobieta za pierwszym razem nie powinna mieć orgazmu, tak mówi teoria. Szczególnie kobieta o słabym popędzie płciowym, która w dodatku nie zna swojego partnera i nie ma powodów mu ufać.

Może jej popęd płciowy wcale nie był taki słaby, tylko dotąd jakoś nie zwracała na niego uwagi. Albo była zbyt wybredna. Albo też, ale to tylko mglista supozycja, luźne domniemanie, John Smith był naprawdę wspaniałym kochankiem, ekspertem w sprawach seksu.

Tej możliwości wolała jednak nie brać pod

uwagę. Zaczynać z ekspertem, by potem skazać się na kogoś znacznie mniej kompetentnego? Mało zachęcająca perspektywa, ale przy jej pechu bardzo prawdopodobna. Spotka wartościowego człowieka, a ten okaże się w łóżku dużo gorszy od Smitha. Prawdziwy problem.

Kto wie, czy nie ciąży nad nią ta sama klątwa, która prześladowała od pokoleń kobiety z rodziny Wilsonów, jej protoplastki po kądzieli. Grace utrzymywała, że kobiety w rodzinie Wilsonów kochają tylko raz i pozostają wierne swojej miłości przez całe życie. Spotykają swojego mężczyznę i nie szukają już innego, bardziej odpowiedniego. Są po prostu skazane na tego pierwszego.

Banialuki. Sophie była osobą praktyczną, mocno chodzącą po ziemi. Ona, w przeciwieństwie do swoich babek, będzie szukać bardziej odpowiedniego. Równie utalentowanego w sprawach łóżkowych jak pan Smith.

Jeśli zamierza nadal uprawiać seks, kontynuować, co właśnie zaczęła, jeśli chce w przyszłości wyjść za mąż i mieć dzieci, musi znaleźć sobie kogoś, kto mieszka w pobliżu. Dok będzie wiedział, czy są w Colby odpowiedni faceci, kawalerowie, którym warto się przyjrzeć.

Oczywiście nie zapyta go, jak radzą sobie w łóżku, ale w tej materii sama przeprowadzi rozpoznanie. John Smith był bardzo seksowny, nie można zaprzeczyć. Sposób, w jaki się poruszał, gesty, mimika, spojrzenie tych jego ciemnych oczu, wykrój ust...

– Cholera. – Cholera. Zaczyna używać jego ulubionego przekleństwa.

Zawsze strofowała Marty, że paskudnie się wyraża, nie powinna iść teraz w jej ślady. Nie może przecież dawać siostrze złego przykładu.

Za każdym razem, kiedy mówiła „cholera", przed oczami stawał jej Smith, czuła niemal jego dłonie na swoim ciele, słyszała przyspieszone bicie jego serca, nierytmiczny oddech...

Zerwała się gwałtownie z fotela, omal nie przewracając nieszczęsnego mebla, jakby ją sam diabeł gonił. Uciec, uciec jak najdalej od lubieżnych myśli. W co ona, na litość boską, wdepnęła?

ROZDZIAŁ CZTERNASTY

Kiedy Sophie trzasnęła słuchawką, Griffin parsknął śmiechem. Udało się, wykonał dobrą robotę. Teraz miał gwarancję, że nie będzie wylewała łez i rozmyślała po nocach. Uniesiona gniewem zapomni, że powinna się w nim zakochać. Tylko tego mu brakowało. Kilka kobiet popełniło ten błąd, zakochały się w nim, potem szybko przychodziło rozczarowanie, żal, pretensje. Na szczęście jego eksnarzeczona jako osoba trzeźwo patrząca na życie ustrzegła się zawodu, przynajmniej ona jedna.

Sophie nie była osobą pragmatyczną, raczej łagodną i uległą, a przy tym wystarczająco sentymentalną, żeby doszukiwać się w przypadkowym, chociaż udanym seksie Bóg wie czego. Griffin nie chciał do tego dopuścić, wolał dmuchać na zimne.

Kingowie kręcili się już po domu, zrywali nadwerężone przez wilgoć deski podłogowe wokół przewodu kominowego. Rano zaczęli pracę od wspólnej modlitwy. Padające w niej słowa na temat grzesznych postępków były wyraźnie adresowane do Griffina. Niewiele sobie z tego robił. Lubił grzeszyć, szczególnie tak, jak ostatniej nocy. Niech Kingowie modlą się za jego duszę, proszę bardzo, byle nie wtrącali się w jego prywatne życie. Na to nie pozwoli.

Pani King szorowała zawzięcie dokładnie te same miejsca, które wyszorowała już poprzedniego dnia, jakby liczyła na to, że powtórzony wysiłek uczyni je jeszcze bardziej czystymi. Głowę swoim zwyczajem pochyliła nisko, usta poruszały się w bezgłośnej modlitwie. Za każdym razem, kiedy wchodził do kuchni po następną kawę, Addy podskakiwała nerwowo. W końcu ulitował się nad biedaczką i postanowił zniknąć, żeby nie rozsiewać w powietrzu piekielnych miazmatów. Chciał się przespać, a w domu było to zupełnie niewykonalne.

Do Stonegate nie zdecydował się pojechać, chociaż korciła go ta myśl. Chętnie położyłby się obok Sophie, wtulił się w jej miękkie, ciepłe ciało i tak usnął, ale czuł, że prędzej by go zasztyletowała, niż ukołysała w swoich ramionach. Biorąc pod uwagę domniemany nastrój uczennicy, drugą lekcję sztuki miłości należało odłożyć na później.

Wsiadł do samochodu i ruszył przed siebie bez celu. Dzień był pochmurny, ale ciepły, zanosiło się na burzę. Świetnie pamiętał tutejsze burze – czyste, błękitne niebo nagle zmieniało barwę, zapadał złowieszczy mrok, zrywał się ostry, smagający korony drzew wiatr, prawdziwa wichura, która kładła po ziemi zboże i uderzała z impetem w szyby. Zwykle na kilka dni wcześniej dało się przewidzieć, że rozpęta się piekło, ale Griffin dawno stracił kontakt z naturą i umiejętność przepowiadania pogody. Dla niego równie dobrze to, co działo się w tej chwili, mogło zwiastować huragan. Było mu absolutnie wszystko jedno, pod warunkiem, że żywioł nie pokrzyżuje mu planów.

Miał coraz mniej czasu. Wynajął chatę Whittenów na pół roku, ale nie zamierzał zostawać w Colby dłużej niż dwa tygodnie, maksimum trzy. Dni uciekały, a on ani na krok nie zbliżył się do prawdy, przeciwnie, wiele wskazywało, że sprawa jest bardziej zawikłana i bardziej tajemnicza, niż mu się wydawało. Jeśli rzeczywiście były jakieś wcześniejsze zbrodnie...

Nie czuł się mordercą. Nigdy nie przypuszczał, że mógł zabić, nawet w całkowitym zamroczeniu, ale jego przypuszczenia nie stanowiły żadnego dowodu. Faktem pozostawało, że nic nie pamiętał z tamtej nocy. Po prostu obudził się rano we krwi Lorelei, to wszystko, co wiedział. Równie dobrze to on mógł ją zabić. A jeśli nie zabił, to w każdym razie nie przyszedł z pomocą, kiedy dziewczyna walczyła o życie.

Bo walczyła z mordercą, mówiono o tym w trakcie trwania procesu. Przywiózł ze sobą kserokopie akt sprawy, chciał odświeżyć sobie jej przebieg. Przed dwudziestu laty nie stosowano jeszcze testów DNA, nikt też nie próbował sprawdzić, czy krew i naskórek znalezione pod paznokciami Lorelei należą do niego. Po co, skoro miał poorane plecy? Lorelei lubiła zostawiać takie pamiątki swoim kochankom, sprawiało jej to jakąś perwersyjną przyjemność.

Jednak krew i naskórek pod jej paznokciami trudno było uznać za pozostałość po miłosnych, nieco zbyt gwałtownych uniesieniach. Musiała walczyć, bo paznokcie, zawsze starannie wypielęgnowane, miała połamane, a jego ciało, gdyby rzeczywiście zabił ją w narkotycznym zamroczeniu, wyglądałoby znacznie gorzej.

Pozostawało jeszcze istotne pytanie, dlaczego miałby ją zamordować? Lorelei doprowadzała go czasem do białej gorączki. Kpiła sobie z niego w żywe oczy, oszukiwała go, robiła z niego głupca, a on był smarkaczem, którym powodowały w tej samej mierze duma i testosteron. Wybuchowa mieszanka, która mogła doprowadzić do koszmarnego finału, gdyby nie to, że był już zdecydowany rzucić wszystko w diabły, rozstać się z Lorelei i wyjechać z Colby. Dlaczego miałby ją zabijać?

Zdrowy rozsądek podpowiadał mu, że tego nie zrobił, czuł, że tego nie zrobił, ale nie przestawały dręczyć go wątpliwości. No i przez wszystkie te lata w jego duszy czaił się niepokój. Przecież uznano go winnym i skazano. Skąd mógł mieć pewność, że nie zabił, skoro nic nie pamiętał? Owszem, wyrok został w końcu unieważniony, jednak wiedział, że nie zazna spokoju, dopóki nie dojdzie prawdy i nie uzyska jednoznacznej odpowiedzi na swoje pytania.

A jeśli odpowiedź nie przyniesie upragnionego spokoju i ukojenia? Co będzie, jeśli po włamaniu się do zamkniętego skrzydła zajazdu przypomni sobie coś, czego nie chciał do tej pory pamiętać? Był w Colby już od czterech dni i wszystko, co zdziałał, to krótki nocny wypad do Stonegate. Poszedł tam sprawdzić, czy istnieje jakakolwiek możliwość włamania się do dawnego szpitalika. Okna były zabite na głucho. Zrywanie desek nie wchodziło w grę, postawiłby na nogi wszystkie trzy panie Davis, zanim zdołałby zrobić choćby małą szparę. Pozostawały drzwi łączące kuchnię ze starym skrzydłem. Też żadne rozwiązanie, zważywszy, jak serdecznie nienawidziła go dama królująca w tejże właśnie kuchni.

Cholera, zbyt ochoczo wynajduje przeszkody. Może wcale nie chce sobie przypomnieć, co zdarzyło się tamtej nocy przed dwudziestu laty? Może nie jest jeszcze przygotowany na to, by poznać prawdę?

Bo jak miałby dalej żyć, gdyby prawda okazała

się zbyt trudna? Gdyby nagle, teraz, przypomniał sobie, że jednak zabił Lorelei? Ją i pozostałe? Co wtedy?

Jakoś musiałby się uporać z tą wiedzą. Z pewnością nie poszedłby do prokuratora i nie wyznał mu, że jest zbrodniarzem. Odsiedział już pięć lat i wystarczy, a nawet jeśli zamordował, nie mógł być wtedy przy zdrowych zmysłach.

Zbyt wiele tu znaków zapytania. Co z pozostałymi ofiarami, jeśli były jeszcze jakieś ofiary? Powinien dowiedzieć się czegoś więcej o dziewczynie ze starego cmentarza. Kto odwiedza jej grób, kto przynosi kwiaty? Należałoby sprawdzić inne cmentarze, poszukać grobów innych młodych kobiet, może i im ktoś przynosi bukiety charakterystycznych, rzadko spotykanych żółtych kwiatów? Skoro nie może się pokazać teraz w zajeździe, spróbuje przynajmniej pożytecznie wykorzystać wolny czas.

Grób Lorelei odwiedzał nie pierwszy raz. Był już tutaj, zaraz po wyjściu z więzienia. Do tej pory nie wiedział właściwie dlaczego, może nie mógł uwierzyć, że dziewczyna naprawdę nie żyje. Tamtego dnia padał deszcz, a on stał nad jej grobem i płakał. Potem nigdy już nie zdarzyło mu się płakać. Nie potrafił powiedzieć, czy na grobie były kwiaty, w pamięci utkwiło mu tylko kilka słów wyrytych na nagrobku, ich niepodważalna ostateczność.

Dzisiaj też zbierało się na deszcz. Po niebie przetaczały się ciężkie chmury. Kiedy zatrzymał się przy malowniczym cmentarzu nad brzegiem jeziora, o przednią szybę jaguara uderzyły pierwsze wielkie i ciężkie krople.

Mieszkańców Colby zwykle chowano na cmentarzu we wsi, ten nad jeziorem od dziesiątków lat był miejscem pochówku letników, ale Johnsonowie tu właśnie mieli swoje groby. Nad jeziorem spoczywało kilka pokoleń przodków Lorelei, dlatego ona też tu spoczęła.

Z daleka dojrzał żółte kwiaty, jasną plamę na tle omszałego granitu. Podszedł powoli, niepomny na deszcz, zatrzymał się przy grobie. Nie znał się na kwiatach, był jednak pewien, że takich jak te nigdy przedtem nie widział. Po raz pierwszy zobaczył je poprzedniego dnia, na grobie Adeline Percey.

Rodzina Lorelei dawno przeniosła się na tamten świat. Matka odeszła, kiedy Lorie miała kilka lat, ojca przed kilku laty pokonał rak. Była jedynaczką, nie pozostał nikt z bliskich, kto pamiętałby o zmarłej. Kto zatem przyniósł kwiaty na jej grób i dlaczego?

Griffin podniósł głowę. Na wielu grobach można było zobaczyć kwiaty, najrozmaitsze, począwszy od dzikich róż, przez bukiety z domowych ogrodów, po bogate aranżacje robione na zamówienie. Ruszył główną alejką, rozglądając się uważnie. Wreszcie znalazł, czego szukał – identyczny żółty bukiet, jak u Lorelei.

Skromna tablica nagrobna: Marsha Daniels, urodzona w 1957 roku, zmarła w 1973. Lapidarna informacja, nic ponadto. I te żółte kwiaty... Dziewczyna miała szesnaście lat.

Zanotował imię, nazwisko i daty na świstku papieru, po czym odwrócił się i powoli ruszył z powrotem do samochodu.

Rano wyjeżdżał z domu w wyjątkowo dobrym humorze. Seks, nawet zupełnie przypadkowy, nieprzemyślany, zawsze wprawiał go w świetny nastrój, dzisiaj chyba tym bardziej, bo od rozstania z Annelise z nikim nie spał, a Sophie po prostu mu się podobała. Te jej falbanki, ciasteczka, jej poczucie odpowiedzialności za matkę i siostrę...

Po wizycie na grobie Lorelei dobry nastrój Griffina znikł bez śladu. Cóż, atmosfera cmentarza tak właśnie działa na człowieka, pomyślał sentencjonalnie. W dodatku nie mógł teraz zbliżyć się do Sophie. Musiał jej dać trochę czasu; niech się na niego pozłości, poboczy, niech poczuje się zakłopotana. W końcu przypomni sobie, że było całkiem przyjemnie i złość zacznie powoli mijać. A jak nie zacznie, to on już się postara, by Sophie zmieniła punkt widzenia.

Oczywiście wszystko dla czystej rozrywki, wmawiał sobie gorliwie. Trochę dobrego, zdrowego seksu nigdy nie zawadzi. A dobry, zdrowy seks z Sophie wydawał się nadzwyczaj nęcący.

Jeśli zdobędzie zaufanie pani na Stonegate, będzie mógł dostać się do zamkniętego skrzydła zajazdu. O to przecież mu chodziło, wejść tam, przekonać się, czy jest w stanie przypomnieć sobie zdarzenia sprzed dwudziestu lat. Jeśli się nie uda, nic tu po nim, wyjedzie natychmiast z Colby, nie będzie więcej próbował ożywiać pamięci, zrezygnuje. A może już dawno powinien zrezygnować?

Zanim dojechał do wsi, deszcz ustał. Wokół sklepu Audleya jak zwykle kłębił się tłum. Wchodzący i wychodzący klienci, zarówno okoliczni mieszkańcy, jak i spieszący nad jezioro plażowicze, którzy korzystali z chwilowego przejaśnienia. Można tu było spotkać wszystkich.

Griffin nie zatrzymał się. Sklep działał mu na nerwy, wolał robić zakupy w supermarkecie w sąsiednim miasteczku, tam czuł się znacznie pewniej. Szansa, że natknie się na kogoś, kto go rozpozna, kto być może dwadzieścia lat temu zeznawał na jego procesie i świadczył przeciwko niemu, była znacznie mniejsza.

Cmentarz znajdował się tuż za wsią, przy drodze prowadzącej do domu opieki, a dalej na stare wysypisko śmieci. Zawsze wydawało mu się, że jest w tym uderzająca logika. Cmentarz był znacznie większy od dwóch pozostałych, spokoju zmarłych nie strzegło ogrodzenie, nie było widać stąd jeziora, choć podejrzewał, że zmarłym jest to najzupełniej obojętne. Chowano tu głównie mieszkańców Colby, tu też spoczywały doczesne szczątki Valette King i Alice Calderwood, ale gdzie dokładnie, Griffin nie wiedział. Postanowił szukać żółtych kwiatów.

Dobrzy obywatele Colby nie obsypywali swoich drogich nieobecnych kwieciem. Grób Valette znalazł natychmiast. Żółty bukiet leżał obok mocno sfatygowanego misia, po którym spokojnie pełzł ślimak.

W przeciwieństwie do nagrobków Adeline Percey i Lorelei, tu było epitafium. Poniżej imienia i nazwiska, na niewielkiej tablicy kazano wyryć niebywałe słowa: „Dusza zatracona". Ich autorem bez wątpienia był fanatyczny tatuś King.

Ciekawe, kto przyniósł misia, przemknęło przez myśl Griffinowi. Może niedorozwinięty brat, który prawdopodobnie nie był aż tak ociężały umysłowo, jak wszyscy wokół sądzili. Miał zaledwie piętnaście lat, kiedy Valette została zamordowana. W tym wieku psychika jeszcze się formuje, człowiek zaczyna dopiero wypracowywać sobie własny kodeks moralny, zastanawiać nad pojęciami dobra i zła, jeszcze nie w pełni je rozróżnia.

Być może chłopak wziął sobie zbytnio do serca nauki ojca i postanowił sam wymierzyć karę bezbożnicy.

W Colby było znacznie, znacznie więcej bezbożników niż te trzy zamordowane nastolatki, których jedynym grzechem było to, że lubiły chłopaków. A Perley King miał niewinność wypisaną na twarzy. Hipoteza bardzo wygodna, łatwa i prosta, ale Griffinowi jakoś nie przypadła do gustu. Nie miał dowodów, a nie lubił robić z nikogo kozła ofiarnego.

Schodził ostrożnie po cmentarnym stoku porosłym mokrą i śliską trawą, nie przestając wypatrywać następnego żółtego bukietu. Był pewien, że kwiaty wskażą mu grób Alice Calderwood. Być może nic nie oznaczały. Może Zebulon King miał obsesję na punkcie tych dziewcząt i to on przynosił im kwiaty. Żałował ich? Po swojemu opłakiwał? A może powodowały nim wyrzuty sumienia?

Może.

A jeśli robił to ktoś zupełnie inny? Być może morderca nadal mieszkał w Colby i to on przynosił kwiaty. Zabił Lorelei, Valette, Alice, zabił i inne dziewczęta. Jak wiele ofiar miał na swoim koncie?

Zbyt wiele domysłów, za mało konkretów.

Grób Alice Calderwood znajdował się na samym szczycie wzgórza, pod dziką jabłonią. Kwiaty były świeże, tablica nagrobna starannie oczyszczona z mchu i ptasich odchodów. Ktoś pamiętał o Alice, podobnie jak o innych zamordowanych.

Nie potrafił powiedzieć, jak długo stał nad jej grobem, wpatrując się w tablicę nagrobną, kiedy uświadomił sobie, że nie jest sam. Podniósł głowę i napotkał łagodne spojrzenie błękitnych oczu. Oczu człowieka, który jako jeden z wielu przyłożył rękę do tego, że Griffin znalazł się w więzieniu. Dok Henley był ostatnią osobą, którą miał ochotę tutaj spotkać. W błękitnych oczach, chociaż patrzyły tak łagodnie, lśniło zbyt wiele przenikliwej inteligencji. Prędzej czy później Dok go rozpozna.

Chyba raczej prędzej...

– Tak sobie pomyślałem, że to musi być pan – zagadnął z przyjaznym uśmiechem i wskazał głową na nagrobek. – Smutne, nieprawdaż? Znał ją pan?

– Nigdy wcześniej nie byłem w Vermoncie – powiedział Griffin odruchowo. Miał przygotowane wyjaśnienie, na wypadek gdyby ktoś dziwił się, czemu odwiedza stare cmentarze. Teraz uraczył nim Doka, chociaż ten o nic nie pytał: – Prowadzę takie prywatne badania genealogiczne. Podobno jakaś gałąź mojej rodziny mieszkała w tych stronach. Pomyślałem, że skoro już tu jestem, sprawdzę, czy to prawda.

– Ach tak? – Dok uniósł krzaczaste brwi, spojrzał z zainteresowaniem na Griffina. – Jak się nazywali?

– Smith, jak ja.

– Będzie miał pan kłopot. W okolicy mieszka sporo Smithów.

Griffin wzruszył ramionami.

– To nie takie znowu ważne. Po prostu po

przyjeździe tutaj przypomniałem sobie rodzinne opowieści o Smithach z Colby i postanowiłem poszperać trochę w przeszłości. – Spojrzał ponownie na grób. – Tak młodo umarła. Wypadek samochodowy?

– Została zamordowana – powiedział Dok smutno. – Ona i jeszcze dwie inne. Aż dziw, że do tej pory nie słyszał pan o tych morderstwach. Ludzie ciągle do nich wracają.

– Mało z kim się spotykam. Prawdę powiedziawszy, z nikim.

– Oczywiście poza Sophie – zauważył Dok niby od niechcenia.

Griffin mógł sobie pogratulować opanowania – kamienna twarz, żadnej reakcji.

– Dziwi to pana? Jest wolna, bardzo ładna, a ja się nudzę na tym swoim odludziu. Mała przygoda dobrze nam obojgu zrobi. Sophie jest zbyt zasadnicza, powinna pozwolić sobie na więcej luzu.

– Mówi pan, mała przygoda? Nie sądzę, przyjacielu, nie sądzę. Namiesza pan w jej życiu, a potem wyjedzie. Sophie to niepotrzebne. Domyślam się, że nie ma pan zbyt uczciwych zamiarów, zgadłem? – Dok nie owijał w bawełnę.

– Nie mam – przyznał Griffin ze śmiechem. – A pan jest jej aniołem stróżem?

– Przyjacielem. – W głosie Doka dało się słyszeć dezaprobatę, ale i nutę zrozumienia. – To wspaniała dziewczyna, przyzwoita, pracowita, odpowiedzialna. Nie chcę, żeby to wszystko zaprzepaściła.

– To że sypia ze mną, nie oznacza jeszcze, że marnuje życie. Lepsze to niż los, który spotkał tę biedaczkę – Griffin wskazał na grób Alice.

– To z panem Sophie spędziła minioną noc?

Griffin przez moment zastanawiał się, czy doktor, staroświecki dżentelmen, wyjęty żywcem z kart dziewiętnastowiecznej powieści, wyzwie go na pojedynek jak równego sobie, czy też każe zwyczajnie wychłostać niczym parobka.

– Skąd ta myśl? – obruszył się.

– Marty bardzo się martwiła. Mówiła mi, że Sophie dzwoniła do niej od pana w środku nocy i wróciła do domu dopiero nad ranem. – Dok zamilkł na moment. – Nie pozwolę, żeby ktoś ją skrzywdził.

– Jeśli chce pan wiedzieć, z kim Sophie uprawia seks, najlepiej niech pan ją o to spyta – powiedział Griffin uprzejmie.

– Chyba nie ma takiej potrzeby, prawda?

Griffin wzruszył ramionami. Nigdy nie uważał się za honorowego człowieka, ale pytania doktora sprawiały, że poczuł się jak ostatnie ladaco. Zmienił szybko temat, tak na wszelki wypadek.

– Ładne kwiaty. Nigdy takich nie widziałem.

– W naszych stronach też rzadko się je spotyka – stwierdził doktor obojętnie. – Nie wydaje się pan być miłośnikiem kwiatów, badaczem genealogii też nie. Kim pan właściwie jest i po co tu przyjechał?

– Dlaczego wszyscy myślą, że coś ukrywam? – obruszył się Griffin. – Jestem tu na wakacjach, to wszystko.

– W takim razie proszę zostawić Sophie w spokoju. – W głosie doktora było coś, co kazało Griffinowi podnieść głowę i spojrzeć rozmówcy w twarz.

– To ostrzeżenie? – zapytał cicho.

Dok powoli pokręcił głową.

– Tylko prośba. Dziewczyna dość ma kłopotów na głowie. Musi opiekować się matką, siostrą, lada dzień otwiera zajazd. Niepotrzebne jej dodatkowe komplikacje. Panu zapewne też nie.

– Z pewnością – przytaknął Griffin. – W głębi duszy jestem nieskomplikowanym człowiekiem.

– Nie sądzę, panie Smith, nie sądzę.

Ruszyli w stronę wyjścia w milczeniu. Dok zachował się jak troskliwy ojciec, powiedział, co miał do powiedzenia, a Griffin przyjął do wiadomości ostrzeżenie. Co wcale nie oznaczało, że zamierzał się wycofać.

Powinien zwijać manatki. Doktor zaczynał coś podejrzewać. Jeszcze trochę, a odkryje, z kim ma do czynienia. No tak, to byłby koniec prywatnego śledztwa Griffina. Niech to diabli, dwadzieścia lat temu uniknął linczu, ale teraz dobrzy ludzie z Colby gotowi się z nim rozprawić, większość nadal przecież trwała w przekonaniu, że to on jest psychopatycznym mordercą.

Przed cmentarzem pożegnał się z doktorem i wsiadł do samochodu.

– Moja siostra ostatniej nocy przespała się chyba z facetem.

Patrick podniósł wzrok znad piły, którą właśnie ostrzył.

– Co mnie to obchodzi...

– Założę się, że nigdy wcześniej z nikim nie spała, to pierwszy raz – oznajmiła Marty, wymachując nogami. Miała ładne nogi, wiedziała o tym i chciała, żeby Patrick też docenił ich zalety, ale on nie okazywał szczególnego zainteresowania ani nogami, ani resztą jej cielesnej powłoki. Cóż, pozostawało jej przywyknąć do powściągliwości młodego Laflamme'a. Nie mogła go rozgryźć. Podoba mu się czy nie? Intuicja mówiła jej, że tak, zachowanie chłopaka, że niekoniecznie.

Nic nie odpowiedział, bardziej obchodziła go piła mechaniczna niż życie seksualne aktualnej pracodawczyni.

– Nawet jeśli, to na pewno nie ma takiego doświadczenia jak ja – ciągnęła Marty, niezrażona milkliwością swojego rozmówcy. – Ja już wiem to i owo o seksie, wierz mi.

– Żaden powód do chwały – burknął, nie podnosząc nawet głowy.

– Przeciwnie. – Marty nie dała zbić się z tropu. – Miałam całe mnóstwo chłopaków. Nie pamiętam nawet, z iloma spałam.

Trochę mijała się z prawdą. Był tylko Jeff, nie mający pojęcia o rzeczy prymityw, i Nate, który napastował wszystko, co się ruszało, ale Marty nie traciła dobrego samopoczucia. Prędzej czy później znajdzie chłopaka, na jakiego zasługiwała. Obserwowała, jak Patrick z namaszczeniem godnym lepszej sprawy ostrzy piłę i coraz bardziej się upewniała w przeświadczeniu, że oto los postawił na jej drodze odpowiedniego kandydata.

Zabójczego przystojniaka. Szczupły, muskularny, anielska twarz, piękne, mocne dłonie. I tu pojawiał się szkopuł... Niemożliwe, żeby taki przystojny chłopak nie miał dziewczyny. Ale i z tym sobie poradzi, odbiła przecież Jeffa swojej najlepszej przyjaciółce, Sally. Skądinąd całkiem niepotrzebnie, bo szybko się przekonała, że Jeff nie był tego wart. Tym razem nie skrzywdzi nikogo, kogo darzy sympatią.

Na Patricku rzekome dokonania Marty zdawały się nie robić żadnego wrażenia.

– Nie lubisz seksu? – nie dawała za wygraną.

– Owszem, bardzo lubię – odpowiedział spokojnie. – Jeśli mi na kimś zależy. Jak nie, mogę się obejść bez tego cyrku.

– Z iloma dziewczynami spałeś? – naciskała. Przez moment myślała, że Patrick zignoruje pytanie, ale nie.

– Tylko z moją dziewczyną, Abby.

Cholera.

– Co to za jedna? Ukochana z przedszkola? Ożenisz się z nią, kiedy skończysz studia?

– Abby nie żyje.

Zamknęła się, przynajmniej na chwilę. Trudno stawać w zawody z nieżyjącą dziewczyną. Z drugiej strony... ona żyła, a tamta odeszła. Jesteś górą, Marty.

Najpierw musi jednak sprawdzić, czy świętej pamięci Abby w dalszym ciągu może stanowić konkurencję.

– Co się z nią stało? – zapytała i zaraz dodała: – Chyba że wolisz o tym nie mówić.

– Mogę mówić. Zginęła w wypadku samochodowym, trzy lata temu.

– To ty prowadziłeś?

Patrick poderwał głowę.

– Nie. Jechała z kimś innym.

– Z innym chłopakiem?

– Tak. – Wzruszył ramionami. – Mieliśmy się rozstać. Ona wyjeżdżała do college'u w Kalifornii, ja zaczynałem studia na UVM. Chciała stąd uciec, ja chciałem zostać. Uciekła na dobre.

Marty przeszedł zimny dreszcz. Za dużo zmarłych dziewcząt w tym Colby, a ona nie chciała ani myśleć, ani rozmawiać o śmierci. Seks był o wiele bardziej interesujący.

– Ile masz lat? – zagadnęła.

– Dwadzieścia.

– Ja mam dziewiętnaście.

– Masz siedemnaście – sprostował. – Jesteś za smarkata na seks.

– Za trzy tygodnie kończę osiemnaście – odparowała. – A ty, ile miałeś lat, jak zacząłeś sypiać z najdroższą nieboszczką?

Patrick posłał jej takie spojrzenie, że natychmiast pożałowała swojej bezceremonialności. Zrobiło się jej głupio.

– Przepraszam – bąknęła. – Nie chciałam, żeby tak to zabrzmiało.

Patrick skinął głową na znak, że przyjmuje przeprosiny, ale minęło dobrych kilka minut, zanim odezwał się znowu.

– Kochałem ją. Ona mnie też. Nie interesuje mnie sypianie z kimś, na kim mi nie zależy.

– Rozumiem, że tracę czas – stwierdziła Marty i zsunęła się z płotu.

Patrick odłożył wreszcie piłę.

– Naprawdę tylko o to ci chodzi? – zapytał z powagą.

– Jak wszystkim, nie? Z wyjątkiem ciebie, ma się rozumieć. Ty masz zasady – prychnęła. – A ja szukam kogoś... – nie dokończyła zdania.

– Kogoś, kto potraktowałby cię jak dziwkę, kto

by cię posunął i zapomniał o sprawie? Nie sądzę, skarbie.

– To kogo, twoim zdaniem?

– Kogoś, kto by cię pokochał.

Marty nagle zebrało się na płacz. Idiotyczne, ale czuła, że za chwilę gotowa się pobeczeć.

– I co? – zdobyła się na lekceważący ton. – Powiedziałam ci już, tracę czas.

– Może nie.

Nie była pewna, czy się nie przesłyszała, nie bardzo też wiedziała, jak zareagować.

– Pójdę już, poszukam Sophie. Może mnie potrzebuje – wykrztusiła w końcu.

– Idź. – Patrick znowu zajął się piłą. Podniósł ją lekko, jakby nic nie ważyła.

Skoro trzyma w rękach piłę, nie może mnie dotknąć, kombinowała Marty. Skądinąd wcale nie była pewna, czy chce, żeby jej dotknął. Nie potrafiła powiedzieć, czy chce, żeby ktoś ją pokochał, szczególnie ten śliczny i potwornie zasadniczy chłopak. Miała mętlik w głowie.

– Pójdę już – powtórzyła, nie zbierając się wcale do odejścia.

Na twarzy Patricka pojawił się leniwy uśmiech.

– Gdybym wiedział, że w ten sposób cię wystraszę, dawno bym to zrobił.

– Wcale mnie nie wystraszyłeś.

– Nie, pewnie, że nie. Zastanów się, co robisz, Marty Davis. Nudzisz się, to widać, ale ja nie jestem zabawką. Jak masz ochotę z kimś się przespać, poszukaj sobie innego faceta. – Odwrócił się i odszedł, zanim przyszła jej do głowy sensowna odpowiedź.

Wszystko, na co było ją stać, to pokazanie mu języka, czego oczywiście nie mógł widzieć. Nie pozostawało jej zatem nic innego, jak wrócić do domu i, ewentualnie, wyładować złość na siostrze. Prawdę powiedziawszy, nawet na to nie miała ochoty.

Może znajdzie sobie jakieś zajęcie. Trzeba było pomalować jeszcze ściany w trzech sypialniach. Nie chciała, żeby Sophie pomyślała, że zapałała chęcią do pracy. Wprost przeciwnie, wcale nie rwała się do roboty. Jednak z dwojga złego wolała chwycić za pędzel, niż obijać się po kątach i usychać z nudów. Przy okazji może się dowie, co jej zasadnicza siostrzyczka porabiała w środku nocy w domu tajemniczego pana Smitha.

Sophie była w okropnym nastroju. Wszyscy ją obserwowali, śledzili każdy krok, jakby nie mieli nic lepszego do roboty. Czego trzeba więcej, żeby wyprowadzić człowieka z równowagi? Pod koniec dnia miała ochotę gryźć i kopać. Siłą woli powstrzymywała się od wybuchu. Grace utonęłaby we łzach, Marty z właściwym sobie wdziękiem zaczęłaby się awanturować, jednym słowem w ciągu kilku sekund przedpiekle zamieniłoby się w najprawdziwsze piekło.

Po kolacji dłużej nie mogła zdzierżyć i uciekła z domu. Albo któraś z pań umyje naczynia, albo niech sobie te talerze i garnki spleśnieją w zlewozmywaku, było jej absolutnie wszystko jedno. Właściwie to Marty ją dzisiaj przyjemnie zaskoczyła, bo zabrała się do malowania sypialni i położyła pierwszą warstwę farby. Rzecz niebywała. Przy okazji umalowała sobie kilka pasemek włosów na biało, co wyglądało dość zabawnie.

Pomimo obaw Doka Grace była wyjątkowo spokojna, choć kiedy Sophie wybiegała z kuchni, zdążyła za nią zawołać:

– Baw się dobrze, skarbie, i pilnuj, żeby założył prezerwatywę.

Nawet się nie odwróciła, zostawiając matczyną radę bez komentarza. Nie zamierzała zbliżać się do chaty Whittenów, nawet jej w głowie nie powstało spotykać się z tym bubkiem. Chciała wsiąść do samochodu i ruszyć przed siebie. Mogłaby pojechać do Montpelier, pójść do kina. Albo do jakiegoś baru, gdzie poderwałaby na przykład młodego, miłego urzędnika. Dlaczego nie? Przekona się, czy rzeczywiście lubi seks. Może John Smith wcale nie jest znowu takim rewelacyjnym kochankiem, jak jej się wydawało. Powinna zdobyć materiał porównawczy, dopiero potem ferować wyroki.

Zresztą to też nie miało znaczenia. Najważniejsze, żeby wydostać się z domu na kilka godzin. Włączy radio w samochodzie na cały regulator, puści sobie jakąś głośną, pogodną muzykę, na przykład Beach Boys. Nie będzie myślała o Grace i o Marty, o zamordowanych dwadzieścia lat temu dziewczynach, o seksie też nie. Ani o obcym facecie, który chce jej sprzątnąć sprzed nosa chatę Whittenów. Ani o tym, że najchętniej poszłaby teraz do łóżka z tym obcym facetem.

Przede wszystkim jednak nie będzie myślała o miłym dreszczyku, który nie opuszczał jej przez cały boży dzień.

Cholera.

ROZDZIAŁ PIĘTNASTY

Jechał za nią. Znowu zaczęło padać, nic wielkiego, lekka mżawka, osiadająca na przedniej szybie, na asfalcie. Zrobiło się ślisko. Nie powinien mieć kłopotów. Nie znała przecież tutejszych dróg. Nikt się nie zdziwi, gdy przydarzy się jej wypadek. Była przecież przepracowana, martwiła się o matkę, o siostrę. Chwila nieuwagi i nieszczęście gotowe. Każdemu może się zdarzyć.

Nie chciał tego. Bóg mu świadkiem. Zaczynał się powtarzać, zdawał sobie sprawę, że to niebezpieczne. Dopóki stosował za każdym razem inne metody, policja była bezradna. W większości przypadków nie dostrzegali nic podejrzanego, woleli szybko zamknąć dochodzenie. Ot, po prostu kolejny nieszczęśliwy wypadek.

Raz już sprowokował wypadek samochodowy, przed trzema laty, w pobliżu Colby. Ofiarą była młoda rozpustnica, zginęła razem ze swoim chłopakiem. Tym razem zginie obca kobieta, uchodząca za tak zwaną przyzwoitą niewiastę, na tyle dojrzała, że powinna być ostrożna. Nikt nie skojarzy tych dwóch wypadków. Nikt się nie domyśli, że on znał obydwie ofiary, że wydał na nie wyrok. Z drugiej strony w Colby wszyscy się znali, więc to też nie powinno budzić podejrzeń. Bóg do niego przemówił, nakazał mu ukarać wszetecznicę. Nie miał wyboru, musiał usłuchać słowa bożego, działać zgodnie z nakazami Najwyższego. Ludzie odchodzą od wiary, coraz więcej jest na świecie grzeszników. On, jeden z nielicznych, może ostatni sprawiedliwy, trwał przy Bogu, był mu posłuszny.

Dzisiaj Sophie Davis będzie musiała zginąć.

Zachowywał bezpieczny dystans, nie tracił zimnej krwi. Prowadziła szybciej niż zwykle i nic dziwnego. Uciekała przed własnymi grzechami, pragnęła zapomnieć o swej zbrukanej duszy. Dobra z niej była dziewczyna, wiedział to od pierwszej chwili, kiedy ją zobaczył, ale nawet cnotliwa kobieta czasami może upaść bardzo nisko. A ta zasmakowała w grzechu.

Jechała w kierunku szosy numer 16. Pokiwał głową z aprobatą. To znak. Szesnastka, łącząca Colby z Hampstead, była mało uczęszczana, dużo tu ostrych zakrętów, w jednym miejscu gwałtowne obniżenie, duży staw przy drodze, łatwo będzie wybrać najdogodniejsze miejsce.

Uruchomił kasetę w radiomagnetofonie starej ciężarówki. Pozmieniał napisy na kasetach, zresztą nikt nie będzie szperał w jego rzeczach, odsłuchiwał kaset. Nikt się nie dowie, że wymierzając sprawiedliwość bożą, słucha syrenich śpiewów zapiekłych w grzechu ladacznic.

Dzisiaj puścił kasetę Madonny, bardzo odpowiednia muzyka dla z gruntu dobrej, jak zakładał, a przecież upadłej kobiety. Skoro już dobrzy ludzie nie potrafią ustrzec się od grzechu, to świat zmierza ku zagładzie. Ta suka, Madonna, śpiewała o modlitwie. Zacisnął mocno dłonie na kierownicy.

Nie chciał spychać Sophie Davis z drogi. Rozczarowała go tak bardzo, że wolałby uśmiercić ją własnoręcznie, pragnął, by odchodziła świadomie. Nie, nie zasługiwała na szybką, anonimową śmierć. Powinna wiedzieć, dlaczego umiera, powinna żałować za swoje grzechy. Powinna, ale pomimo to wybrał łatwiejsze rozwiązanie. Zdecydował już przecież, że spowoduje wypadek.

Zakręt przy Wodospadzie Holendra, idealne miejsce. Tam się to stanie. Droga w tym miejscu opada stromo, subaru wpadnie w poślizg, przekoziołkuje kilka razy, a on będzie mógł wrócić do domu z poczuciem dobrze spełnionego obowiązku.

Wyprzedził ją na długiej prostej, dodał gazu, żeby nie mogła rozpoznać ciężarówki. Prawdopodobnie nie rozpoznałaby jej i tak, ale on wolał zachować ostrożność. Zwracał uwagę na każdy szczegół, dlatego nikt dotąd nie wpadł na jego ślad. Zastanawiał się, czy nie pożyczyć od kogoś wozu, może nawet ukraść, nie brać swojego starego forda, ale takie rozwiązanie wydawało się jeszcze bardziej ryzykowne. Nie, bezpieczniej było skorzystać z własnej ciężarówki. Szansa, że ktoś go zobaczy, równała się prawie zeru.

Zatrzymał się na parkingu przy Wodospadzie Holendra, wyłączył światła. Kiedy Sophie Davis wyjedzie zza zakrętu, on włączy długie światła, oślepi ją. Przerażona szarpnie kierownicą w lewo i subaru stoczy się z urwiska z głośnym metalicznym łoskotem. A on będzie modlił się za jej nieśmiertelną duszę.

Istniało jednak prawdopodobieństwo, że Sophie zapanuje nad samochodem i minie go bezpiecznie. Miał nadzieję, że tak się nie stanie. Nie chciał ścigać jej w ciemnościach. Nie chciał jej wystraszyć. Przez większość swojego życia była przyzwoitą kobietą. Bóg zapewne nie życzy sobie, by umierała z przerażeniem w oczach.

A jednak ciężko zgrzeszyła. Jej grzech był tym większy, że potrafiła przecież odróżnić dobro od zła. Żyła w czystości i oto oddała się przybyszowi. Przybyszowi, który chciał go skrzywdzić.

Przez lata wielu było takich, którzy chcieli przeszkodzić mu w bożym dziele wymierzania sprawiedliwości, ale odgadywali prawdę, kiedy było już za późno.

Pozwoliła, by jej czyste ciało zbrukała taka kreatura. On to wiedział, nikt nie musiał mu tego mówić. Obserwował uważnie, znał ludzkie występki, potrafił kojarzyć i interpretować fakty. I znał się na bożej arytmetyce. O jedną Davis mniej, po niej przyjdzie kolej na pozostałe.

W oddali pojawiły się światła subaru. Jechała szybko, ale nie tak szybko, jak by pragnął. Z nastolatkami poszło łatwo, pędzili na złamanie karku, zajęci sobą, nieświadomi niebezpieczeństwa. Nie zwracali uwagi, co dzieje się na drodze. Sekcja wykazała, że oboje wcześniej pili, mieli alkohol we krwi.

Sophie prowadziła jednak w miarę ostrożnie, jakby chciała utrudnić mu zadanie.

Nie prosił o ułatwienia. Został wybrany, by czynić boże dzieło, nie uchyli się od nałożonego nań obowiązku.

Kiedy samochód Sophie wyłonił się zza zakrętu, włączył długie światła w swoim fordzie, nacisnął na gaz i ruszył prosto na nią.

Jechał z naprzeciwka jej pasem. Jeśli chciała uniknąć zderzenia, będzie musiała odbić kierownicą w lewo, zjechać na sąsiedni pas. Przepuści go, subaru runie w dół, on zaś pojedzie spokojnie dalej. Silnik forda ryczał jak nacierające zwierzę. Skręciła w lewo, tak jak chciał.

Zablokował jej drogę, zmuszając, by zjechała na miękkie pobocze. Liczył, że niepewny grunt ustąpi pod ciężarem samochodu. To byłby cud, gdyby wyszła z tego cało, a przecież takim grzesznikom jak ona, cuda się nie przytrafiają.

Reflektory forda oświetliły kabinę subaru, oślepiając Sophie. Przyglądał się jej zafascynowany, ani na chwilę nie zmniejszając prędkości. Widział śmiertelne przerażenie w jej oczach, łzy spływające po policzkach.

Łzy? Czy są oznaką skruchy? Czy możliwe, żeby tym razem się pomylił? Czyżby żałowała swojego grzechu? Za późno. Przedni zderzak ciężarówki zawadził o bok subaru. Mały, lekki samochód na śliskiej nawierzchni stracił przyczepność, odrzuciło go w stronę urwiska.

Nie zawahał się, nie przyhamował, pędził dalej w ciemnościach, zasłuchany w słowa piosenki Madonny.

Zrobił, co do niego należało.

Wszystko stało się tak szybko, że Sophie nie miała czasu pomyśleć. Oślepiona światłami nadjeżdżającego z naprzeciwka samochodu zdawała sobie sprawę, że prosto na nią naciera wielka maszyna. Tylko tyle zdołał zarejestrować mózg. W sekundę później usłyszała metaliczny chrzęst i straciła panowanie nad kierownicą. Subaru wypadło z drogi.

Nacisnęła z całych sił na hamulec, jakimś cudem zdołała wyhamować na poboczu.

Nie potrafiła powiedzieć, jak długo siedziała bez ruchu, odrętwiała, w szoku, na wpół przytomna. Zapięła pas, ale pomimo to uderzyła głową o coś twardego, czuła, że krwawi. Sztywnymi palcami odpięła pas. Samochód zarył w żwir, światło reflektorów ginęło w mroku, w czarnej pustce, deszcz mżył cały czas.

Ten ktoś, kto o mało jej nie rozjechał, dawno zniknął. Musiał być pijany. Northeast Kingdom miało fatalne statystyki, jeśli chodzi o śmiertelne wypadki spowodowane pod wpływem alkoholu. Kierowca prawdopodobnie nie zdawał sobie sprawy, że omal jej nie zabił.

Przez chwilę mocowała się z klamką, wreszcie otworzyła drzwiczki, wysunęła stopę i natrafiła na pustkę.

W panice cofnęła nogę, samochód zakołysał się niebezpiecznie. Sophie była kobietą zorganizowaną, w schowku na mapy woziła latarkę. Wyjęła ją, zapaliła i rzuciła w przepaść.

Długo czekała, zanim usłyszała ciche stuknięcie. Dopiero teraz rozpoznała charakterystyczny szmer. Miała cholernego pecha, że akurat tutaj, koło wodospadu, napotkała pijanego kierowcę. Jeszcze kilka centymetrów, i wylądowałaby na dole, tam gdzie jej latarka.

Oparła się o zagłówek siedzenia i wzięła kilka głębokich oddechów. Nie była bezpieczna. Przynajmniej jedno koło zawisło nad przepaścią, samochód kołysał się przy każdym jej ruchu, mogła jednak liczyć, że nie runie w dół. Przesunęła się ostrożnie na miejsce pasażera, otworzyła drzwiczki. Uchyliły się zaledwie na kilka centymetrów. Subaru prawą stroną dotykało pnia drzewa.

Wróciła na fotel kierowcy, klnąc pod nosem. Deszcz nie przestawał padać, a nawet chyba się wzmógł. Tu, gdzie utknęła, nie wydostanie się z wozu. Jeśli chce wysiąść, musi cofnąć auto.

Przekręciła kluczyk w stacyjce. Ku jej uldze samochód zapalił natychmiast. Wrzuciła wsteczny bieg i nacisnęła na gaz.

Nic. Mogła to przewidzieć. Koła zabuksowały na mokrym poboczu. Zdjęła nogę z gazu, przeczesała nerwowym ruchem włosy. Nie wzięła ze sobą telefonu. Wśród wzgórz północnego Vermontu zasięg co chwila zanikał, niewielki był tu pożytek z komórki. Przenosząc się do tego cholernego stanu, miała tyle rozumu, by kupić porządny samochód z napędem na cztery koła...

Spojrzała na rączkę zmiany biegów. Nigdy dotąd nie próbowała używać napędu terenowego, uruchomiła go tylko raz, przy zakupie subaru. Wtedy nie wydawało się to specjalnie skomplikowane. Nacisnęła odpowiedni przycisk – „4 WD" – miłe litery.

Ponownie wrzuciła wsteczny, lekko nacisnęła na gaz. Samochód cofnął się nieznacznie, po czym opony zaczęły się ślizgać i wozem rzuciło do przodu.

Zacisnęła powieki, prawie pewna, że zaraz runie w przepaść, ale subaru zatrzymało się w miejscu. Otworzyła oczy, włączyła reduktor napędu, ponownie nacisnęła na gaz. Spod kół bryznęło błoto. Ku jej zdumieniu samochód cofnął się tak szybko i gładko, że ledwie zdążyła wyhamować, zanim uderzyła w drzewo.

Subaru zatańczyło na asfalcie, ale tym razem była już spokojna. Znajdowała się na szosie numer 16 prowadzącej do Hampstead. Wystarczy, że wykona zwrot i będzie mogła wrócić do domu.

Tak, musi wracać. Do domu, do Colby. Wracać natychmiast.

Przekręciła kluczyk, silnik ożył na moment i zaraz zgasł.

– Nie – jęknęła głośno.

O tej porze na szosie do Hampstead nie było prawie żadnego ruchu, co wcale nie znaczyło, że nagle nie pojawi się jakiś samochód i na nią nie najedzie. Przed chwilą tak właśnie się stało.

– Proszę – szeptała. – Proszę, proszę, proszę! Silnik zaskoczył, wrzuciła jedynkę i ruszyła pustą szosą w stronę Colby.

Nie wiedziała, dlaczego ma mokrą twarz, skoro nie była w stanie wysiąść z samochodu. Przetarła dłonią czoło, spojrzała na rękę. Krwawiła, krew spływała po policzkach, kapała na sweter.

Prawdę mówiąc, głowa bolała ją jak wszyscy diabli, ale dopiero teraz zdała sobie z tego sprawę. Wcześniej, zszokowana i przerażona, nie czuła bólu. Pojęcia nie miała, jakim cudem się uderzyła, skoro prowadziła w pasie, lecz fakt pozostawał faktem – krwawiła.

Nie mogła pojawić się w domu w takim stanie, niczym upiór rodem z jakiegoś horroru, ale nie miała siły jechać do szpitala w St. Johnsburg czy w Newport, żeby ją opatrzyli na izbie przyjęć. Może Dok jeszcze nie śpi, zajrzy do niego. Staruszek udzieli jej pierwszej pomocy, w przeciwnym razie Grace gotowa dostać ataku serca, kiedy zobaczy ją całą we krwi.

Na dobrą sprawę powinna złożyć zawiadomienie o wypadku na policji, ale co to da? Nie widziała tamtego samochodu, wiedziała tylko, że był znacznie większy od subaru. Pewnie furgonetka albo ciężarówka.

Poza tym nie chciała wzbudzać sensacji, Stonegate jeszcze nie wystartowało. Jeden głupi artykuł w prasie, i goście zaczną odwoływać rezerwacje.

Ostrożnie przemierzała długi, pusty odcinek szosy wiodący do Colby. Zwykle woziła w samochodzie chusteczki jednorazowe, ale Marty ostatnio miała katar sienny i zużyła wszystkie. Próbowała ocierać krew brzegiem spódnicy, co przynosiło dość mizerny skutek. Tyle tylko zyskała, że krew nie zalewała jej oczu.

Było już po dziesiątej, kiedy wreszcie dotarła do Colby. Minęła wiejskie błonia i skręciła na drogę nad jeziorem. W oknach u doktora nie paliły się już światła, poza jedną lampką w sypialni na piętrze. Wiedziała, że wstałby i założył jej opatrunek, ale nie chciała fatygować poczciwca. Minęła dom doktorostwa, mocno zaciskając dłonie na kierownicy.

Dotarła niemal pod sam dom. Dopiero kiedy skręciła na drogę wiodącą na farmę, zaczęła odczuwać skutki wypadku, który mógł się skończyć tragicznie. Trzęsła się jak galareta, była na pograniczu histerii. Zbyt wiele zdarzyło się w ciągu ostatniej doby. Jakby nie wystarczyło, że przespała się z kompletnie obcym facetem. A teraz o włos uniknęła śmierci. Trochę za dużo jak na jedną osobę, i to w tak krótkim czasie.

Deszcz nie ustawał i polna droga nad jeziorem zamieniła się w grząskie, śliskie i zdradzieckie bagno. Jechała zbyt szybko, tak się jej spieszyło do domu. Źle wzięła zakręt i utknęła w błocie. Teraz nawet napęd na cztery koła nie był w stanie wyratować jej z opresji.

Uważała się za osobę twardą, wolną od sentymentów, ale miarka się przebrała i Sophie wybuchnęła płaczem. Rozbeczała się jak małe dziecko. Oparła głowę na kierownicy i zaniosła się głośnym, niepohamowanym szlochem. Wreszcie mogła sobie ulżyć.

Od lat nie płakała tak długo, głośno i żywiołowo. Prawdę powiedziawszy, nie pamiętała, kiedy pozwoliła sobie na coś podobnego po raz ostatni.

– Nie wygłupiaj się, Sophie – mruknęła w końcu przez łzy. – Nic ci to nie pomoże. – Otarła łzy brzegiem spódnicy i poniewczasie przypomniała sobie, że wymazała ją wcześniej krwią. Pięknie musiała teraz wyglądać.

Nie może przecież siedzieć w samochodzie pół nocy i użalać się nad sobą, chociaż perspektywa wydawała się całkiem pociągająca.

Po pierwsze skręciła w złym miejscu i teraz miała bliżej do chaty Whittenów niż do własnego domu. Właściwie to do chaty było znacznie bliżej, niżby sobie życzyła. Powinna wrócić do domu, wziąć gorącą kąpiel w wielkiej, staroświeckiej wannie, zaparzyć sobie kubek herbaty ziołowej i położyć się do łóżka. Zdecydowanie za dużo miała dzisiaj atrakcji.

Wysiadła z samochodu, wystawiła twarz na krople deszczu i zaniosła dzięki niebiosom, że żyje i czuje twardy grunt pod nogami. Nie taki jednak twardy, jak by chciała. Zrobiła krok i wpadła po kostki w błoto, ale było jej już wszystko jedno. Gdyby miała dość siły, zostawiłaby samochód na środku wąskiej polnej drogi i pomaszerowała do domu. Tymczasem ledwie mogła się ruszać.

W mroku błysnęło światło latarki. Sophie jęknęła cicho. Nie życzyła sobie, żeby ktokolwiek widział ją w takim stanie. Ani matka, ani Marty, ani John Smith, ani morderca z Northeast Kingdom. Po prostu chciała znaleźć się już w domu. Stała bezradnie, rozważając, czy ukryć się w zaroślach, żeby uniknąć spotkania z nocnym markiem. Trzeba być idiotą, by w taką pogodę urządzać sobie spacery nad jeziorem. Nic jej chyba nie groziło, choć właściwie z dwojga złego wolałaby natknąć się na mordercę niż na człowieka, z którym spędziła ostatnią noc.

Oświetlił ją snop światła. Za późno, by zdążyła się schować. Oczywiście nie mogła dojrzeć, kto kieruje na nią światło. Widziała tylko niewyraźny zarys postaci w płaszczu przeciwdeszczowym. Chyba oglądałam za dużo horrorów, pomyślała ponuro, siląc się na spokój. Jeśli rzuci się teraz do ucieczki, tajemnicza zjawa na pewno wbije jej w plecy ostry nóż.

Zjawa zbliżyła się. Stał teraz kilka kroków od niej i oglądał ją beznamiętnie, takie przynajmniej miała wrażenie, w świetle latarki.

– Mogłem się domyślić, że to ty – powiedział John Smith z rezygnacją w głosie. – Co ci się, do diabła, przydarzyło?

Zaczęła rozważać, czy nie zemdleć z wiktoriańskim wdziękiem. Co by tu zrobić, żeby uniknąć konieczności odpowiadania na głupie pytanie. Ucieczka też nie byłaby najgorszym wyjściem z sytuacji, a jednak żadna z tych opcji nie wchodziła w rachubę. Gdyby osunęła się w błoto, zrobiłaby z siebie jeszcze większe straszydło, kto wie, czy nie potłukła przy upadku. Smith pewnie podniósłby ją i przerzucił sobie przez ramię niczym strażak wynoszący ofiarę z pożaru. Niezbyt stylowe. Gdyby rzuciła się do ucieczki, dogoniłby ją po kilku krokach. O ile, oczywiście, nie potknęłaby się i nie wyłożyła jak długa, co oznaczałoby powrót do pierwszego wariantu.

– A jak ci się wydaje? – prychnęła, uznawszy w końcu, że najlepszym sposobem na Smitha będzie pełen złości ton. – Ktoś próbował zepchnąć mój samochód z drogi.

– Nie odniósł sukcesu.

– Nie tutaj, koło Wodospadu Holendra.

Nie wiedziała, jak to możliwe, ale wyczuła, że Smith zesztywniał.

– I przeżyłaś?

– Wygłupiam się. Nikt nie próbował mnie zepchnąć, miałam po prostu wypadek. O mały włos nie rozjechał mnie jakiś pijany kierowca. Zawadził o mój samochód i pognał dalej. Chyba nawet nie zauważył, co się stało. Zepchnął mnie na pobocze. Na szczęście mam napęd na cztery koła, wydostałam się. Dopiero tutaj pomyliłam drogę i utknęłam w błocie. Nic mi nie jest. Z samochodem też chyba wszystko w porządku. Marzę o tym, żeby wrócić do domu, wziąć gorącą kąpiel i położyć się do łóżka.

Niech to diabli. Co ją podkusiło, żeby gadać o łóżku? Trudno, zresztą wyglądało na to, że na tej kreaturze nie wywarło to najmniejszego wrażenia.

Snop światła omiótł przechylone, tkwiące w koleinie subaru. Przedni zderzak był pogięty, nie wiedziała, czy stało się to teraz, czy podczas niefortunnego spotkania na drodze numer 16.

Smith ponownie skierował światło latarki na Sophie.

– Krwawisz – stwierdził suchym tonem, bez śladu troski.

– Nic mi nie jest – powtórzyła z uporem.

– A jakże – sarknął i zgasił latarkę. Sophie pomyślała, że oto najwyższa pora, żeby dać nogę, ale nie wykonała najmniejszego ruchu.

Smith ujął jej dłoń.

– Idziemy do mnie czy do ciebie?

– Słucham?

– Nie pozwolę, żebyś sama plątała się po nocy jak jakaś dusza potępiona. Jesteś cała wymazana błotem i krwią, wyglądasz, jakbyś przed chwilą uszła spod siekiery maniakalnego mordercy. Wątpię, żebyś w tym stanie potrafiła o własnych siłach trafić do domu. Musisz się doprowadzić do porządku, potem dopilnuję, abyś bezpiecznie dotarła do Stonegate. Idziesz do mnie?

– Sama dam sobie radę.

– Boję się, że raczej nie – mruknął bardziej do siebie niż do niej i pociągnął ją w kierunku chaty. Nie miała siły się opierać, choć rozum mówił jej, że powinna uciekać. – Nie myśl tylko, że będę cię niósł – dodał. – Pogoda jest fatalna, ślisko jak diabli, a ty nie jesteś leśną nimfą i trochę ważysz. Musisz iść o własnych siłach.

To ją dotknęło do żywego.

– Dupek – warknęła. – Dżentelmen zaproponowałby mi przynajmniej swój płaszcz.

– Naprawdę tak uważasz? Jesteś zmoknięta, cała we krwi i w błocie. Nic ci już nie pomoże i nie zamierzam oddawać ci płaszcza. A poza tym, skąd ci na Boga przyszedł do głowy pomysł, że jestem dżentelmenem?

No właśnie, skąd? John Smith miał absolutną rację. Był pozbawionym manier prosiakiem. Jaką taką kurtuazję potrafił z siebie wykrzesać jedynie wobec Grace, poza tym zachowywał się skandalicznie. Chciała mu to powiedzieć, komponowała już kwieciste epitety w rodzaju: „wyleniały satyr" i „obleśny kłamca". Zanim zdążyła wydusić z siebie pierwszą obelgę, stali na ganku chaty.

Smith otworzył drzwi i niemal wepchnął ją do środka, z właściwą sobie galanterią, ale nie miała siły się z nim kłócić, wytykać mu braku kindersztuby. Pokój w świetle lampy wyglądał zupełnie inaczej niż za dnia. Na kominku palił się ogień i dopiero teraz Sophie poczuła, że przemarzła na kość.

Miała dwie możliwości – zadziałać przez zaskoczenie, odepchnąć go i uciec w noc i deszcz, zanim ten gbur zdąży zareagować, albo podejść do kominka i ogrzać się.

Był znacznie wyższy od niej, znacznie silniejszy i choć akurat zajął się zdejmowaniem płaszcza przeciwdeszczowego, to skutecznie blokował drogę odwrotu. Poza tym nie sprawiał wrażenia kogoś, kogo łatwo zaskoczyć. A jej było potwornie zimno.

Trudno, pomyślała z rezygnacją, kiedy ujął ją za rękę i pociągnął w stronę ognia.

– Zostań tutaj – nakazał, chyba niepotrzebnie, bo nie myślała już o ucieczce.

Nigdzie nie zamierzała uciekać. Chciała być tutaj, gdzie była, z nim.

Boże, żeby tylko nie ciążyła nade mną klątwa kobiet z rodu Wilsonów, pomyślała trochę nieprzytomnie. Życie i bez tego jest okropnie skomplikowane. Powinna uciekać do domu, zamknąć za sobą drzwi na cztery spusty. Odgrodzić się od tego człowieka, odgrodzić się od swoich chorych rojeń. No i uwolnić się od obsesyjnych marzeń o udanym seksie.

Nie uwolni się. Wiedziała o tym aż nadto dobrze, tak jak wiedziała, że wystarczy, by Smith zapukał do jej drzwi, by była gotowa paść mu w ramiona.

Nie było dla niej ratunku.

ROZDZIAŁ SZESNASTY

Nigdy w całym swoim życiu nie widział istoty, która wyglądałaby bardziej żałośnie. Stała w deszczu i patrzyła na niego oczami zbitego psa. Absurdalny odruch, ale miał ochotę objąć ją i zapewnić, że wszystko będzie dobrze.

Czego, ma się rozumieć, nie uczynił. To byłoby nie w jego stylu. A poza tym... skłamałby. Rzucił głupią uwagę na temat jej obfitych kształtów, żeby wyrwać ją z odrętwienia, rozwścieczyć, zmusić do wykonania jakiegokolwiek ruchu. Powinien mieć się na baczności. Nie widział jej jeszcze w pełnym świetle dnia, ale czuł, że jej ciało jest doskonałe. Prawie doskonałe. Jeśli będzie jej dokuczać, Sophie zacznie się głodzić i znikną apetyczne krągłości.

Chwycił kilka mocno przetartych ręczników należących do wyposażenia chaty i wrócił do salonu. Sophie nadal tkwiła w tym samym miejscu, gdzie ją zostawił, oświetlona blaskiem płomieni.

Umazana krwią twarz, mokre, zlepione deszczem włosy, suknia we krwi i błocie. Wyglądała jak podtopiony szczur, który cudem wyszedł z ciężkiej opresji.

Chciał usunąć ślady krwi i błota, zdjąć z niej brudną suknię i rozgrzać to drżące, przemarznięte ciało. Miniona noc była zaledwie wstępem do udręki. Griffin przez cały dzień nie mógł się skupić, wciąż myślał o Sophie.

Stała teraz przed nim, bezbronna, pełna niepokoju i słodkich obietnic. Ach, dotrzeć do tych obietnic, do każdej bez wyjątku, wszystkich po kolei. Odkrywać je powoli, poznawać dokładnie, zamienić się w zdobywcę. Nie chciał myśleć o morderstwie, o przeszłości, nawet o przyszłości. Liczyło się tylko teraz, tylko Sophie i jej zapach, zapach kwiatów i świeżych, jeszcze gorących ciasteczek.

Rzucił ręczniki na fotel z wikliny.

– Widziałaś, jak wyglądasz? – Musiał mocno się pilnować, żeby trzymać ręce przy sobie.

– Słucham? – zapytała drętwym głosem.

– Koło okna jest lustro.

Odwróciła się powoli, przez chwilę wpatrywała się w swoje odbicie. Griffin miał wrażenie, że biedna Sophie zaraz się rozpłacze.

Tymczasem, ku swojemu zaskoczeniu, usłyszał śmiech.

– Cholera – mruknęła. – Nic dziwnego, że jesteś taki miły.

– Zawsze jestem miły – zapewnił i zaczął wycierać jej głowę jednym z przyniesionych przed chwilą ręczników.

– Oczywiście, zawsze jesteś miły. Auu! – krzyknęła, po czym wyrwała mu ręcznik. – Rozbiłam głowę, zapomniałeś? Sama to zrobię.

– Dobrze – zgodził się Griffin skwapliwie. – Ja zajmę się resztą.

Sophie cofnęła się o krok.

– Poprzetrącam ci łapy – oznajmiła ostrzegawczym tonem.

– Tak łatwo ci ze mną nie pójdzie. – Była przemarznięta, miała gęsią skórkę, drżała. Niech to diabli, chciał ją zobaczyć. Tak bardzo chciał ją wreszcie zobaczyć. Ostatniej nocy, w ciemnościach, było bardzo miło, ale teraz pragnął dokładnie się jej przyjrzeć.

Nie, jeszcze nie. Nie będzie nic przyspieszał. Sophie wyglądała tak żałośnie, że serce mu się kroiło.

– Usiądź, okryję cię kocem i obejrzę to rozcięcie na głowie. Trzeba opatrzyć ranę – powiedział.

– Obejdę się bez twojej pomocy. Sama dam sobie radę.

– Obawiam się, że jednak nie dasz sobie rady. Znowu zaczęłaś krwawić.

– To przez ciebie. Trzeba było mnie nie dotykać – rzuciła.

Przynajmniej znajdowała w sobie dość energii,

żeby się z nim sprzeczać. Liczył na to, że dopóki będzie ją irytował, Sophie nie zaleje się łzami. Na widok płaczącej kobiety wpadał w panikę i zupełnie nie wiedział, co robić.

Kiedy wrócił do pokoju z kołdrą w jednej ręce i nędznie zaopatrzoną apteczką w drugiej, Sophie siedziała przy kominku, pochłonięta wycieraniem włosów.

– Owiń się – mruknął, podając jej starą kołdrę.

– Nie – zaprotestowała z przerażeniem w głosie. – To małżeńska kołdra.

– Co takiego?

– Podwójna. Pewnie ma z siedemdziesiąt lat. Nigdzie się już takiej nie kupi. Mam ją wybrudzić krwią i błotem? W życiu...

– Owiń się, do ciężkiej cholery, albo sam cię opatulę – syknął przez zaciśnięte zęby.

Niepewnym ruchem zarzuciła sobie kołdrę na ramiona i szarpnęła się gwałtownie, kiedy dotknął jej głowy.

– Kołdry można prać – zauważył rzeczowo. Miała niewielkie rozcięcie na skroni, nic groźnego, mała ranka, która już się zasklepiała. Nalał na gazik wody utlenionej i zaczął delikatnie przemywać rozcięcie, tak delikatnie, jak tylko potrafił. A wcale przecież nie chciał obchodzić się z Sophie delikatnie. Lepiej gdyby w ogóle jej nie dotykał. Czuł, jak to się skończy i dopiero teraz, zbyt późno, zrozumiał, że to był niezbyt dobry pomysł.

Fatalny pomysł.

– To naprawdę stara rzecz. Niemal antyk. Materiał jest już mocno zleżały, no i poprzecierany – tłumaczyła. – Trzeba czyścić chemicznie, i to bardzo ostrożnie. Przynieś kołdrę do zajazdu, sama ją wyczyszczę.

– Myślałby kto, że taka z ciebie chodząca doskonałość! Gospodyni bez skazy – zezłościł się. Skończył przemywać rozcięcie i mimo że już nie krwawiło, zakleił je na wszelki wypadek plastrem.

– W pewnym sensie tak. Prowadzę rubrykę porad domowych w kilku pismach dla kobiet. – Powiedziała to dziwnie defensywnym tonem, jakby tłumaczyła się przed Griffinem ze swojej działalności.

– I ty nie jesteś mężatką? – Chryste, dlaczego zadał tak kretyńskie pytanie? Zaraz gotowa na niego huknąć. Owszem, zaplanował, że będzie ją prowokował, ale tym razem zdecydowanie przesadził.

Sophie, na szczęście, obeszła się z nim łagodnie.

– Nie twoja sprawa – powiedziała tylko, uznając temat za wyczerpany.

– Słusznie – zgodził się. – Opatrzyłem rozcięcie najlepiej, jak potrafiłem.

– Co robiłeś w lesie wieczorem, w taki deszcz? – przypomniała sobie nagle Sophie. – Wybrałeś się na spacer przy księżycu?

– Owszem, szczególnie, że mamy akurat bezksiężycową noc. – Griffin przysunął sobie fotel i usiadł tuż koło Sophie. Bardzo blisko, tak blisko, że mógł jej dotknąć.

– Może właśnie wróciłeś z przejażdżki szosą numer 16? Może to ty chciałeś mnie zepchnąć z drogi? – Zmierzyła go podejrzliwym wzrokiem.

– Po co miałbym to robić? Myślałem cały dzień o tobie, przyznaję, ale zaręczam, że jeśli już na coś miałem ochotę nastawać, to na pewno nie na twoje życie.

Zaczerwieniła się, naprawdę się spłoniła. Zakłopotana, czerwona jak piwonia, odwróciła szybko głowę.

– To po co wychodziłeś z domu w taką pogodę?

– Wylądowałaś tuż koło chaty. Słyszałem cię. Jechałaś bardzo szybko, potem usłyszałem charczenie silnika, buksujące w błocie koła. Jeśli chcesz wiedzieć, słyszałem nawet, jak beczysz na cały głos. Na szczęście uspokoiłaś się, zanim cię znalazłem. Rozumiem, utknęłaś w błocie, ale to jeszcze nie powód, żeby wylewać łzy.

– Nie płakałam dlatego, że utknęłam w błocie.

– Niech i tak będzie – zgodził się. – Powiedz mi zatem, skąd pomysł, że ktoś próbował cię zabić?

– Tego nie powiedziałam.

– Owszem, powiedziałaś. Mówiłaś, że ktoś rozmyślnie chciał cię zepchnąć z drogi. Nie ja, zaręczam. Musiał to być ktoś inny. Masz jakiś wrogów w okolicy?

– Poza tobą żadnych.

Griffin parsknął śmiechem.

– Nie bądź naiwna.

Zaczerwieniła się, o ile to w ogóle możliwe, jeszcze bardziej. Mowy nie było, żeby wypuścił ją z chaty przed świtem, wiedział już o tym. Być może nie powinien jej zatrzymywać, może dla obojga byłoby lepiej, gdyby powiedzieli sobie uprzejmie dobranoc... Nic z tego.

– Ten człowiek musiał być pijany – powtórzyła. – Pewnie nie zdawał sobie nawet sprawy, że omal nie spowodował śmiertelnego wypadku.

– Może. Jakim samochodem jechał?

– Nie wiem. Miał włączone długie światła. Wszystko zdarzyło się tak szybko, że nie zauważyłam. Nawet nie wiem, czy za kierownicą siedział mężczyzna, czy kobieta. Pomyślałam tylko, że nie ma sensu zawiadamiać policji, ale może jednak powinnam zadzwonić na posterunek. – Chciała się podnieść i podejść do telefonu, ale Griffin położył jej dłoń na ramieniu.

– Jutro zadzwonisz. O tej porze na posterunku nikogo nie ma. Mogłabyś co najwyżej zadzwonić do St. Johnsbury, tam ktoś dyżuruje, ale wątpię, by ucieszył ich twój telefon. Mają ważniejsze sprawy na głowie.

– A ty skąd to wiesz?

Griffin wzruszył ramionami.

– W St. Johnsbury mieszka dużo biedoty, tak zwany element...

– Nie o to pytam. Skąd wiesz, jak działa lokalna policja? A przy okazji, skąd właściwie wiesz, jaki „element" mieszka w St. Johnsbury?

Cholera.

– Sama już wpadłaś na to, że jestem dziennikarzem. Przeprowadzałem małe rozpoznanie terenu.

– Nie jesteś dziennikarzem ani pisarzem. Pomyliłam się.

– Cieszę się, że doszłaś do takiego wniosku – zauważył uprzejmie.

– Jesteś gliniarzem.

Na twarzy Smitha pojawił się grymas mający oznaczać najwyższy niesmak.

– A ty, jesteś pewna, że sama nie piszesz powieści? Dlaczego wciąż wymyślasz takie niestworzone historie? A może ja niczego nie ukrywam, nie mam żadnych tajemnic?

– Jesteś Johnem Smithem? Aha. Masz coś wspólnego z tymi morderstwami sprzed lat. Wiem, że tak, nie próbuj zaprzeczać. Może zaczynałeś tu służbę w policji, kiedy zginęły te dziewczyny i do tej pory dręczy cię, że zagadka nie została rozwiązana, a chłopak, którego skazano, wyszedł po kilku latach na wolność. Może szukasz dowodów, że rzeczywiście to on zabił, że jest winny.

– I co by to dało? Nikt nie ma pojęcia, gdzie ten biedny dzieciak się teraz podziewa, co się z nim dzieje. Jeśli rzeczywiście zabił, wyrzuty sumienia są dla niego wystarczającą karą.

– Wniosek z tego, że nie jesteś prawnikiem, skoro nie dbasz o sprawiedliwość.

– Wniosek z tego, że jesteś niewinna jak nowo narodzone jagnię i nie masz pojęcia o świecie – zauważył z przekąsem. – Prawnicy nie dbają o sprawiedliwość, tylko o kasę.

Wiedział, że ją dotknął, pokpiwając z jej niewinności. Niedobrze. Ciągle nie mógł otrząsnąć się ze zdumienia, że ta cudowna kobieta jeszcze dwadzieścia cztery godziny temu była dziewicą.

Trzydziestoletnia dziewica.

I pomyśleć, że to on musiał zmienić ten stan rzeczy. Toż to dla każdego mężczyzny prawdziwie traumatyczne przeżycie. W każdym razie bliskie traumatycznego. Zawsze trzymał się z daleka od młodych, niewinnych kobiet. Wolał doświadczone i takie, o których wiedział, że nie zaangażują się emocjonalnie. Sophie jakimś sposobem udało się przyciągnąć jego uwagę.

– Muszę wracać do domu – oznajmiła.

– Ciągle pada.

– Nie szkodzi, i tak jestem przemoczona.

– Mogę cię wysuszyć.

Dopadła drzwi nie wiedzieć kiedy, ale on też był szybki – zatrzasnął je, zanim zdążyła wybiec.

– Muszę wracać do domu – powtórzyła drżącym ze złości głosem.

– W takim razie odprowadzę cię. Naprawdę chcesz wracać? O co właściwie mnie podejrzewasz? Co cię wystraszyło, że tak raptem podjęłaś decyzję?

– Naprawdę chcę wracać. – Na drugie pytanie nie odpowiedziała. Nie było potrzeby, obydwoje doskonale wiedzieli, do czego zmierzał, co mu chodziło po głowie. Co jej chodziło po głowie.

A jednak powiedziała „nie". Odkąd sięgał pamięcią, „nie" nigdy nie było dla niego odpowiedzią. Nie uznawał czegoś takiego jak „nie". Raz się zdarzyło, tamtej fatalnej nocy, przed dwudziestu laty.

– Wezmę tylko kluczyki.

– Mogę pójść pieszo.

– Po pierwsze pada, po drugie powiedziałem, że cię odprowadzę. Nie pozwolę, żebyś błąkała się sama w środku nocy po ciemnym lesie. Nie zostawię cię. Pojedziemy moim samochodem. I nie kłóć się ze mną. Im dłużej będziesz się sprzeczała, tym dłużej będzie to trwało i w końcu, kto wie, jeszcze cię namówię, żebyś zmieniła zdanie.

Sophie zamilkła na to dictum, już nie próbowała protestować. Gdyby nie był tak zawiedziony, pewnie by go to rozbawiło.

Nie ma powodów się boczyć, powiedział sobie, wkładając płaszcz. W końcu ostatnią noc miał pełne prawo zaliczyć do bardzo udanych, pomimo braku doświadczenia Sophie, a nie był maszynką do uprawiania seksu. Trochę wstrzemięźliwości wcale mu nie zaszkodzi.

Pod warunkiem, że nie będzie patrzył na Sophie, wtedy może nawet wyjdzie mu na dobre.

Na wieszaku wisiała gruba, bawełniana bluza z kapturem. Zdjął ją, podał Sophie.

– Weź to, będzie ci cieplej.

Otworzyła usta, gotowa znowu się sprzeczać, ale zrezygnowała. Może to i lepiej, bo uciszyłby ją pocałunkiem, choćby tylko po to, żeby sprawdzić, czy pod wpływem pieszczoty nie zmieni jednak zdania.

Trochę się bał, że ledwie wyjdą na ganek, Sophie zostawi go, zniknie w ciemnościach i pójdzie samotnie do domu. Jednak nie, bez oporów wsiadła do samochodu.

Silnik zapalił, jak na złość, od pierwszego razu. Griffin wrzucił bieg i powoli wycofał wóz sprzed chaty. Sophie siedziała obok, dłonie złożyła w małdrzyk niczym skromna panna. Umazane błotem stopy złączyła ściśle i tak znieruchomiała, a on myślał wyłącznie o tym, jak bardzo chciałby widzieć ją w czymś kusym, przezroczystym i bardzo seksownym. Nie powinna zasłaniać ślicznego ciała sięgającymi kostek falbankami.

Ruszyli w milczeniu, minęli unieruchomione subaru.

– Chcesz, żebym jutro zadzwonił do warsztatu i poprosił o pomoc? – zagadnął.

– Sama się tym zajmę – odpowiedziała suchym tonem.

– Jak sobie życzysz.

Podwiózł ją pod sam dom i zatrzymał jaguara od strony tylnego wejścia. Był niemal pewien, że Sophie wyskoczy z samochodu, nie czekając, aż silnik zgaśnie, ale znowu go zaskoczyła. Ciągle go zaskakiwała, niemal na każdym kroku.

Odwróciła się ku niemu i gestem damy podała mu brudną, umazaną dłoń.

– Bardzo ci dziękuję za odwiezienie.

Uśmiechnął się mimo woli, ale ujął wyciągniętą dłoń i uścisnął.

– Zawsze do usług – oświadczył z powagą, nie puszczając jej dłoni.

– Jesteś gliną? – zapytała.

– Nie.

– Pisarzem? Dziennikarzem?

– Nie.

Sophie przygryzła wargę, a on pomyślał, że chyba będzie musiał ją pocałować.

– To kim jesteś?

– Okropnie napalonym facetem – powiedział, po czym jednym zgrabnym ruchem przyciągnął ją do siebie. – Przepraszam, nie mogłem się powstrzymać – dodał bez cienia skruchy, położył jej dłoń na karku i pocałował.

Myślał, że będzie się opierała, że go zelży, zacznie się szarpać. I kolejna niespodzianka. Sophie westchnęła cicho, oparła mu dłonie na ramionach i oddała pocałunek.

Griffin zareagował natychmiast. Przygarnął ją bliżej i wsunął rękę pod obszerną bluzę. Po co u diabła proponował jej ten ciuch, skoro cały czas myślał, jak pozbawić ją ubrania?

Czuł gwałtowne bicie jej serca i wiedział, że to nie strach, tylko pożądanie, czyste, nie zabarwione żadnym innym doznaniem. Posadził ją sobie na kolanach; tym razem dłoń zanurkowała pod sutą, długą spódnicę, sunęła w górę. Griffin nie odrywał ust od ust Sophie, już się zastanawiał, czy zdoła ją namówić na gorący seks w samochodzie. Kiedy spróbował rozpiąć zamek błyskawiczny w swoich dżinsach, wydała krótki, zdławiony okrzyk przerażenia, odepchnęła go z całych sił i właściwie nie tyle wysiadła, co wypadła jak burza z samochodu.

Patrzył ogłupiały, jak biegnie w stronę drzwi kuchennych, szarpie je gwałtownie, po czym znika we wnętrzu domu.

Zaklął głośno, dosadnie. To były najgorsze przekleństwa, jakie mu przyszły do głowy. Miał ochotę rąbnąć w coś z całych sił pięścią, ale poza mało nadającą się do takich celów deską rozdzielczą z drewna orzechowego nie miał nic pod ręką, a nawet w największym amoku nie uszkodziłby ukochanego jaguara. W końcu każdy ma swoje priorytety.

Siedział za kierownicą i wpatrywał się w ciemną bryłę Stonegate. Za odnowioną częścią widział stare, opuszczone skrzydło z zabitymi na głucho oknami. Na dobrą sprawę mógłby spróbować tam wejść teraz. Sophie była tak zdenerwowana, że nie zauważy, czy odjechał.

Nie miał przy sobie latarki. Ani siły błądzić po mrocznym wnętrzu, które najpewniej kryło zagadkę morderstwa. Nie dzisiejszej nocy.

Nie, nie będzie włamywał się do starego skrzydła. Wróci do domu i spróbuje zasnąć, rozmyślając o ponętnych biodrach Sophie.

Chyba żeby zdecydował się coś zdemolować ot tak, by wyładować złość. Obie ewentualności wydawały się równie dobre. Najlepsze, na jakie mógł liczyć w ponurą i deszczową noc.

ROZDZIAŁ SIEDEMNASTY

Sophie z kubkiem kawy w dłoni siedziała w fotelu na ganku, zapatrzona w przesłonięte porannym oparem jezioro. Grace już nie spała. Krzątała się po swoim pokoju i nuciła pod nosem, niemiłosiernie fałszując. To było coś nowego, Grace miała świetny słuch, ładny głos, wcześniej nie zdarzało się jej fałszować, ale w miarę postępowania choroby jej śpiew stawał się coraz bardziej przykry dla ucha. Czasami trudno było zgadnąć, o jaką melodię chodzi. Dzisiejsze produkcje brzmiały jak skrzyżowanie Cole'a Portera z ukochanym przez Marty Limp Bizkit i jeśli nawet taki dobór repertuaru miał jakiś ukryty sens, pozostawał on dla Sophie nieodgadniony.

Skądinąd nie zależało jej jakoś szczególnie na rozwikłaniu tego problemu, miała przecież większe zmartwienia – tkwiący w błocie samochód, coraz bardziej sfiksowana matka, zbuntowana siostra, tajemniczy sąsiad, niepewny los nowego przedsięwzięcia pod nazwą Stonegate, zaległy tekst dla redakcji, w końcu rozcięcie na skroni i potworny ból głowy, na który nie pomogło kilka zażytych tuż po sobie, coraz silniejszych pigułek.

Jak do tego doszło, że w ciągu zaledwie kilku dni wszystko raptem wymknęło się spod kontroli? Bez żadnego ostrzeżenia? Jeszcze cztery dni temu nie miała pojęcia o istnieniu Johna Smitha, a teraz? Zdążyła się z nim przespać i omal nie powtórzyła swojego wyczynu ostatniej nocy na przednim siedzeniu jaguara, na szczęście w porę oprzytomniała. Niech to wszyscy diabli.

Spojrzała w kierunku chaty Whittenów, ze swojego miejsca widziała tylko dach majaczący między drzewami. Korciło ją, żeby zejść na brzeg jeziora, skąd miałaby otwarty widok na tymczasową siedzibę Smitha, ale się powstrzymała. Rozsądek, który ostatnio nie był najmocniejszą stroną jej osobowości, wziął górę.

Z komina szedł w niebo jasny dym, w rześkim porannym powietrzu unosił się miły zapach spalanego drewna. Dobrze zrobiłam, że przeniosłam się na wieś, pomyślała, upijając łyk mocnej kawy. Mogła do woli rozkoszować się dwoma ukochanymi zapachami – spalanego drewna i świeżo skoszonej trawy. Jeszcze zapach kawy i chleba prosto z pieca, ale tymi mogła cieszyć się również w mieście. Nic jednak nie umywało się do zapachu chłodnej jeziornej wody o poranku pod koniec sierpnia.

Może powinna pójść popływać, zmyć z siebie, nawet jeśli tylko na chwilę, dręczące ją troski.

I potem wyjść na brzeg z przemarzniętym na kość tyłkiem.

Teoretycznie dobrze by jej to zrobiło, w praktyce pomysł wydawał się mało zachęcający, już sama perspektywa wywoływała potężne dreszcze. Still Lake było co prawda wyjątkowo czystym jeziorem, ale żyły w nim rozmaite, diabli wiedzą jakie, organizmy, które mogłyby zainfekować ranę.

Chyba powinna była kazać założyć sobie szwy. Gdyby zdecydowała się wczoraj wyciągnąć Doka z łóżka, nie utknęłaby w błocie, nie spotkałaby Johna Smitha, nie byłaby teraz niespokojna i zła na samą siebie. Nie kusiłoby jej, żeby pójść sprawdzić, co z samochodem. Liczyła skrycie, że podczas tej przechadzki być może natknęłaby się znowu na sąsiada. A gdyby tym razem nie uciekła, wtedy...

Usłyszała zbliżający się samochód i poczuła natychmiast ucisk w żołądku. Przeszedł, kiedy tylko uświadomiła sobie, że ten dźwięk w niczym nie przypomina głębokiego, seksownego mruczenia jaguara.

Przyjechał Dok.

Wysiadł z wozu z dość posępną miną, ale na ganek wmaszerował z uśmiechem na twarzy.

– Poczęstujesz mnie kawą? – zapytał i zmierzył Sophie trochę nadto, jak na jej gust, uważnym spojrzeniem.

– Zaraz ci przyniosę.

– Nie, nie. Nie zrobiłaś aż takiej rewolucji w kuchni Peggy, żebym nie pamiętał, gdzie co jest. Poradzę sobie i przez chwilę poczuję się jak za dawnych czasów. A ty, chcesz jeszcze jedną?

– Odnoszę dziwne wrażenie, że nie przyjechałeś w celach czysto towarzyskich – powiedziała Sophie, podając mu kubek.

– Ależ owszem, jak najbardziej towarzyskich – zapewnił Dok. – Powiedzmy, że sprowadza mnie towarzyskie zatroskanie, jeśli można tak to ująć. Zaraz wracam.

Sophie wypuściła wstrzymywane od dłuższej chwili powietrze. Wolałaby nie wiedzieć, co to za zatroskanie sprowadza Doka do Stonegate. Miała wystarczająco dużo kłopotów, przed chwilą sama je wyliczała w myślach, nie potrzebowała kolejnych. O ile znała Doka, chciał raczej pomóc, zamiast komplikować jej, i tak już wystarczająco skomplikowane, życie.

– Jest kawa – oznajmił, pojawiając się na ganku z dwoma kubkami. Podał jeden Sophie, po czym upił duży łyk ze swojego. – Wyborna – pochwalił z ukontentowaniem.

– Co miałeś na myśli, mówiąc, że poczujesz się jak za dawnych czasów? Przyjaźniłeś się z Peggy Niles?

Dok zaśmiał się.

– Tutaj wszyscy znają wszystkich, albo są ze sobą spokrewnieni, albo zaprzyjaźnieni od pokoleń. Peggy była moją siostrą, myślałem, że wiesz o tym. Stonegate to nasz dom rodzinny. Ojciec był wiejskim lekarzem, matka pielęgniarką. Na tyłach domu mieścił się szpitalik. Urodziłem się i wychowałem w tym domu.

Sophie uśmiechnęła się i powiedziała:

– Wiedziałam, że w starym skrzydle był kiedyś szpital, ale jakoś nie skojarzyłam tego faktu z tobą. Dlaczego dom odziedziczyła Peggy, a nie ty? Nie chciałeś mieć swojego szpitala?

– Czasy się zmieniły. Kiedy byłem dzieckiem, w każdej wiosce był szpital, ale potem zaczęto je zamykać. Ludzie woleli korzystać z tych w większych ośrodkach, w Morrisville czy w St. Johnsbury. Naprawdę poważne przypadki przyjmuje poliklinika w Burlington. Dlatego zdecydowałem się otworzyć gabinet we wsi i na tym poprzestać. Poza tym Rima nie chciała mieszkać po tej stronie jeziora, dla niej to zbyt odludne miejsce. Kiedy Peggy wyszła za Burta Nielsa, zamieszkali tutaj, trochę bawili się w farmerów, nie szło im, nie mieli smykałki do gospodarowania. – Dok odchylił się w fotelu. – Z Burta zawsze był nicpoń i ladaco, w końcu zostawił rodzinę i zniknął. Peggy usiłowała zarobić na utrzymanie domu. Najpierw prowadziła w Stonegate dom opieki, potem pensjonat, ale nie było z tego pieniędzy. Nosiła się z zamiarem zamknięcia interesu, kiedy zdarzyły się te straszne morderstwa.

– Wkrótce potem umarła, prawda?

– Dopiero w kilka lat później, na raka. Nie można jej było pomóc w żaden ludzki sposób. Zaangażowałem się w jej leczenie bez reszty, woziłem ją do najlepszych specjalistów, wszystko na nic, nie potrafiłem jej uratować.

– Tak mi przykro – szepnęła Sophie.

Dok wzruszył ramionami.

– Jestem lekarzem, powinienem być oswojony ze śmiercią, ale to nie takie łatwe. Człowiek nigdy się nie oswoi, choćby miał z nią do czynienia nawet codziennie.

– Nie, chyba rzeczywiście nigdy – powiedziała Sophie.

– Na Boga – wzdrygnął się Dok – nie przyjechałem przecież tutaj, żeby prowadzić przygnębiające rozmowy o śmierci. Chciałem tylko zapytać, co zaszło wczoraj wieczorem i sprawdzić, czy dobrze się czujesz.

– Wczoraj wieczorem? – powtórzyła niepewnie i natychmiast pomyślała o seksie. Nie o wypadku, tylko o seksie. Uciekła w ostatniej chwili, oparła się pokusie, nie przespała się po raz drugi z Johnem Smithem, chociaż bardzo tego chciała. Ale co to wszystko może obchodzić Doka...?

– Słyszałem, że miałaś kłopoty z samochodem. Zebulon King dzisiaj o świcie zobaczył twoje subaru na drodze, tkwiące w błocie, i odholował je do wsi. Mówił, że zderzak jest wgięty, a siedzenie całe we krwi.

– Uderzyłam się w głowę – bąknęła Sophie, mocno zakłopotana.

– Widzę. Powinnaś była natychmiast mnie wezwać, przyjechałbym przecież. Obrażenia głowy to nie żarty. Mogło się okazać, że masz wstrząśnienie mózgu albo i gorzej.

– Nic mi nie jest, Dok. To tylko niewielkie rozcięcie.

– Co się stało, Sophie? Twój sąsiad przy mijaniu zepchnął cię w błoto?

– Nikt mnie nie zepchnął – żachnęła się i zaraz uświadomiła sobie, że kłamie. Przecież omal nie przypłaciła życiem spotkania z pijanym kierowcą na drodze do Hampstead. Nie zamierzała wracać do tego incydentu, tym bardziej opowiadać o nim Dokowi. – Późno wracałam do domu, spieszyłam się, padało, jechałam widać nie dość ostrożnie i stało się. Głupia historia, tyle. W gruncie rzeczy nic się nie stało – zakończyła niedbale.

Dok długo się nie odzywał, jakby ważył w myślach relację Sophie.

– Zebulon King twierdzi, że na zderzaku są

ślady niebieskiego lakieru – powiedział wreszcie. – Trochę pomylony z niego człowiek, ale nie jest pozbawiony mózgu. Miałaś stłuczkę, Sophie? Uderzyłaś w jakiś samochód? Mnie możesz powiedzieć. Piłaś jakiś alkohol wczoraj? Jeśli kogoś stuknęłaś albo w coś wjechałaś, najlepiej będzie, jeśli się przyznasz. Pomogę ci...

Sophie zaśmiała się.

– Nic wczoraj nie piłam, Dok. W ogóle niewiele piję, a już za nic nie usiadłabym za kierownicą po alkoholu. Byłam trochę rozkojarzona, zajęta własnymi myślami, na drogach jest ślisko...

Była zdecydowana nie wspominać ani słowem o tym, co się wydarzyło koło Wodospadu Holendra. Po co? Dok zmartwiłby się tylko niepotrzebnie. A jednak głupio się czuła ze świadomością, że okłamuje staruszka. Może dlatego zachowała prawdę dla siebie, że Dok od razu wyciągnąłby fałszywe wnioski. Dlaczego był taki nieufny wobec Smitha? To, że ona mu nie ufała, nie miało w tym wypadku żadnego znaczenia. Mogła nabrać podejrzeń, ale Dok?

– To miło ze strony pana Kinga, że zajął się moim samochodem – powiedziała. – Kilka razy spotkałam go u Audleya. Wygląda jak Abraham Lincoln cierpiący na ciężką depresję. Nie przypuszczałam, że zada sobie tyle fatygi. Sprawia wrażenie człowieka, który nie lubi ludzi, a już szczególnie obcych. Współczuję jego żonie.

– To dobry człowiek – zapewnił Dok. – Surowych zasad, staroświecki, trochę kostyczny, ale bardzo uczciwy.

– Kiedy go widzę, czuję się nieswojo. Przypomina mi fanatycznych purytańskich kaznodziei, którzy kazali wszetecznicom nosić szkarłatną literę na piersi.

– A ty uważasz, że zasługujesz na szkarłatną literę? – zapytał Dok cicho.

– Skądże.

Staruszek skinął głową, ale minę miał powątpiewającą.

– Dobrze to słyszeć – powiedział. – Czasami martwię się o ciebie. Cieszę się, że nie doszło wczoraj do żadnego wypadku i że nikt nie próbował wyrządzić ci krzywdy.

– A dlaczego ktoś miałby chcieć wyrządzić mi krzywdę? Nie mam wrogów.

– Nie trzeba mieć wrogów, żeby być narażonym na niebezpieczeństwo. Pewnie myślisz, że przesadzam, ale ja wiem swoje, uwierz mi. Minęło wiele lat, jednak ja nie mogę pozbyć się myśli, że koszmar się powtórzy, że morderca któregoś dnia wróci do Colby.

– Dlaczego, po co? – zdziwiła się Sophie, ale poczuła zimne ciarki na plecach.

– Znasz to stare powiedzenie, że morderca zawsze wraca na miejsce zbrodni? Może coś go do tego popycha, może chciałby w jakiś sposób odkupić swoje winy? Albo przeciwnie, znowu musi zabijać. Nigdy nie pociągała mnie psychiatria. Nie rozumiem psychiki maniakalnego zbrodniarza i powiem ci, że wolę jej nie zgłębiać. Chcę tylko mieć pewność, że nikt więcej nie zginie.

Sophie nachyliła się i położyła dłoń na dłoni staruszka.

– Dok, minęło dwadzieścia lat.

– To nie koniec. – Dok pokręcił głową. – Coś mi mówi, że to nie koniec. Uważaj na siebie, Sophie, proszę. Nie ufaj obcym, choćby nie wiem jak mili się wydawali. Nie pozwalaj Marty chodzić samej po okolicy. Ta dziewczyna szuka kłopotów. Serce by mi pękło, gdyby historia miała się powtórzyć.

– Marty nic się nie stanie – powiedziała Sophie, walcząc z paniką. – Ona akurat potrafi o siebie zadbać. Bardziej martwię się o Grace.

– O nią akurat nie musisz się martwić. Ten człowiek wybiera na ofiary wyłącznie młode dziewczęta. Starsze panie go nie interesowały. Wszystkie trzy zabite były mniej więcej w wieku twojej siostry. Nie zniósłbym, gdyby ta tragedia miała się powtórzyć.

Sophie powoli odstawiła pusty kubek po kawie na podłogę.

– Człowiek, o którym rozprawiamy, prawdopodobnie już dawno nie żyje. Nie wierzę, że wrócił i znowu zacznie zabijać. Po dwudziestu latach?

– Skąd ta pewność, moja droga? – zapytał Dok cicho. – Może cały czas mieszka w Colby. Miej się na baczności, Sophie. I ty, i Marty.

– O czym mówicie? – W drzwiach pojawiła się Marty we własnej osobie.

– Wcześnie dziś wstałaś. – Sophie próbowała uniknąć odpowiedzi na pytanie siostry.

– Obiecałam Patrickowi, że pomogę mu układać drewno na opał – oznajmiła Marty takim tonem, jakby świeżo zadzierzgnięta znajomość nie miała dla niej żadnego znaczenia. – Muszę się rozruszać. Trochę wysiłku dobrze mi zrobi.

Sophie miała ochotę powiedzieć swojej nagle dbającej o kondycję fizyczną siostrze, że równie dobrze mogłaby się „rozruszać", sprzątając puste pokoje w starym skrzydle domu, powstrzymała się jednak od komentarza. Z chwilą gdy w Stonegate pojawił się Patrick, nastrój Marty uległ cudownej metamorfozie, toteż Sophie wolała dmuchać na zimne.

– Chyba już przyszedł. Jeśli chcesz, zanieś mu kawę i mufinki – zaproponowała polubownie.

– Okay – mruknęła Marty. – A tobie, co się wczoraj przytrafiło, jeśli można spytać? – dodała, wpatrując się w siostrę nieruchomym wzrokiem.

Sophie niepewnie dotknęła skroni.

– Uderzyłam się w głowę. Nic takiego.

– Pytam o znak na szyi. Wielki jak pięćdziesięciocentówka. Doszłaś do wniosku, że nie warto żyć w cnocie? Nagle stałaś się zwolenniczką rozwiązłości seksualnej? Nigdy bym nie podejrzewała, siostrzyczko.

– Marty... – Sophie zerknęła na doktora, ale ten słuchał spokojnie, tylko w jego oczach pojawiły się iskierki rozbawienia.

– Mną się nie przejmuj, Sophie – uspokoił przyjaciółkę. – Znam naturę ludzką lepiej niż inni i rozumiem młodych, wiem, jak trudno oprzeć się pokusie. Krew nie woda, jak to się mówi, co nie znaczy, że się o ciebie nie martwię. Jesteś zbyt ufna, stanowczo zbyt ufna.

– Nieprawda.

– Trzymaj się z daleka od swojego sąsiada. Pewnie nie w smak ci moja rada, ale ja mu nie dowierzam. Daj mi trochę czasu, spróbuję się dowiedzieć, co to za jeden, a na razie wystrzegaj się jego towarzystwa. Przyrzeknij mi, że nie będziesz się z nim spotykać, dopóki nie nabiorę pewności, że nic ci z jego strony nie grozi.

Sophie pokręciła głową.

– Niepotrzebnie tak się przejmujesz, Dok. Prawie nie znam Smitha, to prawda, ale nie widzę powodów, by mieć się przed nim na baczności.

– Prawie nie znasz Smitha, ale masz znak na szyi – powiedział Dok niemal płaczliwie. – Skoro już musisz się z nim spotykać, obiecaj przynajmniej, że będziesz ostrożna.

– Naturalnie. Jestem ostrożna.

Dok skinął głową, choć najwyraźniej nie był jeszcze usatysfakcjonowany.

– King odholował twój samochód do warsztatu Ferbera, ale powiedzieli mu, że nie wiedzą, kiedy go naprawią. Jedno koło jest do wymiany, miska olejowa uszkodzona.

– Wspaniale – mruknęła Sophie.

– Jeśli będziesz musiała gdzieś jechać, zadzwoń do mnie, chętnie cię podrzucę.

– Jakoś sobie poradzę – zapewniła Doka, choć wcale nie była tego taka pewna.

– Nie lubię tego Henleya – powiedziała Marty, kiedy Patrick zarządził wreszcie przerwę. Była spocona, brudna, podrapana, obolała, ale, o dziwo, w świetnym humorze. Może rzeczywiście wysiłek fizyczny poprawia ludziom nastrój. Wolałaby co prawda uprawiać trochę inne ćwiczenia fizyczne, ale i te działania zastępcze okazały się całkiem przyjemne.

Powinna była się domyślić, że Patrick, prosząc ją o pomoc, miał na myśli wyłącznie to, co powiedział. Gdyby chodziło o kogoś innego, w jego słowach dopatrzyłaby się zawoalowanego zaproszenia do zatrudnień zupełnie odmiennego rodzaju. Jednak Patrick Laflamme nie zwykł czynić tego typu propozycji i nie miewał ukrytych intencji.

Do pracy zdjął koszulę, podczas przerwy ponownie ją włożył. Zupełnie nie rozumiała dlaczego, miał przecież najwspanialszy tors, jaki kiedykolwiek zdarzyło się jej widzieć. Tyłeczek też miał świetny. I plecy. I ramiona. Widać ciężka praca nie tylko podnosi człowieka na duchu, ale też wpływa dodatnio na ciało. Patrick był rewelacyjnie zbudowany. Gdyby któryś ze znanych jej chłopaków dysponował choćby w połowie tak oszałamiającymi warunkami, nie włożyłby za nic koszuli, nawet w siarczysty mróz.

– Co masz przeciwko Dokowi? – zapytało to męskie bóstwo, sięgając po termos z kawą.

Marty wzruszyła ramionami.

– Nie wiem. Może po prostu nie lubię starych facetów. Jest nawet miły, ale patrzy na mnie tak, jakbym była nieznośnym ciężarem dla mojej świętej siostry.

– Bo jesteś – powiedział Patrick z uśmiechem.

Zaczynała się do niego przyzwyczajać i jego przycinki już jej nie bolały. No, prawie nie bolały.

– Wcale nie jest taka święta. Gdybyś zobaczył, jaki ma znak na szyi. Skoro już o tym mowa, nie miałbyś ochoty przyparkować?

– Przyparkować?

– No wiesz, pojechalibyśmy gdzieś twoją furgonetką i urządzili sobie małe bara-bara. – Marty czuła, że przy całej swojej pryncypialności Patrick wcale nie jest taki obojętny na cielesne rozkosze, jak można by wnosić z jego zachowania. Niech udaje, ona wie swoje, podoba mu się, to pewne.

– Nie, nie mam ochoty przyparkować – oznajmił zwięźle. – Przyjadę po ciebie o szóstej.

– Słucham?

– Pojedziemy na kolację do Stowe. Włóż coś przyzwoitego. Dam ci kwiaty, nie będziesz palić, po kolacji odwiozę cię do domu i odprowadzę pod same drzwi. Żadnych pocałunków. Dopiero na trzeciej randce.

– Będą aż trzy? – zapytała z przekąsem.

Znowu ten leniwy, zniewalający uśmiech.

– Będą, ale musisz skończyć z papierosami. Nie całuję się z palaczkami.

– Jesteś przykry jak wrzód na dupie – stwierdziła Marty i wydęła usta.

– Wiem, ale dla moich zalet warto się pomęczyć – odpowiedział spokojnie. – Wracajmy do pracy.

Najchętniej powiedziałaby mu: odwal się, kolego. Dopiero otworzyłby szeroko te swoje śliczne brązowe oczy. Na pewno wystrzega się przeklinających dziewczyn tak samo starannie, jak palaczek.

A jednak pomimo wszystko chyba ją lubi. Może rzeczywiście ma rację, może dla jego zalet warto się pomęczyć?

Będzie musiała to sprawdzić.

Griffin zamknął drzwi i wyszedł na ganek. Piąty

dzień pobytu w Colby i nadal żadnych postępów w śledztwie.

Nie była to do końca prawda.

Miał pełne prawo sądzić, że jednak nie jest mordercą. Zbyt wiele ofiar, zbyt wiele grobów przybranych żółtymi kwiatami. Ten, kto zabił Lorelei, Alice i Valette, zabił jeszcze wiele innych. I nadal mieszkał w Colby.

Nie wiedział, czy niedawno jakaś dziewczyna zginęła w podejrzanych okolicznościach. Nie słyszał w każdym razie o żadnym takim przypadku. Nawet jeśli nie było nowych ofiar, nawet jeśli morderca nie żył, ktoś prawdopodobnie znał prawdę, dlatego składał kwiaty na grobach.

Niech to diabli, ciągle tylko przypuszczenia, domniemania. W dalszym ciągu nie uzyskał jednoznacznego potwierdzenia, kto zabił Lorelei. Logika wskazywała, że człowiek ten zamordował wszystkie dziewczyny, ale wieloletnie doświadczenie nauczyło Griffina nie ufać zbytnio logice, zwłaszcza w sprawach życia i śmierci.

Nie zazna spokoju, dopóki nie będzie w stanie przypomnieć sobie, co naprawdę zdarzyło się owej fatalnej nocy.

Musi koniecznie dostać się do zamkniętego skrzydła Stonegate. Dlaczego nie teraz?

Ciągle znajdował wymówki, żeby nic nie robić w tej sprawie. Mnożył przeszkody. Miał już dość własnej ostrożności. Niech to, jest przecież silniejszy od wszystkich trzech mieszkanek farmy razem wziętych. Jeśli będzie chciał dostać się do starego szpitalika, to się dostanie, nie będą w stanie go zatrzymać.

Skoro nie może zdobyć Sophie, to przynajmniej spróbuje zdobyć odpowiedź na dręczące go pytania.

Samochodu nie było na podjeździe, ale brak subaru niczego nie dowodził, najpewniej zostało odholowane do warsztatu, a jego właścicielka przyczaiła się w kuchni i niczym wielki pająk przędzie teraz pajęczynę, w którą pochwyci nieproszonego gościa, a mówiąc dokładniej... włamywacza.

Minął szopę na narzędzia i dopiero po kilku krokach zatrzymał się gwałtownie. Właśnie w tej sekundzie zarejestrowany w mózgu obraz rozpadającej się budy z zawalonym dachem i ledwo trzymającymi się na zawiasach drzwiami wywołał w pamięci niechciane wspomnienie.

To tutaj, w ciemnym, pełnym kurzu pomieszczeniu ukradkiem spotykał się z Lorelei na szybki numerek. „Jeden szybki numerek?" – pytała z uśmiechem. Zawsze była gotowa, zawsze chętna wymknąć się do szopy. Albo do szpitalika. To były jej ulubione miejsca schadzek.

Cofnął się, zajrzał do środka przez szeroko otwarte drzwi. Sterty bezkształtnych rupieci, żałosny lamus dawno popadłych w zapomnienie, niszczejących przedmiotów. Od jego czasów chyba nikt nie korzystał z szopy.

Usłyszał jakiś szmer. Mysz? Lorelei bała się myszy. Valette uśmiercała je gołą dłonią.

Jeśli są tu jeszcze jakieś, którym udało się przeżyć, zasługiwały na ułaskawienie, pomyślał, okrążając z daleka zajazd. Ciągle nie wiedział, jak niepostrzeżenie dostać się do starego skrzydła.

Może powinien po prostu wejść do domu, pochwycić Sophie i zanieść ją do sypialni. A kiedy już leżałaby na łóżku, półprzytomna po solidnej dawce seksu, on zszedłby spokojnie na dół i rozpoczął śledztwo. Stary szpitalik stanąłby przed nim otworem, ujawniając wszystkie tajemnice.

Kiepski plan, bardzo niedoskonały, ale miał jedną wielką zaletę, mianowicie zakładał tak zwany bliższy kontakt z Sophie. Bliższy i bardzo upragniony.

Tak bardzo upragniony, że Griffin z pewnością zapomniałby zejść na dół w celu przeprowadzenia swoistej wizji lokalnej.

Im dłużej zwlekał, tym bardziej się wikłał, czy też raczej czuł uwikłany i omotany.

Przez te wszystkie lata zapomniał, jak bardzo lubił Colby, jak urzekało go dziewicze piękno jeziora, panująca wokół cisza. Colby – jedyne miejsce gdzie, przez krótki czas, czuł się u siebie w domu. Czysty absurd. W swoim domu w Sudbury, w Massachusetts, mieszkał od sześciu lat. Wystarczająco długo, by zapuścić korzenie.

Tylko że on nie należał do tych, którzy zapuszczają korzenie.

Już miał zawrócić zrezygnowany i wściekły za brak zdecydowania, kiedy jego uwagę przykuł jakiś ruch w pobliżu zamkniętego skrzydła. Ktoś go obserwował z zarośli. Ktoś, kto mógł być niebezpieczny, może nawet morderca we własnej osobie. Albo ktoś, kto znał prawdę o tragicznych wydarzeniach sprzed dwudziestu lat.

Griffin zatrzymał się, usiłując dojrzeć przez gęstwinę liści przyczajoną w krzakach postać, rozpoznać, kto go szpieguje.

Nie musiał długo wytężać wzroku, bo oto gałęzie się rozsunęły niczym kurtyna i z zarośli wyszła pomylona matka Sophie.

Wyglądała osobliwie, co w jej przypadku nie było akurat niczym niezwykłym. Dziwnie skomponowany ubiór, każda rzecz z innej parafii, rozwiany włos. I natarczywe spojrzenie oczu. Wpatrywała się w Griffina przez chwilę, po czym skinęła, by do niej podszedł.

Nie miał nic do stracenia. Kiedy się zbliżył, chwyciła go mocno za rękę i wciągnęła głębiej w zarośla. Zaskoczony nie zdążył jeszcze stwierdzić, czy starsza pani zupełnie sfiksowała, kiedy zobaczył otwarte okno. Ktoś odbił deski broniące dostępu do wnętrza szpitalika.

Po szybach pozostało jedynie wspomnienie i Grace musiała skorzystać z tego przejścia, sądząc po jej mocno zakurzonym ubraniu.

– Dalej, wejdź tam – powiedziała. – Myślisz o tym, od kiedy wróciłeś.

Zabrzmiało to zgryźliwie i całkiem dorzecznie, ale miał przecież do czynienia z damą, która ponoć dawno postradała zdolność logicznego myślenia. Ponoć, bo sprawiała w tej chwili wrażenie osoby znacznie sensowniejszej od wielu, z którymi stykał się ostatnimi czasy.

– Nigdy wcześniej tu nie byłem, Grace – powtórzył cierpliwie, co już wcześniej próbował jej wmówić.

– Oczywiście, że nie. Interesujesz się zbrodniami z czysto naukowego punktu widzenia. Jesteś znacznie potężniejszy niż ja, ale przejdziesz przez tę dziurę. Uważaj tylko na resztki szyby we framugach. – Odwróciła się, najwyraźniej zamierzając odejść.

– Zaczekaj – zawołał za nią. – Dlaczego tu przyszłaś? Po co?

Obejrzała się przez ramię.

– Z tego samego powodu co ty. Chcę się dowiedzieć, kto zabił te wszystkie dziewczęta.

– Wszystkie? Były tylko trzy ofiary. – Skąd, na Boga, wiedziała o innych? Skąd w ogóle jej zainteresowanie tą sprawą?

Na ustach Grace pojawił się chytry uśmieszek.

– Nie wierz pozorom, Smith – rzuciła sentencjonalnie i zniknęła w krzakach, zanim zdążył cokolwiek powiedzieć.

Z trudem przecisnął się przez szparę i wylądował w mrocznym wnętrzu, ale tym razem uzbroił się już przezornie w latarkę.

Ileż to razy wpadał tutaj na krótkie schadzki z Lorelei. Kochali się chyba po kolei na każdym ze starych szpitalnych łóżek; jeszcze tu stały, żałośni świadkowie przeszłości.

Już dwadzieścia lat temu szpitalik nie nadawał się do użytku, teraz nie nadawał się nawet do remontu. Jedyne co można było zrobić z tą ruiną, to zrównać ją z ziemią.

Przyświecając sobie latarką, omiatając światłem każdy kąt, posuwał się powoli przed siebie. Czuł się trochę dziwnie, zupełnie inaczej, niż przewidywał. To było niczym podróż w głąb czasu, w głąb pamięci. Gdzieś tam w mroku kryła się odpowiedź, schowane w podświadomości wspomnienie, którego ciągle nie mógł przywołać. Próbował, lecz wciąż bezskutecznie. Rozpoznawał kolejne pokoiki, pamiętał chyba wszystkie spędzone tu ukradkowe chwile. Z wyjątkiem ostatniej nocy, po której obudził się cały we krwi.

Zszedł do kuchni w suterenie. Znał każdy kąt starego skrzydła, ale tutaj nie zaglądał nigdy, wiedział jednak, że był w kuchni tamtej nocy. Tyle wiedział. I nic więcej. Żadnego związanego z bytnością tutaj wspomnienia.

Miał ochotę walnąć z całych sił pięścią w którąś z ledwo trzymających się pionu ścian. Był tak wściekły, że pewnie cały szpitalik zawaliłby się z hukiem od jednego uderzenia. Miałby dać się tu pogrzebać żywcem? Nie, nie był aż tak zdesperowany. Nie do tego stopnia.

Niepotrzebnie tu zaglądał, czysta strata czasu. Widocznie nie nadszedł jeszcze odpowiedni moment, nie wiadomo zresztą, czy kiedykolwiek nadejdzie. Powinien zapomnieć o całej sprawie, nie wracać do przeszłości. Im szybciej, tym lepiej. Może kiedy starość pomiesza mu w głowie, jak pomieszała Grace, on nagle przypomni sobie wydarzenia tamtej nocy. A może nigdy się nie dowie, jak było naprawdę. Jakoś pogodzi się z brakiem tej wiedzy, w końcu żył bez niej przez ostatnie dwadzieścia lat.

Ruszył z powrotem w stronę okna. Kiedy przełożył jedną nogę przez parapet, usłyszał trzask rozdzieranego materiału. Zawadził rękawem o wystający gwóźdź. W miejscu zadrapania pojawiły się natychmiast drobne krople krwi.

Na szczęście niedawno zrobiono mu zastrzyk przeciwtężcowy. Przez chwilę patrzył na wsiąkającą w materiał krew, i nagle go zmroziło. Zamarł.

Wszędzie krew. Jej włosy zlepione krwią, zalane krwią ubranie. Krew na jej dłoniach, nawet w szeroko otwartych oczach. Próbował zatamować krwawienie, ale Lorie już nie żyła. Ukląkł obok niej, wziął jej ciało w ramiona i zaniósł się szlochem.

Nie tutaj. W starej szopie na narzędzia.

Nic dziwnego, że w szpitaliku nie było śladów krwi. Znalazł Lorie w szopie.

Był tam ktoś trzeci. Obserwował ich. Griffin to wiedział, czuł, ale był zbyt otępiony alkoholem i marihuaną, żeby zachować tak ważną rzecz w pamięci. Długo trzymał bezwładne ciało przyjaciółki w ramionach, w końcu stracił przytomność. Obudził się przed szopą, w trawie, sam.

Po ciemku, na chwiejnych nogach wrócił do domu, przekonany, że miał halucynacje. Następnego ranka, kiedy zobaczył, że jest cały we krwi, nic już nie pamiętał. Aż do dzisiaj. Wystarczyło, że spojrzał na krew wsiąkającą w cienką popelinę, by obrazy ożyły.

Nie zabił jej. Wreszcie mógł to powiedzieć z absolutną pewnością. Zrobił to ktoś inny, ktoś, kto obserwował ich z ukrycia. Ten sam człowiek obserwował teraz jego.

Historia jeszcze się nie zakończyła.

Okazał słabość, a przecież nie mógł sobie pozwolić na choćby najkrótszy moment zawahania.

Przez tyle lat niezłomnie spełniał swoją misję, a teraz, kiedy zbliżał się finał, ogarnęły go wątpliwości. Zobaczył jej łzy, widział jej smutek i żal. Postanowił dać jej szansę i trochę czasu na skruchę.

Był przecież mądrym człowiekiem, a postąpił jak ostatni głupiec. Drugi raz nie popełni już tego błędu, drugi raz pójdzie znacznie łatwiej. Nie podjął jeszcze ostatecznej decyzji, ale widział, że Sophie Davis coraz bardziej pogrąża się w grzechu i bolał nad jej występnym życiem.

Nagłe odejście dwóch sióstr... Policji, nawet najbardziej naiwnym gliniarzom, wyda się to podejrzane. Pokładał jednak ufność w Bogu, że nie skierują podejrzeń na niego. Uczyni, co do niego należy, nie będzie się wahał, nie cofnie przed ostatecznym.

Zabije Sophie Davis i jej siostrę. Uwolni ich dusze z grzesznych ciał, ofiaruje im możliwość odkupienia, za jego sprawą trafią do nieba.

Marty coraz rzadziej się dąsa, bywa nawet miła, pomyślała Sophie z ulgą. Ładnie wygląda. Choćby dzisiaj. Pojawiła się wieczorem w kuchni w kusej co prawda sukience, ale z zadziwiająco oszczędnym makijażem. Nawet włosy w kolorze fuksji jakoś nie raziły.

– Nie będę dzisiaj jadła kolacji, mam randkę – oznajmiła od progu.

Sophie uniosła lekko brwi.

– Nie uważasz, że trochę za późno mnie o tym informujesz? Z kim się umówiłaś?

– Z Patrickiem – powiedziała nonszalancko.

Z Patrickiem. Zadziwiające. Patrick Laflamme miał ponoć być całkowicie odporny na wdzięki Marty. A siostrzyczka wystrzegała się takich chłopców – poważnych, odpowiedzialnych, dobrze wychowanych i z zasadami.

Sophie uznała, że mądrzej będzie zachować te refleksje dla siebie.

– O której wrócisz? – zapytała. Oczekiwała aroganckiej odpowiedzi, ale Marty wzruszyła tylko ramionami.

– Pewnie wcześnie. Ten facet ma zasady skauta. Temperament też.

– Ponura sprawa. – Sophie odwróciła się, żeby ukryć uśmiech.

– Niekoniecznie – zaprotestowała Marty. – Przyjrzałaś mu się dobrze? Taka uroda warta jest poświęceń.

– Jakoś nie zauważyłam. Zamierzasz go zdeprawować?

– Robię, co mogę, ale on niestety próbuje sprowadzić mnie na drogę cnoty – wyznała Marty grobowym głosem.

– Kto twoim zdaniem wygra te zmagania? – zainteresowała się Sophie.

– Moim zdaniem to ja nie mam najmniejszych

szans. Jeszcze trochę, a zacznę śpiewać w chórze kościelnym.

– Nie zauważyłam, żebyś łatwo ulegała wpływom. Dobrym, ma się rozumieć.

– Z Patrickiem jest inaczej.

Dzięki ci, Boże, pomyślała Sophie.

Odezwał się dzwonek przy drzwiach.

– To on. Wrócę wcześnie – zawołała Marty, wybiegając z kuchni.

Sophie wytarła ręce w fartuch i wyszła za siostrą do holu. W progu stał Patrick, świeżo ogolony, w krawacie, z bukietem jaskrawożółtych kwiatów w dłoni.

– Postaramy się nie wrócić zbyt późno, panno Davis – obiecał, uprzejmy jak zawsze.

Panna Davis. Sophie nie znosiła tej formy, działała na nią przygnębiająco. Od razu czuła się przeraźliwie stara.

– Całkowicie ci ufam, Patricku.

Marty na te słowa odwróciła się i pokazała siostrze język.

– Nie zawiodę pani, madame.

Boże, a cóż to za koszmarne określenie. „Madame", dobre sobie.

– Mów mi po imieniu – zaproponowała z zachęcającym uśmiechem.

– Tak, madame.

Może jednak dotychczasowi koledzy Marty, różne podejrzane typy, nie byli tacy najgorsi, pomyślała smętnie, patrząc za odjeżdżającą siostrą. Przynajmniej nie traktowali mnie jak starą pannę.

Przy bramie wjazdowej samochód Doka z trudem minął furgonetkę Patricka, niemal się o nią ocierając. Kolejny wydatek, westchnęła. Będzie musiała znaleźć pieniądze na poszerzenie podjazdu.

Dok zatrzymał się przy drzwiach kuchennych, wysiadł z wozu. Nie był sam, Sophie dojrzała siedzącą na miejscu pasażera Rimę. Pomachała jej na powitanie, Rima odpowiedziała, ale zdawała się zamyślona, nieobecna.

Choroba żony Doka była dla Sophie swego rodzaju błogosławieństwem. Nie wiedziała, co właściwie dolega Rimie. Starsza pani rzadko wychodziła z domu i „coś z nią było nie tak", jak powiadała Marge Averill. W każdym razie Rima żyła w swoim małym, zamkniętym świecie i chociaż przypadłość żony musiała być dla Doka utrapieniem, miał dzięki temu mnóstwo czasu dla swoich pacjentów. Bardzo pomagał Sophie w opiece nad Grace.

Zeszła z ganku i ruszyła w stronę samochodu, ale Dok ją uprzedził.

– Rima nie jest dzisiaj w nastroju do rozmowy – powiedział przepraszającym tonem. – Zdołałem namówić ją na przejażdżkę, ale to wszystko. Wpadłem, bo chciałem zobaczyć, jak goi się twoje rozcięcie. To dla ciebie. – Wręczył Sophie bukiet jaskrawożółtych kwiatów.

Przyjęła je z uśmiechem. Marty nie była zatem jedyną Davis obdarowaną bukietem przez dżentelmena.

– Jak to miło z twojej strony. Co to za kwiaty? Chyba nigdy takich nie widziałam.

– Łzy Judasza. Z naszego ogrodu. Rima bardzo je lubi. Rzadko je spotkasz w tych stronach. Kwiaty to jedyna radość Rimy i jedyna rzecz, która naprawdę ją interesuje. Zastanawiałem się, czy nie czułaby się lepiej, mieszkając w cieplejszym klimacie, gdzie lato trwa dłużej i dłużej mogłaby się cieszyć swoim ogrodem, ale ona nawet słyszeć o tym nie chce. Urodziła się w Colby i tu zamierza umrzeć, oby żyła jak najdłużej – spojrzał z czułością w stronę siedzącej w samochodzie żony. – Nasze rodziny mieszkają w Vermoncie od wielu pokoleń.

– Powinnam chyba podziękować jej za kwiaty?

– Nie ma potrzeby. Podziękuję w twoim imieniu, powiem, że bardzo ci się podobały. Niech sobie posiedzi chwilę spokojnie w samochodzie, ja zajrzę do twojej matki, sprawdzę, jak się dzisiaj czuje. Rano była bardzo niespokojna. Niepokoję się, czy nie miewa przypadkiem urojeń.

– Urojeń?

– Spokojnie, Sophie. Nie jesteś sama. Zawsze możesz liczyć na moją pomoc. Jeśli stan Grace się pogorszy, zastosujemy odpowiednie leki. A jak twoja głowa?

– Dobrze, nawet nie boli.

– Pójdę do Grace, a ty włóż tymczasem kwiaty do wazonu. Szkoda, żeby zwiędły.

Sophie jeszcze raz spojrzała na bukiet. Nie miała racji. Kwiaty rzeczywiście należały do jakiegoś rzadko spotykanego gatunku, ale gdzieś je już wcześniej widziała. Nie mogła sobie tylko przypomnieć gdzie.

Takie same albo bardzo podobne Patrick przyniósł Marty. Odpowiedź wydawała się prosta, ale z jakichś powodów nie zadowoliła Sophie.

Wkładała właśnie kwiaty do niewielkiego niebieskiego wazonu, gdy z pokoju Grace doszły ją głosy Doka i matki – spięte, nienaturalne. To trochę zdziwiło Sophie, bo Dok był bardzo oddany Grace, jak zresztą wszystkim swoim pacjentom, a ona darzyła go prawdziwą sympatią. Zawsze niecierpliwie oczekiwała kolejnej wizyty staruszka.

Czasami nawet bywała zazdrosna, kiedy uznała, że za dużo czasu poświęcił Sophie. Najchętniej anektowałaby go wyłącznie dla siebie, z konieczności dzieląc się nim jedynie z Rimą, ale nie z córką i Marty. Gdy przyjeżdżał do Stonegate, jak rozkapryszone dziecko domagała się, by swój czas poświęcał tylko jej.

Usłyszała ciche trzaśnięcie drzwi i po chwili

w kuchni pojawił się Dok. Odstawiła ostrożnie wazon i odwróciła się w stronę przyjaciela.

– Niedobrze z nią, moja droga – powiedział z troską w głosie. – Obawiam się, że trzeba zacząć jej podawać środki uspokajające. Jest wyjątkowo pobudzona. Odwiozę Rimę do domu i wrócę do was, posiedzę trochę z Grace. Jeśli zajdzie taka potrzeba, dostanie coś, co pozwoli jej spokojnie przespać noc.

– Co się stało? – zdumiała się Sophie. – Nie odniosłam wrażenia, żeby rano zachowywała się inaczej niż zwykle. Przejęła się moim wypadkiem, ale wytłumaczyłam jej, że to tylko pijany kierowca i nie ma powodów do zdenerwowania...

– O czym ty mówisz? – przerwał jej Dok ostro. – Powiedziałaś mi, że źle wzięłaś zakręt i samochód wpadł w błoto. Nie wspominałaś ani słowem o żadnym kierowcy.

Cholera.

– Nie chciałam cię martwić, Dok – bąknęła zakłopotana. – Koło Wodospadu Holendra ktoś omal nie zepchnął mnie z szosy. Kierowca prawdopodobnie był tak pijany, że nie zdawał sobie sprawy z tego, co się dzieje. Ale to był wypadek, nie ma powodów do paniki.

– Może tak, może nie – powiedział Dok ponurym głosem.

– Nie bądź śmieszny. Z jakiej racji ktoś miałby źle mi życzyć?

Dok pokręcił tylko głową.

– Odwiozę szybko Rimę i natychmiast wracam. Pilnuj, żeby Grace nie wyprawiła się znowu do chaty Whittenów. Nie dopuść, by przytrafiło się jej coś złego.

– O czym ty mówisz, Dok? – Sophie zadrżał głos. – Sugerujesz, że John Smith może być niebezpieczny?

– Nie wiem. Wiem tylko, że odkąd tu zamieszkał, zaczęły się dziać dziwne rzeczy. Nie potrafię tego wytłumaczyć, ale zawsze miałem dobrą intuicję, a ona mi podpowiada, że coś jest nie tak. Pilnuj matki, Sophie. Nigdy nie wybaczyłbym sobie, gdyby przytrafiło się jej jakieś nieszczęście. Jej albo tobie – dodał.

Wspaniale, myślała Sophie, odprowadzając wzrokiem samochód Doka. Jakby już nie miała paranoicznych podejrzeń. Do szczęścia brakowało jej tylko ponurych proroctw staruszka. Ani chybi w ciemnym lesie, tuż koło domu czają się mordercy dybiący na życie Grace. Cholerny dziwak. Postraszył, postraszył i pojechał, zostawiając ją samą z fiksującą matką.

Nakryła do stołu, po czym zapukała delikatnie do drzwi pokoju matki. Grace ostatnimi czasy nie okazywała zbyt wielkiego zainteresowania jedzeniem, ale to nie powód, żeby pozwolić jej się głodzić.

– Kolacja, mamo – zawołała.

– Nie jestem głodna – doszedł ją zza drzwi głos,

który zabrzmiał, jakby należał do upartej siedmiolatki, a nie dojrzałej kobiety. Sophie westchnęła. Ledwie Marty zaczęła być trochę bardziej znośna, Grace pokazywała pazurki. Skaranie boskie z tymi babami...

– Musisz coś zjeść. Przynajmniej dotrzymaj mi towarzystwa przy stole.

Długa cisza.

– Jesteś sama? – Kiedy Grace w końcu się odezwała, jej głos zabrzmiał bardzo rzeczowo, jak kiedyś, kiedy jeszcze jego właścicielka nie wpadła na to, żeby wziąć rozbrat z rzeczywistością.

– Tak. Marty wybrała się na randkę, Dok pojechał odwieźć Rimę do domu. Wyjdź, proszę, i usiądź ze mną do stołu.

Drzwi otworzyły się powoli i w progu stanęła Grace, z rozwianym, jak zwykle, włosem, cudacznie ubrana, ale zaskakująco przytomna.

– Biedna Rima – mruknęła bardziej do siebie niż do córki. – Co mamy na kolację?

– Potrawkę z jagnięciny – powiedziała Sophie, idąc za matką do kuchni.

Grace odwróciła się nagle i zdecydowanym gestem zatarasowała przejście.

– Skąd to? – zapytała drżącym głosem.

– Jak to skąd? Jagnięcinę kupiłam jak zwykle u Audleya. Wczoraj jadłaś pieczeń z tego samego kawałka, bardzo ci smakowała i... – tłumaczyła Sophie.

– Pytam o kwiaty – przerwała ostro.

– Od Rimy. Dok je przywiózł. Śliczne, prawda? Bardzo miło, że Rima o nas pamięta, choć sama nie najlepiej się...

– One nie są od Rimy, tylko od niego! – zawołała Grace.

Boże, daj mi cierpliwość, pomyślała Sophie.

– Owszem, Dok je przywiózł, ale przysyła Rima. Siadaj do stołu, mamo. Kwiaty są na pewno dla nas wszystkich, nie tylko dla mnie.

– Może, może. – Grace była wyraźnie zdenerwowana. – Muszę z tobą porozmawiać, Sophie. – Ujęła dłonie córki i spojrzała jej w oczy.

– Oczywiście, mamo. Powiedz mi, co takiego cię martwi? – Sophie starała się przemawiać spokojnym, łagodnym, ciepłym głosem.

– Nie mów do mnie takim tonem, jakbyś miała do czynienia z debilką! – żachnęła się Grace. Sophie od miesięcy nie słyszała jej poirytowanej. – Musisz mi zaufać. Wiem, że jestem stara i pomylona, ale nie aż tak bardzo, jak sądzisz.

– Wcale nie uważam, żebyś była pomylona.

– Uważasz, uważasz. Chciałam, żebyś tak uważała. Miałam nadzieję, że cię uchronię, ale już za późno. Sprawy zaszły za daleko. On cię zabije. Prawdopodobnie zabije nas wszystkie.

– O czym ty mówisz, mamo? – Cholera, Dok miał rację, wspominając o urojeniach. Nie ma co, oto piękne urojenie, nic dodać, nic ująć.

– Dok. Dok jest mordercą. Zabija kobiety, Sophie. Chłopiec, którego skazali, był niewinny. To Dok zamordował. Ma na sumieniu więcej ofiar, nie tylko te trzy biedne dziewczyny.

– Dlaczego Dok miałby mordować, Grace? On leczy ludzi, pomaga im, niesie ulgę w cierpieniu. To dobry człowiek, nikogo by nie skrzywdził, nikomu źle nie życzy.

– Nie wiem dlaczego, wiem tylko, że cię zabije. Wkrótce. – Grace uparcie obstawała przy swoim.

– Skąd to wiesz?

– Kwiaty.

Sophie poczuła napływające do oczu łzy. Bała się, że jeszcze chwila, a wybuchnie głośnym płaczem. Dlaczego stan matki pogarsza się tak szybko? Poza tym choroba miała coraz bardziej dramatyczny i gwałtowny przebieg.

– Pozbędę się tych kwiatów, a potem zjemy kolację, napijemy się gorącej herbaty. Przyjedzie Dok i będziesz mogła go zapytać, czy rzeczywiście chce mnie zabić...

– Nie! – krzyknęła Grace. – Nie wpuszczaj go do domu. Strzeż się tego człowieka, nie ufaj mu. Gdzie Marty? Ją też zabije. Wiem, że tak będzie. Zabije ciebie, Marty, mnie też. Będzie musiał mnie uciszyć, zanim zacznę mówić. Oczywiście nikt mi nie uwierzy. Nawet moja własna córka myśli, że jestem starą wariatką.

– Wcale nie myślę, że jesteś wariatką, mamo.

Jesteś tylko trochę rozstrojona, musisz się uspokoić. Nikt nie chce mnie zabijać. Ani mnie, ani kogokolwiek innego.

– Dowiodę ci, że mam rację. – Głos Grace brzmiał teraz niemal piskliwie. – Mam notatki, mnóstwo notatek. Wszystko w nich jest. Trzymam je w swoim pokoju, dobrze schowane. Zaraz mogę je przynieść. Udowodnię ci, że...

– Co chcesz udowodnić? – Zza siatkowych drzwi rozległ się łagodny, kojący głos Doka.

Sophie nie słyszała nawet, kiedy wrócił, tak była zdenerwowana tym, co dzieje się z matką.

– Grace podejrzewa, że... – zaczęła, ale Grace nie dała jej dokończyć.

– Ja nic nie podejrzewam, ja wiem. W potrawce jest trucizna. Ten dom nawiedzają duchy, złe duchy. Pełno ich tutaj. Boję się. Przepędź je, Dok. – Głos przerażonego dziecka.

– Poradzimy sobie z duchami – powiedział Dok. – Dam ci coś na sen i zostanę z tobą. Nie musisz się niczego bać.

Grace najwyraźniej zapomniała o morderczych zamiarach Doka.

– Zostaniesz, naprawdę? Przyrzekasz, że będziesz siedział przy mnie i nie odejdziesz ani na krok? Przy tobie będę się czuła bezpiecznie.

– Grace, nie możesz... – zaczęła Sophie, ale Dok ją uciszył.

– Oczywiście, moja droga. Rima poszła już

spać. Wie, że czasami całą noc spędzam poza domem, jeśli pacjenci mnie akurat potrzebują. Zostanę z tobą, nie musisz się niczego bać – powtórzył.

Grace z uśmiechem ruszyła w stronę sypialni, podśpiewując pod nosem.

– Nie powinieneś tego robić, Dok – powiedziała Sophie szeptem. – Ja mogę przy niej posiedzieć...

– Nawet o tym nie wspominaj. Dam jej środek uspokajający, po którym uśnie jak dziecko. Przywiozłem sobie coś do czytania, potem zdrzemnę się trochę w fotelu, jestem przyzwyczajony do różnych sytuacji.

– To nie w porządku...

– Nie dyskutuj ze mną, moja droga. Nie w porządku jest to, że ty masz tyle obowiązków. Co ją tak wyprowadziło z równowagi? Kiedy wyjeżdżałem od was, była znacznie spokojniejsza.

Sophie pokręciła głową.

– Nie wiem, co się z nią dzieje. Zaczęła coś mówić o morderstwie. Wmawiała mi, że chcesz nas zabić.

– Naprawdę? – Dok był bardziej rozbawiony niż zaniepokojony. – Skąd to przekonanie?

– Zobaczyła kwiaty i uznała, że są zapowiedzią śmierci.

– Smutne, ale w tej chorobie nie ma miłych

urojeń. Kwiaty powinny kojarzyć się z czymś przyjemnym, nie z morderstwami i śmiercią.

– I tak też kojarzą się większości ludzi – przytaknęła Sophie z rezygnacją.

– Powinnaś napić się herbaty i iść spać.

– Nie mam ochoty na herbatę, ale zrobię tobie.

– Mną się nie przejmuj, Sophie. Jestem tu, żeby ci pomóc. Posiedzę z Grace, a ty odpocznij, odpręż się. Weź gorącą kąpiel, poczytaj przed snem i nie myśl o nas. Damy sobie radę. Jak Marty wróci, powiem jej, że położyłaś się już i żeby ci nie przeszkadzała.

– Dobrze – zgodziła się Sophie. Nie miała już siły sprzeczać się z Dokiem, chociaż doskonale wiedziała, że nie zmruży oka. Dusiła się w domu, czuła, że musi wyjść na chwilę, zaczerpnąć powietrza, uciec od problemów.

Wiedziała, jak Dok na to zareaguje. Też miał swoje urojenia, ubrdał sobie, że John Smith jest mordercą. Jeśli już kogoś miała podejrzewać o mordercze zamiary, to Zebulona Kinga, fanatycznie religijnego, gotowego wymierzać innym karę za grzechy.

Musi wyjść, inaczej zwariuje. Wyjdzie tak, żeby Dok nie zauważył. Niech staruszek myśli, że poszła do swojego pokoju.

– Zawołaj mnie, jeśli będę ci potrzebna – powiedziała.

– Nie będziesz mi potrzebna. Grace w gruncie rzeczy ma do mnie całkowite zaufanie, chociaż nagle zaczęła cię przekonywać, że was co do jednej wymorduję. Nie martw się, wszystko będzie dobrze.

Sophie pocałowała Doka w policzek.

– Dziękuję ci bardzo. Nie wiem, co bym bez ciebie zrobiła.

ROZDZIAŁ OSIEMNASTY

Sophie starała się, jak mogła, żeby uniknąć pokusy. Wzięła gorącą kąpiel, długo leżała w wannie, ale potem włożyła fikuśną bieliznę, prezent od Grace. To był już rodzinny rytuał i przedmiot wiecznych żartów. Na każde urodziny i każde Boże Narodzenie Grace obdarowywała córkę zupełnie niepraktyczną koronkową bielizną, którą Sophie chowała natychmiast do szuflady. Teraz ze smutkiem wspomniała, jaka jeszcze niedawno była jej matka. Dowcipna, bystra, pełna życia. I nagle... cień człowieka.

Tylko nie płacz, napomniała się w duchu. Oderwała metkę od koronkowego stanika, włożyła go, włożyła figi od kompletu i przejrzała się w lustrze.

Całkiem nieźle, jeśli ktoś zamiast anorektycznych modelek woli dobrze zbudowane kobiety, uznała z niejakim zadowoleniem. Mufinki i placek brzoskwiniowy wcale nie zaszkodziły jej figurze. Musi tylko znaleźć mężczyznę, który potrafi docenić krągłe kształty. Pech chciał, że jedynym, dla którego miała ochotę się rozebrać, był John Smith. Niestety.

Nie jest co prawda wampem, może nie ma porywającej urody, ale nie jest też najbrzydsza. Tak przynajmniej uważała. Niebieskie oczy są co prawda banalne, ale przynajmniej duże. Usta zbyt pełne, lecz wcale się tym nie martwiła. Nos zupełnie zgrabny, gładka skóra, tylko ten kompromitujący znak na szyi... Smith zrobił go chyba umyślnie, żeby wszyscy wiedzieli, jak Sophie Davis spędza wolny czas, jakim przyjemnościom się oddaje. Drań.

Powinna była podziękować panu Kingowi, że odholował jej samochód do warsztatu, ale ilekroć go spotykała, czuła się nieswojo. Być może powinna też zapłacić mu za fatygę, chociaż nie była pewna, czy się nie obrazi. Trudna sprawa. Z drugiej strony kto wie, czy nie lepiej obrazić pana Kinga, niż potraktować odholowanie wozu jako sąsiedzką przysługę.

Chyba lepiej.

Pójdzie do chaty Whittenów, zostawi na ganku kopertę z pieniędzmi dla Zebulona Kinga i wróci natychmiast do domu.

Wcale nie zamierza spotkać się z Johnem Smithem. Absolutnie.

I kogo ona, na litość boską, próbuje oszukać? Przecież właśnie po to wybiera się do chaty. Żeby go zobaczyć. Poczuć jego dłonie na swoim ciele.

Zupełnie zwariowała, straciła rozum, jest pomylona, jak jej biedna matka. Szuka kłopotów, jakby już nie miała ich w nadmiarze. A jednak pójdzie.

Skończyła się ubierać, przez chwilę próbowała nawet czytać, żeby zapomnieć o Smisie. Dlaczego, do cholery, kobiety noszą taką wyzywającą bieliznę, zamiast zadowolić się praktyczną bawełną?

Dłonie Smitha na jej ciele...

Niech to diabli, niech to wszyscy diabli.

Rozbierze się, włoży koszulę nocną. Padnie na łóżko. I nie zmruży oka.

Wykluczone. Może jednak zamiast udawać, że czyta, powinna pójść do chaty Whittenów i spojrzeć Johnowi w twarz. Udowodni sobie, że ten człowiek zupełnie jej nie interesuje, nie obchodzą jej ani trochę jego dłonie, jego usta, o innych częściach ciała nawet nie wspominając.

Wszystko wróci do normy, będzie tak, jak było jeszcze kilka dni temu.

Wymknęła się po cichutku z domu. Spojrzała w okno sypialni Grace; Dok siedział przy łóżku, czytał coś na głos. Chyba Biblię, o ile słuch jej nie zwodził. Omal nie parsknęła na ten widok śmiechem. Grace wierzyła, ale nigdy nie darzyła szacunkiem żadnego Kościoła i Słowa Bożego. Teraz nie miała wyjścia, musiała słuchać, co czyta jej Dok.

Grzeszna córka szła dalej. Musiała naprawdę

postradać zmysły, żeby wyprawiać się po nocy do chaty Whittenów. Po co tam idzie, czyżby na spotkanie swojego przeznaczenia?

Nie może czekać, to wiedziała na pewno. Musi się z nim zobaczyć, musi się dowiedzieć, kim naprawdę jest John Smith i dlaczego przyjechał do Colby, czego tutaj szuka. Była przekonana, że sprowadziły go do Vermontu morderstwa sprzed lat, niech jej to powie wprost, dość krętactw.

To nie on próbował zepchnąć ją z drogi koło wodospadu, Dok chyba oszalał, podejrzewając Smitha. Gdyby pan Smith chciał ją usunąć z tego padołu, mógł to zrobić znacznie łatwiej i prościej, miał po temu wiele okazji. Tylko dlaczego chciałby pozbawić ją życia? Z jakiego powodu?

Pójdzie do chaty, dowie się wreszcie, kim jest tajemniczy sąsiad, potem wróci i zastąpi Doka przy łóżku Grace. Nie ma powodów bać się Smitha. Kimkolwiek jest, nie zrobi jej nic złego.

W najgorszym razie może liczyć na Doka. Zacznie krzyczeć, Dok ma doskonały słuch, usłyszy ją, ruszy na pomoc.

Dlaczego, w takim razie, idzie do chaty, skoro spodziewa się kłopotów? Cóż, po prostu chce zobaczyć Smitha, musi to sobie powiedzieć otwarcie. Może chodzi jej tylko o to, żeby zakończyć znajomość? Zamknie sprawę i nie będzie już miała pretekstu do odwiedzin w chacie.

Co prawda jaguar stał przed domem, ale w oknach nie paliły się światła. Może Smith wyszedł na spacer albo śpi? Może powinna obrócić się na pięcie i wrócić do domu, przyjść tu za dnia?

Wcale nie miała ochoty obracać się na pięcie i wracać do domu. I co z tego, że zachowywała się jak idiotka? Trudno, widać tak musi być.

Zanim zapuka do drzwi, zanim wejdzie, może uda się jej jednak odkryć, z kim naprawdę spała. Przecież nie z Johnem Smithem, nie jest aż taką idiotką, by uwierzyć, że to jego prawdziwe nazwisko.

Podeszła do samochodu, otworzyła drzwiczki od strony pasażera. Nie czuła najmniejszych wyrzutów sumienia. Otworzyła schowek w tablicy rozdzielczej, znalazła dowód rejestracyjny.

Jego, a może wcale nie. W każdym razie samochód należał do niejakiego Thomasa Ingrama Griffina, zamieszkałego w Sudbury, w stanie Massachusetts. Ciekawe...

Gdzieś już natknęła się na to nazwisko. W życiu nie była w żadnym Sudbury, nie mogła znać żadnego Thomasa Ingrama Griffina. Kim, do diabła, jest ten człowiek i co robi w Colby?

Odłożyła rejestrację, zamierzając wysiąść z samochodu.

I wrzasnęła jak opętana.

Stał obok jaguara, patrzył na nią z tą swoją nieodgadnioną miną.

Była na tyle przytomna, by natychmiast zablokować klamkę. Od swojej strony i od strony kierowcy też. Udało się.

Smith cofnął się o krok i jeśli w jego oczach było rozbawienie, to Sophie nie miała szans go dostrzec. Tajemniczy sąsiad po prostu się odwrócił, wszedł na ganek, usiadł w fotelu, oparł stopy o balustradę. Czekał na nią.

Idiotka, idiotka, skończona idiotka, przeklinała się w myślach.

Po co węszy niczym policjantka. Przyłapał ją na gorącym uczynku. Widział, że oglądała dokumenty. Będzie wściekły. Już jest wściekły. Ale przecież się go nie boi, prawda?

Jest wściekły, co nie oznacza, że zrobi jej coś złego.

Przymknęła oczy, próbując przeanalizować swoje położenie. Była niezła w dobieraniu odpowiednich tapet do wnętrz i doradzaniu paniom domu, jak z wiadra zrobić donicę, ale najmądrzejsza dziennikarka od porad domowych nie uruchomi jaguara, jeśli w stacyjce nie ma kluczyków. A skoro nie ma kluczyków, to Smith zaraz wyjmie je z kieszeni albo weźmie ze stolika w holu i bez trudu otworzy zablokowane drzwiczki. Niech to jasny szlag, po raz kolejny zrobiła z siebie idiotkę.

Siedział sobie spokojnie na ganku i obserwował ją. Sięgnął do kieszeni i, naturalnie, wyjął przeklęte kluczyki. Jakby czytał w jej myślach.

W porządku, tę rundę wygrał, ale nie zamierzała jeszcze wysiadać z wozu, nie była jeszcze gotowa na konfrontację. Opuściła szybę od strony pasażera, uznawszy, że tak będzie bezpieczniej. Bezpieczniej? Absurd.

– Już to ćwiczyliśmy, Sophie – usłyszała leniwie wymawiane słowa. – Nie znudziło ci się?

– Kto to taki Thomas Griffin? – natarła.

– Ciekawość to pierwszy stopień do piekła. Znasz to przysłowie?

– Zabijesz mnie?

– Nie jestem w nastroju. Może za chwilę, ale akurat teraz niekoniecznie, chyba że bardzo ci zależy. – Równie dobrze, tym samym tonem, mógłby jej zaproponować filiżankę herbaty.

– Kim jesteś?

– A jak, do cholery, myślisz? Spróbuj pogłówkować.

Zaczynała powoli mieć go dość. Nie na tyle jednak, żeby wysiąść z samochodu i pójść sobie precz.

– Nie będę główkować. Wiem tylko, że nie jesteś dziennikarzem, nie jesteś gliną i nie jesteś prawnikiem. Pozostaje mnóstwo możliwości.

– Wyobraź sobie, że jestem prawnikiem – oznajmił chłodno. – To jeszcze nie wszystko. W przekonaniu obywateli Colby jestem też zbrodniarzem. Ukatrupiłem tutaj jakieś dwadzieścia lat temu przynajmniej trzy kobiety. Masz przed sobą mordercę z Northeast Kingdom.

Powiedział to z taką pewnością, tak rzeczowo, że przez moment była skłonna uwierzyć. Coś dziwnego stało się z jej żołądkiem, po czym zdrowy rozsądek wziął górę.

– Na pewno – warknęła. – Stąd tyle trupów w okolicy, od kiedy wróciłeś.

Trudno powiedzieć, żeby jego uśmiech był z tych dodających otuchy.

– Nie wierzysz mi? Zastanów się, Sophie. Gdzie mogłaś zetknąć się z nazwiskiem Griffin? Nosisz koronki i falbanki, ale jesteś przecież inteligentną kobietą, przypomnisz sobie.

– Ja...

Owszem, przypomniała sobie. Niewyraźne zdjęcie mordercy w gazecie, twarz niezbyt dobrze widoczna, jednak nie przypominająca twarzy człowieka siedzącego na ganku. Tamten miał okulary słoneczne na nosie, brodę, tatuaż na biodrze i nazywał się... Thomas Griffin.

– Nie wierzę ci. – Chciała, żeby zabrzmiało to stanowczo, ale głos się jej załamał.

– Tak bardzo martwisz się o matkę i siostrę, że nie potrafisz już myśleć logicznie. Dok pewnie dawno odkrył prawdę, dziwię się, że nie podzielił się z tobą tymi rewelacjami. Taki opiekuńczy staruszek, tak bardzo troszczy się o innych.

– Rzeczywiście coś mi mówił. Ostrzegał mnie

przed tobą, ale myślałam, że niepotrzebnie panikuje.

– Jak widać, ostrzeżenia Doka nie na wiele się zdały, skoro się tu pojawiłaś.

– Jeśli coś mi zrobisz, wszyscy będą wiedzieli, że to ty.

– Nic ci nie zrobię.

– To dlaczego siedzę zamknięta w twoim samochodzie?

– Nie wiem, czy sobie przypominasz, że przyszłaś tutaj węszyć i sama się w nim zamknęłaś. W każdej chwili mogę otworzyć drzwiczki.

– A ja je natychmiast zamknę.

– Skarbie, przykro mi to mówić, ale jestem silniejszy od ciebie. Już ci dowiodłem, że mogę je otworzyć, choćbyś napierała na nie całym swoim ciężarem.

– Nie musisz mi wytykać, ile ważę – fuknęła, zapominając na chwilę o strachu.

Smith zaśmiał się.

– To jedyny sposób, żeby wyciągnąć cię z jaguara. Może nie jesteś gruba, ale powiedzmy... dość obfita.

– Obfita?

– Smakowita. Pyszna.

– Mało że morderca, to jeszcze kanibal.

– Może, chociaż nie w tradycyjnym rozumieniu słowa. Kiedy patrzę na ciebie, robię się głodny.

Sophie przeszedł dreszcz, chociaż noc była

wyjątkowo ciepła. Ale jej zrobiło się zimno. Powinna wracać do domu, upewnić się, że Grace i Marty nie dzieje się nic złego. Musi ochłonąć, uspokoić się. Spojrzała na Smitha. Siedział sobie najspokojniej w świecie na ganku, wyraźnie rozbawiony. Chryste, kochała się z mordercą! Co gorsza, miała ochotę powtórzyć to doświadczenie.

– Ile osób zabiłeś? – zapytała. Nie poruszył się, nie drgnął nawet. Siedział i patrzył na nią spod oka, niczym kucharz, który zastanawia się, co zrobić z dorodną kurą.

– Zostałem skazany za zamordowanie jednej. Spędziłem pięć lat w więzieniu – poinformował ją wypranym z emocji głosem. – Wyrok został uchylony, wyszedłem na wolność. W więzieniu skończyłem prawo.

– Przestępca nie może przecież praktykować jako prawnik.

– Jesteś bardzo dobrze zorientowana, nie może, ale ja zostałem uniewinniony.

– Zabiłeś tę dziewczynę?

– Nie wiem. Nie pamiętam, co wydarzyło się tamtej nocy. Dlatego tutaj przyjechałem. Chcę dojść prawdy, dowiedzieć się, co się wtedy stało. Upewnić się, czy zabiłem, czy nie.

– Dowiedziałeś się?

– Nie dowiedziałem się. Ufasz mi, Sophie? Chyba nie bardzo. Boisz się, że możesz być następną ofiarą.

– Dodajesz mi otuchy. – Boże, chyba za chwilę zemdleje.

– Daję ci dziesięć minut. Przyrzekam, że nie ruszę się stąd, dopóki nie dotrzesz bezpiecznie do domu.

– Mam ci uwierzyć?

– Nie masz wielkiego wyboru. Są jednak pewne problemy. Być może nie jestem wcale mordercą. Może ktoś czyha na ciebie w ciemnym lesie.

– Zaryzykuję.

Dlaczego ten facet ma takie seksowne usta, szczególnie kiedy się uśmiecha?

– Jest coś jeszcze.

– Mianowicie?

– Wcale nie masz ochoty wracać do domu. Chcesz mi uwierzyć.

Sophie zaśmiała się.

– Nie jestem aż taką idiotką.

– W ogóle nie jesteś idiotką. Intuicja podpowiada ci, że możesz mi zaufać, rozum podpowiada, byś uciekała.

– Czyli pół na pół.

Griffin pokręcił głową.

– Zdaj się na hormony. Wysiądź z samochodu i chodź ze mną na górę.

– Mam iść z tobą na górę? Zupełnie zwariowałeś. Właśnie mnie poinformowałeś, że od samego początku naszej znajomości kłamałeś. Oznajmiasz, że być może jesteś mordercą i zaraz potem proponujesz mi, bym się z tobą przespała.

– Wiedziałaś, że kłamię, a jednak przespałaś się ze mną. Nie wiem, dlaczego to zrobiłaś, ale wiem, że mnie pragniesz tak samo jak ja ciebie. Czyli bardzo. Przyjechałem tu w określonym celu, nie powinienem się rozpraszać, a moje myśli uparcie krążą wokół ciebie, Sophie. Wysiądź więc z tego cholernego samochodu i chodź na górę.

– Powiedziałeś, zdaje się, że mogę wracać do domu, jeśli mam ochotę.

– Możesz, ale coś mi się wydaje, że wcale nie masz ochoty.

– To patrz.

Wysiadła z samochodu, nie do końca pewna, czy Griffin się na nią nie rzuci, ale on nawet nie drgnął. Nadal siedział na ganku, nogi miał oparte o balustradę i tylko obserwował ją uważnie.

Wysiadła, stanęła na podjeździe. Nic, nadal żadnej reakcji ze strony Griffina.

– Jeśli rzeczywiście jesteś seryjnym mordercą, to bardzo kiepskim – zauważyła, zamykając drzwi jaguara. – Nie powinieneś dawać ofierze szansy.

– Może mam ochotę cię ścigać. Dałem ci dziesięć minut, ale to jeszcze nie znaczy, że daruję ci życie.

Mówił tak spokojnie, jakby rozważał, jaka będzie jutro pogoda. Stała przed domem na odludziu, rozmawiała z człowiekiem, którego skazano za morderstwo i który lojalnie ją ostrzegł, z kim ma do czynienia.

– Jaką podjęłaś decyzję, Sophie? Uciekniesz czy pójdziesz ze mną do łóżka? Ufasz we mnie?

– Nie mówi się „ufasz we mnie".

– Odpieprz się – zaproponował serdecznie. – Chodź do domu.

– Zmuś mnie.

Griffin pokręcił głową.

– Takie zabawy mogą być miłe, ale nie teraz. Teraz sama musisz podjąć decyzję. Im wcześniej, tym lepiej. Męczy mnie czekanie.

– Powiedziałeś dziesięć minut, tak? – Zerknęła na zegarek. Był drogi, elegancki i ciągle się psuł. Właśnie stanął.

Griffin spojrzał na niebo.

– Uciekaj, Sophie. Robi się coraz ciemniej, zaraz wylegną mordercy.

– Chcesz, żebym uciekła? Dlaczego próbujesz mnie wystraszyć?

Znowu udało się jej go zaskoczyć.

– Może to najmądrzejsze, co możesz zrobić. Jestem niebezpiecznym człowiekiem. Nie wiem dlaczego, ale chcę, żebyś była bezpieczna.

– Myślałam, że chcesz mnie, nie mojego bezpieczeństwa. Mam już dosyć bycia bezpieczną. Znudziło mi się – powiedziała bez zastanowienia. Słowa same wyszły z jej ust.

Griffin wstał z fotela, zrobił krok w jej stronę,

a ją opuściła odwaga. Rzuciła się w ku ścieżce biegnącej przez las.

Nie był to pierwszy błąd, który popełniła tego wieczoru, i nie ostatni. Raczej jeden z wielu, które stały się jej udziałem w ostatnich dniach. Zabłądziła. Zgubiła się.

Nie jej wina. Rzadko chodziła po lesie nawet za dnia, co dopiero po zmroku. Była zapracowana. Przygotowania do otwarcia zajazdu pochłaniały jej cały czas.

Żyła w ustawicznym stresie. Choroba Grace, utarczki z Marty, teraz na dodatek pan John Smith okazał się Thomasem Ingramem Griffinem. Nie wiedziała, czy ma mu wierzyć, czy nie. Wiedziała tylko, że jest śmiertelnie przerażona i pragnęła jak najszybciej wrócić do domu i zamknąć za sobą drzwi na cztery spusty.

Dobrze, że Dok został. Ten kłamliwy wąż, który zamieszkał w chacie Whittenów, nie odważy się wedrzeć do Stonegate. Dok może nie miał postury i sił goryla, ale był w końcu mężczyzną. Griffin nie odważy się do niej zbliżyć, dopóki w domu jest Dok.

Zatrzymała się dla złapania tchu. Spała z tym człowiekiem. Kochała się z nim. Uprawiała z nim seks. Idiotka, kompletna idiotka. W dodatku nie mogła przestać o nim myśleć. Nie mogła zapomnieć dotyku jego dłoni na swoim ciele.

Jęknęła cicho. Nie zauważyła nawet, kiedy

zeszła ze ścieżki. Teraz zewsząd otaczały ją gęste zarośla. Im dalej szła, tym gęstsza stawała się leśna gęstwina.

Wyczuła jego obecność, jeszcze zanim się odezwał, choć nie potrafiła powiedzieć, w którym miejscu stoi ten podstępny łajdak. Morderca.

– Nie ruszaj się, wyprowadzę cię z krzaków – usłyszała.

– Nie potrzebuję twojej pomocy. – Nie wiedziała, czy Griffin jest z tyłu, czy może przed nią, ale wiedziała, że przed nim nie ucieknie. To jedno wiedziała na pewno.

– Hałasujesz jak niedźwiedź.

– Idź sobie, bo zacznę wrzeszczeć i dopiero narobię hałasu.

– Co to da? Nikt cię nie usłyszy.

Wyczuła, że Griffin podchodzi bliżej, ale ciągle nie mogła go dojrzeć. Spódnica zaplątała się w gałęzie, włosy oczywiście też.

– Nie ruszaj się, bo zrobisz sobie krzywdę – powiedział.

Wreszcie go zobaczyła. Był tuż obok niej, jednym ruchem, jak za dotknięciem czarodziejskiej różdżki uwolnił ją z pułapki.

Akurat. Żadna czarodziejska różdżka tylko nóż myśliwski. Griffin trzymał w ręku nóż, połyskujący złowieszczo w świetle księżyca. Stalowe ostrze, nie zardzewiałe i nie pokryte krwią, jak ostrze noża, który znalazła w pokoju Grace. Ten nóż był nowiutki. Może dotąd Griffin nie miał nawet okazji go użyć.

Chciała się cofnąć, ale krzaki uniemożliwiały odwrót. Widziała Griffina wyraźnie w księżycowej poświacie.

On też ją widział. Musiał dostrzec panikę w jej oczach. Otworzyła usta, chciała krzyknąć, ale z gardła dobył się tylko cichy, żałosny, pełen przerażenia pisk.

ROZDZIAŁ DZIEWIĘTNASTY

– Taki sam dźwięk wydajesz, kiedy dochodzisz – rzucił lekkim tonem.

Gdyby Sophie była przytomniejsza, powiedziałaby mu, że jego uwaga jest pozbawiona sensu. Co prawda nie miała doświadczenia, ale odgłosy, które człowiek wydaje podczas orgazmu, różnią się chyba zasadniczo od pisku przerażenia.

– Nie wiem, jak mogłam zabłądzić – bąknęła, wpatrując się w nóż.

– Chodź. – Griffin wskazał drogę.

– Nie tędy przyszłam.

– Owszem, nie tędy, ale wrócimy tak, jak ja szedłem, na skróty, koło altany.

– Koło jakiej altany?

Nie odpowiedział, a ona nie zrobiła żadnego ruchu. Kiedy zobaczyła, że Griffin podnosi dłoń, zamknęła oczy; była niemal pewna, że zaraz zatopi nóż w jej ciele. Nie, nie zatopił. Chwycił ją za rękę i pociągnął.

Szedł tak szybko, że z trudem mogła za nim nadążyć. Nie miała wyjścia. Może później, na otwartej przestrzeni zdoła mu uciec. Dok jest w domu, przy Grace, pomoże jej. Światło księżyca też jej sprzyja.

Cholerny księżyc. Akurat schował się za chmurę. Dlaczego? Potknęła się, oparła o Griffina, ale, dzięki Bogu, wydostali się z krzaków.

Chwycił ją w ramiona. Skoro obydwie dłonie miał wolne, musiał schować nóż. Trzymał ją mocno, ale czy chciał ją chronić, czy przeciwnie, był dla niej zagrożeniem? Nie miała pojęcia.

Światło. Trochę księżycowego światła, modliła się w duchu. Krótki błysk, żeby mogła uwolnić się od tego człowieka. Byli akurat na skraju jakiejś polany, której w życiu nie widziała. Nie chodziła przecież po lesie, prawda? Stał tu długi stół, ław nie było, była natomiast altana, chyba ta, o której wspominał.

– Okropnie wyglądasz – powiedział. – To już zaczyna wchodzić mi w krew.

– Co takiego?

– Ratowanie cię z opresji.

– Uważasz, że ratujesz mnie z opresji? Myślałam, że chcesz mnie zabić. Rozmyśliłeś się?

– Usiłuję zmusić cię do racjonalnego myślenia. – Zacisnął dłonie na jej ramionach, podniósł ją i posadził na stole, po czym puścił.

Teraz.

Gdyby tylko odwrócił się na chwilę, gdyby odsunął się o krok, mogłaby uciec...

– Na twoim miejscu nie myślałbym o tym. – Znowu odgadł, co chodzi jej po głowie. – Trudno stąd się wydostać, nawet za dnia. Jeśli spróbujesz uciekać, potnę ci suknię na kawałki. Co, skądinąd, nie byłoby takie złe. Jeśli chcesz, bardzo proszę – powiedział, cofając się o krok.

Spojrzała na suknię. Już prezentowała się strasznie, cały dół był w strzępach. W dodatku w panicznej ucieczce zgubiła pantofle, ale tego lata sporo chodziła boso i zahartowała stopy. Jakoś to przetrwają.

Oczywiście jeśli przetrwa również reszta jej ciała. Ciągle jeszcze dyszała, z trudem chwytała powietrze, a oświetlona światłem księżyca postać mężczyzny z nożem zatkniętym za pasek przyprawiała ją o drżenie.

Dojrzał jej nieufne spojrzenie i uśmiechnął się nieznacznie.

– Poczujesz się pewniej, jeśli oddam ci ten sympatyczny egzemplarz białej broni?

– Gdybyś chciał zrobić mi coś złego, i tak się nie obronię. Masz znaczną przewagę fizyczną, jesteś o wiele silniejszy i o wiele szybszy ode mnie.

– Owszem – przytaknął, czym na pewno nie dodał jej otuchy. – Możesz jednak wyrządzić mi pewną szkodę. Zranisz mnie, a jak zginiesz, stanę się głównym podejrzanym. Trudno mi będzie udowodnić, że jestem niewinny. Tak właśnie rzecz się miała za pierwszym razem.

Spokój, z jakim to mówił, czynił jego słowa jeszcze bardziej makabrycznymi. To niemożliwe, żeby konwersowała sobie przy świetle księżyca z mordercą. A jednak Griffin starał się usilnie przekonać ją, że tak właśnie jest.

– Zrobiłeś to? – odważyła się zapytać.

– Co?

– Zabiłeś te kobiety? Którąś z nich?

Zawahał się na moment.

– Naprawdę uważasz, że wystarczy zapytać i powiem ci, jak było?

Miał rację, oczywiście. Bała się panicznie. Był groźny, niebezpieczny, bawił się z nią jak kot z myszką. Coś sugerował, budził w niej paraliżujący lęk. Nikt nie wiedział, dokąd poszła. Jeśli rzeczywiście ma do czynienia z maniakalnym mordercą, musi postępować bardzo, bardzo ostrożnie. Nie wolno jej tracić głowy, wpaść w histerię. A już na pewno nie powinna pytać o tamte dawne morderstwa.

Stał tyłem do księżyca, nie widziała wyrazu jego oczu, ale mogła się domyślić, co by w nich wyczytała. Wystarczyło spojrzeć na ten jego ironiczny uśmieszek. Znała te usta i nagle poczuła, że pragnie ponownie zakosztować ich smaku. Poczuła coś jeszcze. Zapomniała o strachu, o podejrzeniach. Wiedziała z absolutną pewnością, jakiej rzadko doświadczamy, że ten człowiek nikogo nie zabił. Owszem, został osądzony, skazany, wyszedł po kilku latach, ale na pewno nikogo nie zabił, nawet w narkotycznym transie.

– Tak – powiedziała.

– Co, tak?

– Tak, uważam, że wystarczy zapytać, a powiesz mi, jak było.

Griffin spoważniał, skinął głową.

– Dobrze, powiem ci. Nie wiem. Byłem nieprzytomny, nie wiedziałem, co się ze mną dzieje, nic nie pamiętam. Nie mam żadnej pewności, że tego nie zrobiłem.

Mówił obojętnym, pozbawionym wyrazu, wypranym z emocji głosem. Jego słowa powinny ją przerazić, ale tak nie było.

Czuła absolutny spokój, pewność i spokój. Wietrzyk znad jeziora ustał, świecił księżyc, nic jej nie groziło.

Żyje wszak na najlepszym ze światów. Matka do reszty postradała zmysły, młodsza siostra deprawuje jedynego przyzwoitego młodzieńca, jaki został w Colby, a ona rozmawia z człowiekiem skazanym za morderstwo, w dodatku jej pierwszym mężczyzną. I nurza się w błogim spokoju.

Na domiar złego ma ochotę powtórzyć to doświadczenie erotyczne. I powtórzy. Czuła to w sercu, w duszy, w całym ciele. Nie powstrzyma tego, co musi się wydarzyć, nie zapobiegnie nieuniknionemu. Pragnęła tego. Chyba zwariowała, ale pragnęła, wbrew rozumowi, wbrew logice, wbrew zdrowemu rozsądkowi.

– Nie wierzę, że mogłeś zabić kogokolwiek – powiedziała, ale jej opinia nie wywarła na nim najmniejszego wrażenia.

– Udowodnij, że nie zabiłem.

Dziwne, jak mogła być równocześnie tak spokojna i tak zdenerwowana? Tak pewna swego i pełna obaw w obliczu własnej decyzji?

– Nie mogę nic udowodnić – powiedziała. – Po prostu nie wierzę, że zabiłeś. – Położyła mu dłonie na ramionach i pocałowała go w usta. Oczekiwała bardziej entuzjastycznej reakcji. Nie opierał się, ale i nie oddał pocałunku. Odsunęła się, nieco zbita z tropu jego biernością.

– Skarbie, tu nie chodzi o twoją wiarę, zaufanie i uczucia, tylko o seks, wyłącznie o seks – wycedził chłodno.

Nie szukała długo riposty.

– Czy twoim zdaniem wyglądam na taką, która uprawiałaby seks z mordercą? Nie podejrzewam, że jestem zupełnie pozbawiona instynktu samozachowawczego.

– Przebywanie w moim towarzystwie może świadczyć o czymś przeciwnym – mruknął ponuro i Sophie mimo woli musiała się uśmiechnąć.

– Skarbie, strasznie ci zależy, żeby uchodzić za drania, ale jakoś mnie nie przekonałeś – wycedziła przez zęby, naśladując cyniczny ton Griffina. – Powiedz, jak ci się wydaje, zabiłeś czy nie?

Przez chwilę wpatrywał się w nią zaskoczony, ważył odpowiedź.

– Sądzę, że nie zabiłem – powiedział w końcu.

Skinęła głową usatysfakcjonowana.

– Masz ochotę wrócić do domu i kochać się ze mną? – Pragnęła tego, ale nagle nie mogła uwierzyć, że zdobyła się na odwagę i wypowiedziała te słowa głośno.

Jeszcze bardziej szokująca niż pytanie była jego odpowiedź.

– Nie.

Poczuła, że krew odpływa jej z twarzy. Nigdy w życiu nie była tak zakłopotana. Nie wiedziała zupełnie, jak się zachować, co powiedzieć. Najlepiej, coś równie niemiłego. Jednak żadna cięta odpowiedź nie przychodziła jej do głowy.

– Tu się będziemy kochać – oznajmił Griffin krótko.

Marty próbowała się nie dąsać i zachować pogodną minę. W końcu wieczór był naprawdę udany. Kwiaty, kolacja w Stowe, rozmowy z Patrickiem. Nigdy nie rozmawiała z chłopakami, nie umiała z nimi rozmawiać, a z Patrickiem Laflamme'em owszem, przegadała cały wieczór, chociaż byli tak zupełnie różni. Urodził się i wychował na wsi. Był pracowity, ambitny i miał nieugięte zasady moralne. Ona była dziewczyną z wielkiego miasta, lubiła się bawić, ale z Patrickiem nie wchodziło to w grę. A jednak opowiadała mu o sobie, mówiła rzeczy, których nigdy nikomu nie powiedziała i nie przypuszczała, że komukolwiek kiedykolwiek powie.

Podjechał pod dom, a wtedy sięgnęła po trochę już zwiędnięty bukiet, położyła dłoń na klamce. Chociaż uprzedzał ją, że nie będzie pocałunku na dobranoc, odwlekała chwilę rozstania.

– Było... – chciała powiedzieć „bardzo miło", ale uznała, że zabrzmiałoby to zbyt ckliwie i słodko, powiedziała więc: – Było okay – nadając swojemu głosowi nieco znudzone brzmienie. – Dzięki za kwiaty.

– Dostałem je od Doka – uśmiechnął się Patrick. Miał śliczny uśmiech i śliczne usta. W dodatku włożył dla niej krawat i marynarkę. Nigdy jeszcze nie była na randce z chłopakiem w marynarce. Miła odmiana.

– Nie chciałem ci nic mówić, bo nie lubisz staruszka, ale poradził mi, bym wręczył ci kwiaty. Żeby zrobić dobre wrażenie. Szczerze mówiąc, i tak miałem zamiar kupić jakiś bukiet.

– To, że nie musisz robić na mnie dobrego wrażenia, też przemilczałeś? Wiem, co mu odpowiedziałeś. Że musisz się ode mnie opędzać kijem i że wcale nie zasługuję na kwiaty.

– Gdybym zamierzał odpędzać się od ciebie kijem, nie zaprosiłbym cię na kolację, prawda?

Na to oczywiste stwierdzenie nie znalazła żadnej sensownej odpowiedzi i przez chwilę oboje siedzieli w milczeniu.

Nie mogli tak siedzieć w nieskończoność, tym bardziej, że Patrick nie zamierzał jej pocałować. Już chciała wysiąść, gdy wyskoczył pierwszy, obszedł furgonetkę, otworzył przed nią drzwiczki od strony pasażera i podał Marty dłoń. W świetle reflektorów zauważyła, że Patrick przygląda się jej długim, zgrabnym nogom. Lepsze to niż nic, pomyślała filozoficznie.

O dziwo, nie puszczał jej dłoni. Ku zaskoczeniu Marty ruszył z nią w kierunku ganku.

Ktoś obserwował ich z okna. Na pewno nie Grace. Prawdopodobnie Sophie chciała się upewnić, czy siostra wraca bezpiecznie do domu.

Dotyk dłoni Patricka sprawił jej dużą przyjemność. Miał mocne, a przy tym zaskakująco delikatne dłonie. W Patricku podobało jej się naprawdę wszystko.

– Nie możesz wejść – rzuciła nerwowo. – Sophie by mnie zamordowała. Jeśli chcesz, możemy spotkać się u ciebie...

Miał śliczny uśmiech.

– Mówiłem ci, Marty, że seks bez uczucia mnie nie interesuje – wyjaśnił cierpliwie.

– Mówiłeś – przytaknęła, przestępując z nogi

na nogę. – I pocałunek dopiero na trzeciej randce.

– Czuła się idiotycznie. Nie bardzo wiedząc, co zrobić, potrząsnęła jego dłonią na do widzenia. Głupi gest, ale nic innego nie przyszło jej do głowy, a jakoś przecież należało zakończyć wieczór.

– Masz za dużo zasad. Odstępujesz od nich czasami?

– Tylko jedna rzecz mogłaby skłonić mnie do pocałowania dziewczyny na pierwszej randce – odparł. – Musiałbym się w niej zakochać.

– No to mam pecha... – bąknęła Marty i wtedy poczuła usta Patricka na swoich wargach.

Jak na dobrze wychowanego młodego człowieka całował wyjątkowo żarliwie. I bardzo dobrze, znacznie lepiej niż inni chłopcy, z którymi zdarzyło się jej dotąd całować. Na moment zapomniała o bożym świecie.

Kiedy się odsunął, patrzyła na niego przez chwilę zmieszana, oszołomiona i uszczęśliwiona.

– Do jutra, Marthe – rzucił z tym swoim ślicznym uśmiechem i zbiegł z ganku. Uśmiechał się, odjeżdżając, najwyraźniej bardzo z siebie zadowolony. Cóż, ona też była z niego bardzo zadowolona. I z siebie...

Stała na ganku, dopóki tylne światła furgonetki nie zniknęły w ciemnościach, po czym otworzyła drzwi kuchenne, gotowa na spotkanie z bardzo, dla odmiany, niezadowoloną siostrą.

Przy stole siedział Dok, z kubkiem kawy w dłoni i jowialnym uśmiechem na twarzy.

– Witaj, Marty – przywitał ją ciepło.
I wtedy zobaczyła pistolet.

Griffinowi spodobał się zgorszony wyraz twarzy Sophie. Cholera, wszystko mu się podobało w tej kobiecie, od długich nóg po kształtne piersi. Podobały mu się pełne, zmysłowe usta, zręczne, delikatne dłonie. Chciał je poczuć na swoim ciele.

Zdjął T-shirt. W końcu sierpnia w Vermoncie coś takiego jak ciepłe noce w ogóle się nie zdarza, ale było całkiem znośnie, a lekki chłodek przyjemnie podniecał.

– Co ty robisz? – zapytała.

– Zgadnij – powiedział, odpinając zamek błyskawiczny przy dżinsach.

Sophie wydała cichy okrzyk protestu.

– Nie powiedziałam, że się godzę.

– Nie musiałaś nic mówić – oznajmił, rozpiąwszy spodnie. Potem zaczął się zmagać z guzikami jej idiotycznej sukni. Wymagało to nie lada samozaparcia ze strony Griffina, bo najchętniej zerwałby z niej wszystko, co na sobie miała, zamiast mordować się z mnóstwem małych guziczków.

– Raz jeden chciałbym cię zobaczyć w czymś skąpym, przylegającym do ciała. Boże, czemu ty chodzisz w tych cholernych giezłach do samych kostek. Uporał się z suknią i zaklął, gdy trafił na kolejną przeszkodę w postaci halki.

– To jak rozbieranie zakonnicy. Zaraz natrafię na pas cnoty.

– Trochę już na to za późno – mruknęła zgryźliwie pod nosem.

Wciąż nieco się go bała. Nie tego, że może być mordercą, nie, bała się seksu. Bała się z nim kochać, chociaż pragnęła tego równie mocno, jak on. Musiała pragnąć, skoro poddawała się jego zabiegom, była z nim, zamiast rzucić się do ucieczki.

Przesuwał dłońmi po jej udach w górę, ku biodrom, oczekując, że natrafi na obszerne majtasy, w najlepszym razie na bawełniane figi, ale nie, pod palcami poczuł delikatny pasek jedwabiu.

– Wreszcie coś z sensem – zauważył. Powoli zdjął z niej halkę, spod której wyjrzał koronkowy stanik.

Piersi miała doskonałe, idealne. Nie znajdował dla nich stosowniejszych określeń. Perłowobiałe, obfite, mniej odpornego mężczyznę zdolne przyprawić o atak serca.

Bieliznę na razie zostawił. Włożyła ją przecież specjalnie dla niego. Dopiero po chwili, kiedy poczuł, że jest podniecona, rozebrał ją do naga. Najdelikatniejszy jedwab nie był tak gładki, jak jej lśniąca w księżycowej poświacie skóra.

– Połóż się – poprosił.

Drżała z pożądania. Zamknęła oczy, po chwili je otworzyła. Niech to, mógł doprowadzić ją do orgazmu na dziesiątki sposobów i zamierzał tego dokonać. Nie chciał już myśleć o niczym innym – o śmierci, morderstwach, unurzanej we krwi przeszłości i wątpliwej przyszłości. I nie chciał myśleć o żadnej innej kobiecie, tylko zatracić się w tej jednej jedynej, rozkoszować się jej ciałem, jej smakiem. Jeszcze żadnej nie pragnął tak bardzo, tak desperacko, aż do bólu.

Tak bardzo, że zapomniał o prezerwatywie. Jak podniecony smarkacz, który pierwszy raz kocha się z kobietą i zupełnie traci głowę.

– Cholera – mruknął. Po raz pierwszy od piętnastu lat zdarzyło mu się coś podobnego. – Cholera – powtórzył.

– Daruj sobie – poprosiła. – Dlaczego kiedy się ze mną kochasz, musisz kląć? To zniechęcające. Nie mógłbyś powiedzieć czegoś innego, na przykład „było bardzo miło", zamiast rzucać cholerami?

– Bądź cicho. Zrobimy to jeszcze raz – zagroził.

Sophie szeroko otworzyła oczy ze zdumienia.

– Jeszcze raz? Zaskakujesz mnie.

– Kiedy się kocham, bywam zaskakujący.

– Myślałam, że się pieprzymy, nie kochamy.

W tym momencie musiał ją pocałować, po prostu musiał. Słowo „pieprzymy" zabrzmiało absurdalnie w jej subtelnych ustach.

– Rozumiem, że przemawia przez ciebie bogate i rozległe doświadczenie – nie pozostał jej dłużny.

Miał rację, kochał się z nią, kochał się tak długo, że wreszcie zasnęła zmęczona w jego ramionach.

Szczególne miejsce wybraliśmy sobie na uprawianie miłości, szczególne miejsce na sen, myślał Griffin leniwie. Mogliby przecież kochać się w chacie, w wygodnym łóżku, zamiast leżeć tu, w ciemnym lesie.

Musi ją obudzić, zabrać do chaty i dokończyć noc w bardziej komfortowych warunkach. Nie drgnął nawet. Zapach jeziora, zapach sosen, rześkiego górskiego powietrza, wszystko to sprawiło, że po raz pierwszy od dwudziestu lat czuł absolutny spokój.

Spokój i chyba... szczęście.

Niezwykłe doznanie, ale jeszcze sobie nie ufał, jeszcze nie ufał własnym odczuciom.

Zamknął oczy i trwał tak, zasłuchany w odgłosy nocy, a Sophie tymczasem bezpiecznie spała w jego ramionach.

ROZDZIAŁ DWUDZIESTY

Dok nie chciał jej uderzyć tak mocno. Miał do dyspozycji całą długą noc, nie musiał się spieszyć. Cicho nucąc pod nosem, niósł ją przez korytarz starego skrzydła. Ważyła tyle co nic, a on, pomimo swojego podeszłego wieku, był silnym mężczyzną. Przerzucił ją sobie przez ramię i tak ją niósł, oświetlając sobie drogę świecą.

Instalacja elektryczna, pochodząca z pierwszych dekad wieku, dawno nie działała, ze zrujnowanych ścian wystawały czarne kable i białe porcelanowe izolatory. To był przed laty jeden z głównych powodów zamknięcia szpitalika – wymiana instalacji kosztowałaby zbyt dużo. Sophie w przyszłości, po zgromadzeniu odpowiednich funduszy, zamierzała przeprowadzić tu gruntowny remont i zaadaptować wnętrza na potrzeby zajazdu. Na razie jednak skrzydło było zamknięte na głucho, nikt tu nie wchodził.

Głównego wejścia, od strony kuchni, nie zasłoniła deskami, zamknęła tylko na solidne zamki i zabiła gwoździami, a on, oczywiście, miał klucze. Wyjęcie gwoździ zajęło niecałą minutę.

Marty jęknęła i Dok przyspieszywszy kroku, zszedł po wąskich drewnianych schodach do dawnej szpitalnej kuchni. Nie pierwszy raz robił użytek z tego pomieszczenia, ale na pewno po raz ostatni. Zakończy tę noc w blasku chwały. Będzie tak, jakby niebo rozświetliły fajerwerki z okazji Dnia Niepodległości, myślał z zadowoleniem. Ostatni pióropusz oślepiających barw, po którym zalegnie cisza.

Dawno, dawno temu jednej nocy zgładził trzy występne młódki. Zwykle wybierał ofiary bardzo starannie, bardzo rozważnie, ale dwadzieścia lat temu Lorelei, Valette i Alice nie dały mu wyboru, zmuszając do radykalnych posunięć.

Valette pojawiła się u niego pierwsza. Po niefachowo przeprowadzonej aborcji zdarzały jej się krwawienia. Użył wtedy noża, ferując sprawiedliwy wyrok. Jej ojciec nigdy nie miał się dowiedzieć, na jak niegodziwy krok się ważyła. Alice przyszła kilka godzin później, szukając koleżanki. Miała rozmazany makijaż, zmierzwione włosy, pachniała seksem i grzechem.

A potem zapolował na Lorelei, trzecią z wszetecznic. Wszystkie należało ukarać, w imię Boże, i wszystkie ukarał.

Sprawiedliwość zatriumfowała i nikt nigdy nie

odgadł, że to jego dzieło. Nikt nie wiedział, że dziewczęta do niego przychodziły, nikt nie widział ich u niego w gabinecie w godzinach przyjęć. Tylko ten diabeł, który pracował w zajeździe u jego siostry.

Nie chciał nikogo obciążać swymi powinnościami. Działał, jak się rzekło, ostrożnie, rozważnie i zawsze odczuwał coś na kształt dumy ze swych uczynków. Niezbadane są wszak ścieżki Wszechmogącego. Wszystkie poszlaki wskazywały na chłopaka. Ma się rozumieć, nie trafiło na niewinnego. Ten młody grzesznik i tak był zdeprawowany, pewnie z czasem popełniłby i morderstwo. Zapłacił po prostu za swoje zbrodnie niejako awansem, przed czasem.

Od tamtego dnia Dok bardziej uważał, staranniej wybierał ofiary. Nikt nie doszukał się związku między wypadkiem samochodowym Abby Ling, zniknięciem Sary Ann Whitten i częstymi wyjazdami Doka.

Dzisiaj cztery dokonają żywota, trzy grzesznice z jednej rodziny. Na początku nie wiedział, jak bardzo są występne. Marty wybrał od razu, od pierwszego rzutu oka, ledwie na nią spojrzał. Od razu zrozumiał, że tu w Colby spotka ją przeznaczenie, że jej dusza musi zostać oczyszczona ogniem i mieczem. Potem wybór padł na obłąkaną matkę, aż wreszcie się okazało, że grzech toczy także słodką Sophie. Lepiej, by umarła, bo nie warto żyć występnym życiem. On tylko spełni swoją powinność.

I wreszcie Rima. Leży w swoim łóżku, niewidzące oczy wpatrują się ciemności. Płakała, kiedy jej powiedział. Nie mogła zrozumieć, że to jego obowiązek. Sprowadzał życie na świat i odbierał je, gdy zachodziła taka konieczność. Konieczność podyktowana miłością do człowieka. Występek trzeba piętnować, a zło wypleniać. To chyba oczywiste, dla każdego zrozumiałe?

A jednak Rima nie chciała zrozumieć. Jego święta Rima, która wycierpiała równie wiele, jak on, tracąc ich nienarodzone dzieci, którym nigdy nie było dane chodzić po tym padole łez. Ostatnie poronienie było najgorsze. Ciąża przebiegała zrazu prawidłowo, chociaż Rima była coraz bardziej chora. Kiedy wreszcie urodziła, na dwa miesiące przed wyznaczonym terminem, wydała na świat potwora, który ją zniszczył. Potem nigdy już nie doszła do siebie. Pochował pomiot straszny na cmentarzu za wsią. Słyszał śmiech z plaży, śmiech okrutny i zimny, który z niego kpił. Dok wiedział, że musi uciszyć ten upiorny chichot.

Uciszył. Nie od razu, nie tej samej nocy, kiedy podjął decyzję, tylko później, gdy przyszła do niego June, skarżąc się na bóle głowy. June cierpiała, bo w swej próżności nie chciała nosić okularów, ale wieś uwierzyła w diagnozę Doka i przyjęła ją z pełną smutku rezygnacją – anewryzm, nieuleczalne, śmiertelne schorzenie mózgu. Od tamtego czasu Dok gorliwie czynił dzieło boże.

Myślał, że Rima wie. Nigdy z nią o tym nie rozmawiał, nie chciał obarczać jej ciężarem swej posługi. Bo był to ciężar, albowiem trudno zadawać śmierć, kiedy jest się sposobionym do ratowania życia. Ale czy mógł sprzeciwić się losowi, walczyć z przeznaczeniem? Taki spadł na niego obowiązek, i temu obowiązkowi musiał być posłuszny, nie miał wyboru.

Zawsze sądził, że Rima rozumie. Że wie, po co wyjeżdżał do różnych miast Nowej Anglii, dlaczego wracał przygnębiony, pogrążony w żalu i smutku. Nie czerpał radości z zabijania, spełniał tylko obowiązek, czyniąc zadość sprawiedliwości.

Nigdy nie przypuszczał, że przyjdzie mu zabić Rimę. Siedział przy jej łóżku, z pochyloną głową, splecionymi dłońmi i spowiadał się przed nią. Dzisiejsza noc miała być ostatnia, dzisiaj zniszczy ostatnie gniazdo nieprawości w małej społeczności Colby, a potem przyjmie na siebie wyrok owej społeczności. Nie łudził się, że sąd zrozumie jego motywy.

Być może podejrzenia ponownie padną na Thomasa Griffina. Dok poznał go natychmiast, kiedy tylko zobaczył go w sklepie Audleya. I od razu pomyślał, że mógłby wykorzystać pojawienie się dawnego przybłędy we wsi.

Gdyby wiedział, że Griffin zdeprawuje Sophie,

nie wahałby się ani chwili. Bolał nad tym, chociaż z drugiej strony skoro udało się to Griffinowi, mógł to uczynić również ktoś inny. Uległa pokusie, jeszcze jeden upadły anioł skalany grzechem cielesnym. Musi podzielić los swojej siostry i tylu innych.

Matka go zmyliła. Wiedział, że wiodła grzeszne życie, ale uznał, że demencja będzie dla niej wystarczającą karą. Nie, obłęd dodał jej przenikliwości. Wiedziała, kim on jest i jakie zadanie wziął na swoje barki. Pójdzie za córką i Marty.

Postawił świecę na zdewastowanym blacie kuchennym. Dziewczyna znowu jęknęła, ale nie ocknęła się. Otworzył spiżarnię, wionęło zatęchłym powietrzem, płomień świecy zamigotał. Grace tkwiła, gdzie ją zostawił. Siedziała na starym wózku szpitalnym, dłonie miała przywiązane do poręczy, głowa opadła jej na pierś.

Położył nieprzytomną Marty na podłodze i zaniepokojony zbliżył się do Grace. Coś poszło nie po jego myśli, być może dał jej zbyt silną dawkę środka nasennego, kto wie, czy jej nie uśmiercił. Nie był też pewien, czy nie roztrzaskał Marty czaszki, kiedy zdzielił ją pistoletem w głowę. Włosy nierządnicy, czarno-różowe, teraz z zakrzepłą na nich krwią.

Grace oddychała normalnie, spała, tak jak chciał. Marty też żyła. Powinny żyć, chciał, żeby żyły, dopóki nie dosięgnie Sophie. Miały odejść wszystkie trzy równocześnie, świadomie dokonać żywota, by trafić do nieba.

Bo że trafią do nieba, nie wątpił. Oczyści ich dusze od grzechu i już odtąd czeka je żywot wiekuisty. Nigdy już nie doświadczą występku, nieprawości i cierpienia. Trudna misja, bolesna, ale nigdy nie cofał się przed wyznaczonym mu zadaniem. Nawet wtedy, kiedy musiał położyć poduszkę na twarzy Rimy, by stłumić krzyki, które mogłyby zaniepokoić mieszkańców Colby.

Łzy spływały mu po policzkach, gdy w końcu odjął poduszkę. Rima nie odeszła spokojnie, niedobrze, że tak się stało. Myślał, czy nie przywieźć ciała ze sobą, do zajazdu, ale jak by to wytłumaczył? To wzbudziłoby podejrzenia, a on jeszcze raz chciał się przekonać, czy uda mu się ujść bezkarnie. Jeśli tak, wyjaśni po prostu, że Rima zmarła na zawał, nikt nie będzie kwestionował jego słów. Ludzie wiedzą, jak bardzo był przywiązany do żony.

Postawił świecę na podłodze spiżarni, w pomieszczeniu był przewiew, Grace i Marty nie uduszą się z braku powietrza, a nie chciał, żeby ocknęły się w ciemnościach. Czekała je długa podróż, ostatnia podróż, a przecież nie życzył im źle. To, co robił, robił dla nich, chciał ich dobra.

Zamknął drzwi spiżarni i cofnął się o krok. Jeśli któraś odzyska przytomność, jeśli zacznie wzywać pomocy, nikt nie usłyszy wołania. Sprawdził to już – krzyków Valette nikt nie usłyszał.

Nie zostawi ich tutaj, oczywiście. Ciała spali w oczyszczającym ogniu. Przygotuje stos całopalny, odmówi modlitwę.

Zmarszczył nos. Nie lubił zapachu benzyny. Nigdy go nie lubił, ale do rozpalania ognia nadawała się doskonale, była bardzo wydajna. Od kilku tygodni odlewał po trochu z baku starej ciężarówki, tej samej, którą zamierzał zepchnąć Sophie z drogi. Roznieci pożar jak się patrzy, ogromny pożar, straż nie zdąży dotrzeć na czas. Kiedy pojawią się w Stonegate wozy, będzie po wszystkim.

Wrócił na górę, pogwizdując pod nosem. Teraz pozostało mu tylko czekać na Sophie.

Przeszedł szybko mrocznym korytarzem szpitalika. Urodził się w tym budynku, siedemdziesiąt sześć lat temu. W czasie swojej długiej praktyki odebrał pięćset trzydzieści trzy porody. Nigdy nie stracił rachuby. Tu się urodził i tu powinien umrzeć.

Kiedy wrócił do zajazdu, Sophie nadal nie było. Zamknął starannie drzwi prowadzące do starego skrzydła. Wiedział, gdzie jest Sophie, wiedział, co robi. Im większy grzech, tym surowsza pokuta, tym większa skrucha. Obrócił w palcach gałązkę żółtych kwiatów. Już wkrótce, obiecywał sobie, już wkrótce.

Marty usłyszała jakiś głos wwiercający się w głowę. Nie chciała nic słyszeć, chciała spać. Dlaczego nikt nigdy nie daje się jej wyspać? Czy żąda za wiele...?

– Marty, obudź się, dziecko!

Chwilę się zastanawiała, jak zareagować. Rozpoznała głos Grace, ale akurat Grace była ostatnią osobą, z którą miała ochotę rozmawiać. Leżała na czymś twardym i obrzydliwym, głowa bolała ją jak wszyscy diabli. Otworzyła oczy. I to był poważny błąd.

– Cholera – zaklęła.

– W rzeczy samej – zgodziła się Grace ponurym głosem. – Rozwiąż mi ręce, dobrze? Ten stary szaleniec dał mi jakiś środek nasenny, ruszyć się nie mogę.

Głos Grace brzmiał ostro i chłodno, zniknął nieobecny ton. Marty podniosła się, spojrzała na nią w mdłym blasku świecy. Znajdowały się w jakimś ciemnym, pozbawionym okien pomieszczeniu.

– Zwariowałaś? – burknęła.

– Nie zwariowałam – odparła Grace zniecierpliwionym i rzeczowym głosem, jakiego nie słyszało się u niej od wielu miesięcy. – Mam na tyle rozumu, by domyślić się, że to Dok jest mordercą z Northeast Kingdom. Próbowałam was ostrzec, ale nie chciałyście mnie słuchać.

Marty zabrała się do rozwiązywania pęt krępujących nadgarstki Grace.

– Czemu po prostu nam nie powiedziałaś, głupia stara krowo? – zapytała uprzejmie.

– Bo nie miałam żadnych dowodów. Poza jednym, nożem, którego musiał używać. Znalazłam go w szpitaliku i zastanawiałam się, jak by go można zbadać. Niestety ktoś mi ukradł jedyny dowód. Nie miałam wyboru, musiałam udawać pomyloną, żeby odwrócić uwagę Doka od was obu. Powinnam była się domyślić, że w końcu ten szaleniec przystąpi do działania.

– Dok jest mordercą? – w głosie Marty zabrzmiało umiarkowane zainteresowanie.

– A przecież nie zdzielił cię w głowę zbyt mocno, Marty. Dok morduje kobiety. Bóg wie, ile ich sprzątnął przez lata, i dlaczego. Może cierpi na kompleks Kuby Rozpruwacza. To zresztą nie ma w tej chwili żadnego znaczenia. Skupmy się na tym, że ten człowiek jest naprawdę niebezpieczny.

– Zamknął nas w jakiejś cholernej piwnicy.

– Ale nie dostał na razie Sophie. Miejmy nadzieję, że ten młody człowiek zorientuje się w sytuacji.

– A Smitha co to może obchodzić?

– Nie jest żadnym Smithem, dzieciaku. To on został skazany dwadzieścia lat temu za morderstwo. Jesteście takie głupie, że się nie domyśliłyście, ale ja rozpoznałam go natychmiast. Zostawiłam nawet w kuchni starą gazetę z jego zdjęciem, żeby

Sophie je zobaczyła, ale to też nic nie dało – prychnęła Grace z wyraźnym niesmakiem. – Mówiłam, żeby czytała te same książki co ja, zaraz by się zorientowała.

Marty przeszedł dreszcz. Bała się. Nie miała ochoty umierać. Szczególnie teraz, kiedy czuła jeszcze na swych ustach słodki pocałunek Patricka Laflamme'a.

– Co zrobimy, Grace? – zapytała słabym głosem.

Grace wstała i objęła drżącą Marty.

– Obiecuję ci, kochanie, że nie pozwolę mu nas skrzywdzić. Zaufaj mi, Marty.

Grace obejmowała ją mocno, ale Marty nie miała wielkich złudzeń. Może umysł Grace działał doskonale, ale była tylko kruchą, starszą panią. Gdyby doszło do konfrontacji między nią i Dokiem, wiadomo, kto by wygrał.

Nie podzieliła się z Grace swoimi obawami.

– Sophie cię zabije, kiedy się dowie, że udawałaś – mruknęła tylko.

– To akurat teraz najmniejsze zmartwienie. Zresztą wybaczy mi.

– Oby tylko miała sposobność – westchnęła Marty ponuro.

– Będzie miała, skarbie, z pewnością będzie miała.

Griffin nie spał. Księżyc schował się za chmurą, na polanie pociemniało, zrobiło się chłodno. Za chwilę tyłek zmarznie mu na kość, podobnie zresztą jak Sophie. Spała słodko w jego ramionach i wystawiała swoją zachwycającą pupę do gwiazd.

Pomimo chłodu nie ruszał się, nie próbował jej budzić. Spała tak spokojnie, tak smacznie, że nie miał serca tego robić.

Ledwie to pomyślał, zachrapała cicho, po czym podniosła głowę i utkwiła w nim spojrzenie.

– Coś ugryzło mnie w pupę – stwierdziła rzeczowo, przecierając oczy.

– Nie ja. Nie byłbym od tego, ale leżysz na mnie i... – Nie zdążył dokończyć zdania, gdy zerwała się na równe nogi. Niech to diabli.

– Gdzie moje ubranie? – zmartwiła się, gotowa w ciemnościach przeszukiwać polankę.

Szkoda, że księżyc się schował, pomyślał Griffin z niejakim żalem, chociaż nadal mógł widzieć w słabej poświacie krągłości Sophie, jej pełną gracji sylwetkę. Usiadł i sięgnął za siebie.

– Proszę – powiedział usłużnie, rzucając jej halkę, stanik, resztę rzeczy. Wtem spadły mu na głowę jego własne dżinsy. Zamierzał wrócić do domu z gołym tyłkiem, ale Sophie miała widać na ten temat odmienne zdanie. Podniósł się i z ociąganiem włożył spodnie. Jęknął jeszcze, natrafiwszy w kieszeni na zapomnianą prezerwatywę.

– Co się stało? – zagadnęła.

– Nic – zbył pytanie. – A ty, dokąd się wybierasz? – chciał wiedzieć.

– Wracam do domu. Muszę sprawdzić, jak się czuje matka.

– Twoja siostra może zająć się Grace. Jeszcze nie skończyliśmy.

– Nie? – zdziwiła się. – Co nam jeszcze zostało?

– Moglibyśmy zrobić to na stojąco albo... – kombinował.

– Ty tylko o jednym. Nie musimy tego robić akurat dzisiaj.

– Ja muszę. A twoja matka smacznie śpi, Sophie. Nie chciałabyś dla odmiany pokochać się w łóżku? Materac ma wiele zalet. Kolana nie bolą.

Nie potrzebował światła księżyca, by wiedzieć, że się zaczerwieniła.

– Chodź do mnie, Sophie – nie ustępował. – Przecież masz ochotę.

Wahała się. Udało mu się zmienić przyzwoitą pannę w samiczkę o zdrowym apetycie na seks. Chciał ją mieć w swoim łóżku. Teraz, zaraz.

– Nie mogę. Matka miała bardzo zły dzień. Dok przy niej czuwa. Muszę sprawdzić, czy Marty wróciła z randki i czy Grace udało się usnąć. Dok na pewno chciałby już jechać do domu, zająć się w końcu Rimą...

– Idź do domu, zobacz, czy wszystko w porządku i przyjdź do mnie... Z Grace i Marty nie dzieje się nic złego, mówię ci. Aha, i przebierz się w coś seksownego – dodał z uśmiechem.

– To zbrodnia ukrywać takie ciało pod tymi kretyńskimi falbanami.

– Lubię falbany.

– Wariatka – stwierdził krótko.

– Wariatką jest moja matka. Dzisiaj wieczorem oświadczyła mi, że rozmawia z kwiatami, w dodatku zaczęła podejrzewać wszystkich wokół o mordercze instynkty.

Griffina przeszedł zimny dreszcz, bardzo niemiły dreszcz, nie mający nic wspólnego z rześkim chłodem sierpniowej nocy.

– Kwiaty?

– Dok przywiózł mi śliczny żółty bukiet, Grace go zobaczyła i zaczęła się upierać, że kwiaty wyjawiły jej imię mordercy, którym jest Dok. Kochany, poczciwy Dok, wyobrażasz sobie? On, który muchy by nie skrzywdził...

– Kochany, poczciwy Dok – powtórzył Griffin grobowym głosem.

– Naprawdę muszę iść, zobaczyć, co z Grace, ale wrócę – obiecała Sophie.

– Tak, tak – przytaknął Griffin machinalnie, zbyt pochłonięty własnymi myślami, by słyszeć, co się do niego mówi. Żółte kwiaty na stole w kuchni Sophie, kwiaty na grobach młodych kobiet. Kwiaty przemawiające do pomylonych starych dam, opowiadające o zbrodniarzu.

Nawet nie zauważył, kiedy Sophie poszła. Usiłował coś sobie gorączkowo przypomnieć i nie był w stanie. Nie potrafił nawet powiedzieć, o co chodziło. Na pewno to coś ważnego, sprawa życia i śmierci. Jeśli sobie nie przypomni, stanie się coś przerażającego. Tak jak wtedy.

Rozejrzał się i stwierdził, że został sam. Sophie będzie na niego zła jak osa, że pogrążył się w tajemniczym transie i przestał na nią zwracać uwagę. Nie zdziwiłby się, gdyby wróciła do domu, zaryglowała wszystkie drzwi i poszła do łóżka, zapominając o roztargnionym amancie.

W więzieniu nauczył się nie tylko podstaw prawa. Wiedział, jak uruchomić samochód bez kluczyków i jak wytrychem otworzyć drzwi. Kiedy już sobie przypomni, co mu chodziło po głowie, złoży pannie Sophie Davis małą księżycową wizytę. Jej łóżko równie dobrze nadawało się do tego, co zaplanował. Będzie tylko musiała zachowywać się nieco ciszej, niż miała w zwyczaju. Zwłaszcza że zamierzał po wielekroć doprowadzić ją do orgazmu.

Wrócił przez ciemny las do chaty. Miał nadzieję, że Sophie dotarła do domu bezpiecznie, tym razem już nie błądząc. Tak długo tkwił na polanie, że pewnie usłyszałby, gdyby znowu zgubiła drogę. Kiedy wpadała w panikę, potrafiła narobić hałasu godnego całkiem sporego słonia.

Parsknął śmiechem. Nie spodobałoby się jej to porównanie. Nie miała pojęcia, jaka jest zachwycająca. To naprawdę zbrodnia ukrywać takie ciało pod niezliczonymi warstwami falbaniastego przyodziewku. Chociaż z drugiej strony warstwy spełniły swoją rolę, trzymając mężczyzn na bezpieczną odległość, dopóki nie pojawił się on we własnej osobie.

Da jej pół godziny, a potem pójdzie do Stonegate. Wziął szybki prysznic, włożył czyste dżinsy, starą koszulę flanelową, no i tym razem wcisnął do kieszeni pół tuzina prezerwatyw. Trochę za późno, ale może nie stało się jeszcze nic złego.

A jeśli już jest za późno? Nie miał zamiaru się nad tym zastanawiać. Nie w tej chwili. Nie był zupełnie przygotowany, nie potrafił sobie wyobrazić, jak by zareagował. Poza wszystkim miał teraz inne zmartwienia – gadające kwiaty, Dok i...

Nagle przyszło przypomnienie, tak gwałtowne, że omal nie upadł. Wstrząs tak potężny, że zakręciło mu się w głowie. Oszołomiony osunął się na fotel przy wygaszonym kominku.

Lorelei miała kwiaty we włosach. Żółte kwiaty, których nigdy wcześniej nie widział. Zazdrosny, zaczął ją wypytywać, co to za kwiaty, od kogo, a ona zbyła go śmiechem i informacją, że to od pewnego pana, admiratora, jak go określiła.

Pokłócili się. Wściekł się, zaczął na nią krzyczeć, rozpętała się awantura.

Zawsze lubiła ostry seks, tej nocy też nie było inaczej. Brał Lorie z jakąś zapiekłą pasją, już postanowił, że rano wyjedzie z Colby, zostawi ją w diabły.

Podrapała go, często to robiła. Pod paznokciami odkryli potem jego naskórek, mimo że ciało kilka godzin pławiło się w jeziorze, zanim je znalazł. Nadal miała we włosach żółte kwiaty. Skrwawione ciało w szopie, skrwawione i obsypane kwiatami. Jego krzyk. I oczy Doka.

W dzikiej panice rzucił się do telefonu. Powiedziała, że Dok przyniósł kwiaty. Dok, który był ciągle obok, od samego początku. Złożył obciążające Griffina zeznania, znał wszystkich w Colby, znał najintymniejsze sekrety mieszkańców. Dok z żółtymi kwiatami, Dok o jowialnym uśmiechu. I dłoniach mordercy.

Wykręcił numer na starym tarczowym aparacie, był zapisany na świstku papieru. Odezwał się sygnał po drugiej stronie, potem ciche kliknięcie.

– Sophie, musisz koniecznie... – nie dokończył zdania, kiedy odezwał się głos z taśmy.

– Abonent czasowo niedostępny, abonent czasowo niedostępny, proszę spróbować później. – Tępy, mechaniczny komunikat.

Przez chwilę wpatrywał się w telefon ze zgrozą, a potem rzucił słuchawkę i gnany przerażeniem wybiegł z chaty.

ROZDZIAŁ DWUDZIESTY PIERWSZY

Sophie jak furia parła po stoku wzgórza w stronę domu. Jak ten drań, ten sukinsyn śmiał zapomnieć o jej obecności? Jak mógł... Najpierw się z nią kocha, a w chwilę później ta sama kobieta po prostu przestaje dla niego istnieć. Zabije go. Po prostu. Znajdzie broń i pozbawi łajdaka życia.

Przynajmniej spróbuje. Nie tknęła żywej duszy od chwili, kiedy w czwartej klasie musiała przyłożyć Johnowi McKinneyowi, bo jej dokuczał. Teraz miała zbrodnię w sercu, choć zapewne skończy się na pobożnych życzeniach.

Dom pogrążony był w ciemnościach. Cicho, głucho, tylko z okien kuchni padało na trawnik mdłe światło. Zegarek, który miała na przegubie, dawno stanął. Nie potrafiła powiedzieć, ile czasu spędziła w leśnej głuszy z Thomasem Griffinem. Thomasem Griffinem, który na biodrze miał wytatuowanego węża. Który został skazany na wiele lat więzienia, chociaż nigdy nikogo nie zabił.

Nie dojrzała samochodu Doka nigdzie w pobliżu zajazdu. Marty na pewno jakiś czas temu wróciła do domu i Dok pojechał do siebie, do wsi, zająć się Rimą. Grace śpi, nafaszerowana tabletkami.

Niepotrzebnie się martwiłam, wszystko jest w najlepszym porządku, mówiła sobie, wchodząc po stopniach na ganek.

Zajrzy do Grace, sprawdzi, czy matka rzeczywiście śpi, potem weźmie prysznic i położy się spać. Ale tymczasem obmyśli, jak zemścić się na tym palancie, w którym miała nieszczęście się zakochać.

Zakochała się? Odrzuciła tę myśl ze złością. Jeśli tak wygląda miłość, to ona nie chce mieć z nią nic wspólnego. Chodziło tylko o seks. Bardzo przyjemny, zdrowy seks, nic więcej. Musiałaby rozum stracić, żeby snuć jakieś sentymentalne wizje z tym denerwującym wieprzem w roli głównej. Owszem, stał się jej bardzo bliski, ale to nie znaczy, że ten epizod należy zamknąć czułostkowym happy endem. Żyli długo i szczęśliwie... Też coś!

Zrobi lepiej, jeśli zamiast o długim i szczęśliwym życiu, pomyśli o zbrodni. Tak, zabije go. Jedno czy dwa morderstwa w Colby, w końcu co to za różnica dla tej wsi? Mieli już kilka zabójstw w przeszłości, przywykli, pomyślała ponuro, otwierając drzwi kuchenne. Może nie na darmo dostała gadające kwiaty? Może przemówią do niej, zdradzą jej plan morderstwa doskonałego.

Pchnęła drzwi, przekręciła kontakt i zatrzymała się jak wryta. Na środku kuchni Dok, pokryty od stóp do głów kurzem, w pajęczynach, ze strapieniem wymalowanym na twarzy.

– Chodzi o Grace – zawołał dramatycznym głosem. – Grace zniknęła. Nie wiem, jakim sposobem udało się jej tego dokonać, ale przedostała się chyba do starego szpitalika. Szukałem jej, ale tam ciemno, musiała się schować gdzieś w kącie. Uroiła sobie, że chcę jej zrobić coś złego.

Sophie ogarnęła panika, zapomniała o słodkiej zemście, którą jeszcze przed chwilą planowała z taką lubością.

– Gdzie Marty? Mogłaby nam pomóc szukać...

– Nie wróciła jeszcze z randki.

– Niech ją wszyscy diabli wezmą! – wybuchła Sophie. Dok skrzywił się. Powinna go pewnie przeprosić za swój niewyparzony język, ale jakoś się do tego nie kwapiła. – Dzwoniłeś po pomoc?

Dok skinął głową.

– Wezwałem policję. Niedługo powinni przyjechać, przeszukają cały dom i okolicę, ale jadą z Hampstead, trochę to potrwa. Wracam do szpitalika, może uda mi się ją znaleźć.

– Idę z tobą.

– W tym stanie? – zdziwił się Dok, patrząc na bose stopy Sophie i jej podartą suknię.

– Nie sądzę, żeby Grace przejęła się moim wyglądem – burknęła Sophie i zaraz pożałowała popędliwych słów. Dok nie dał jej żadnych powodów, żeby na niego warczała.

– Jesteś na bosaka, a tam mnóstwo potłuczonego szkła, stare deski z wystającymi gwoździami. Włóż jakieś buty. – Nie obraził się na nią ani trochę, w każdym razie w jego głosie nie było cienia urazy i Sophie wzięła głęboki oddech. Spokój i zdrowy rozsądek Doka działał kojąco.

– W porządku – zgodziła się. – Zaraz wracam.

Włożyła stojące w kącie buty, których używała do pracy w ogrodzie i ruszyła do sieni od frontu.

– Chwileczkę, znajdę tylko latarkę – zawołała przez ramię.

– Pospiesz się – ponaglił ją Dok łagodnie, pełnym zatroskania tonem.

Nie powinna tego robić. Była wściekła na Griffina, nie potrzebowała jego pomocy. Ona nie, ale jej biedna, pomylona matka tak. Podniosła słuchawkę telefonu.

Martwa cisza, ani śladu sygnału. Myślała, że ktoś niechcący wyłączył telefon z gniazdka, ale nie, kabel zwisał luźno, końcówka była oderwana.

– Pospiesz się – ponaglał Dok. Zaczynał się już niecierpliwić.

Wracając do kuchni z potężną latarką, zerknęła na kwiaty w wazonie na stole. Latarka była ogromna, ważyła tonę i na milę biła po oczach oślepiającym snopem światła. Drzwi do skrzydła stały otworem. Kiedy zamieszkały w Stonegate, osobiście zabiła je gwoździami, Grace nie wydobyła ich żadnym sposobem, była na to za słaba.

Spojrzała na poczciwą, zatroskaną twarz Doka. Wiedziała już, gdzie wcześniej widziała kwiaty. Na grobach zamordowanych kobiet. Dok musiał je tam nosić. Znajdą się i na jej grobie, jeśli do tego dopuści.

Pierwsza myśl, która jej przyszła do głowy, to uciekać. Miała szansę odwrotu, stała znacznie bliżej drzwi niż on, była znacznie szybsza, młodsza, sprawniejsza. Może nawet okazałaby się silniejsza od niego, ale nie była do końca pewna swoich możliwości. Dok, jak na kogoś w dość podeszłym wieku, odznaczał się doskonałą kondycją, mógłby ją obezwładnić, zanim zdołałaby pisnąć.

Spojrzała ponownie na Doka czekającego cierpliwie w przejściu prowadzącym do szpitalika. Jeśli ona ucieknie, kto uratuje Grace? I Marty? Dok ją okłamał. Kłamał na temat policji, kłamał, że Grace uciekła. Kłamstwem było prawdopodobnie i to, że Marty dotąd nie wróciła z randki. Nie wolno jej tak po prostu uciec, ratując własną skórę, skazując na śmierć matkę i siostrę.

– Jak sądzisz, gdzie ona może być? – zapytała spokojnie, podchodząc do niego.

– Sprawdziłem, na ile mogłem, każdy kąt, nie

byłem tylko na dole, w starej kuchni. Może tam się ukryła.

Całkiem rozsądna odpowiedź – stara kuchnia w głębokich suterenach skrzydła. Nikt by ich tam nie znalazł, nikt nie usłyszałby krzyku. Zanurkowała w labirynt ciemnych pomieszczeń i poczuła zapach benzyny. Wiedziała już, co Dok zamyśla.

– Może powinniśmy jednak zaczekać na pomoc – mruknęła, cofając się. – Strasznie tu ciemno. Nawet latarka nie na wiele się przyda w tym rumowisku.

Poczuła dłoń zaciskającą się na łokciu w żelaznym uścisku. Jest zdecydowanie znacznie silniejszy niż ja, przemknęło jej przez myśl. Wdepnęła w straszne gówno.

– Znajdziemy je z całą pewnością, zobaczysz, Sophie – powiedział łagodnie.

Nie zauważył, że się przejęzyczył, powiedział „je" zamiast „ją", pomyślała Sophie, dając się prowadzić przez sterty śmieci. Szli, wzbijając obłoki kurzu, migocącego upiornie w blasku latarki. Gdzieś w głębi suteren dostrzegła mdłe światełko. Zapach benzyny stał się jeszcze mocniejszy, bardziej wyczuwalny.

– Co to za światło? – zapytała, potykając się i usiłując nadążyć za Dokiem. Nie miała wyboru.

– Zostawiłem na wszelki wypadek zapaloną świecę – powiedział lekkim tonem. – Wiem, że mogłem zaprószyć ogień, ale chyba warto było podjąć takie ryzyko. Nie chcemy przecież, żeby coś złego przytrafiło się drogiej Grace.

– Nie, nie chcemy. Może najpierw powinniśmy przeszukać piętro. Jest tam mnóstwo zakamarków, w których można się schować. – Próbowała go jakoś pohamować, odwlec fatalny moment.

Dok pociągnął ją za rękę.

– Już tam szukałem. Nie ma jej tam, możesz mi wierzyć. Chodź, Sophie – ponaglał. – Powinniśmy się spieszyć.

Co miała zrobić?

Szła za nim, szła do kuchni w suterenie, usiłując powstrzymać drżenie dłoni dzierżącej ciężką, ogromną latarkę. W kuchni musiała być jej matka, prawdopodobnie również siostra. Jeśli z nim do nich nie dotrze, Dok je i tak zabije. Ją zamorduje wcześniej albo potem. Jedyna szansa na ratunek, to iść z nim, czekając sposobnej chwili, momentu nieuwagi z jego strony. Ucieczka przekreślała jakąkolwiek możliwość ratunku, jeśli oczywiście taka możliwość istniała.

– Idę, idę – zapewniła, mocniej zaciskając palce na latarce.

Kuchnia w suterenie, ponure wnętrze, wyglądała trochę upiornie, niczym jakaś pogańska kaplica. Nie, wcale nie pogańska. Na starym, żeliwnym piecyku stał srebrny krucyfiks. Nigdzie śladu Grace i Marty, ale drzwi do spiżarni, które Sophie, dobrze to pamiętała, zostawiła uchylone przy pierwszej i jedynej inspekcji skrzydła, były teraz szczelnie zamknięte.

Tam musiały być, w spiżarni. Nie wiadomo tylko, czy żywe. Czy miały czym oddychać w zamkniętym pomieszczeniu? Czyżby się spóźniła?

Wtedy usłyszała. Trzaskanie ognia liżącego deski, gdzieś nad jej głową. Złowieszczy odgłos. Suterenę szybko zapełniał dym, pochłaniając tlen.

Dok musiał rozpalić ogień, kiedy na moment zatrzymał się na parterze, przepuszczając ją przodem na wąskich schodach. Obejrzała się i spojrzała na niego w panice.

– W porządku, nie denerwuj się – uspokoił ją. – Zaraz będzie po wszystkim. Grzech trzeba ukarać, inaczej nie zaznasz życia wiecznego. Ból i cierpienie zbliżą cię tylko do królestwa niebieskiego.

– Gdzie są Grace i Marty, Dok? – Nie miała pojęcia, jakim cudem zdołała mówić tak spokojnie. Może to przedśmiertne odrętwienie, kiedy człowiekowi jest już wszystko jedno? Czuła gorąco ognia, słyszała syk płomieni. Niedługo pożar przedostanie się do sutereny, pochłonie stare wnętrza.

– Połączą się z tobą w niebie, Sophie – zapewnił Dok. – Na kolana, dziecko.

– Dlaczego?

– Pora żałować za grzechy, żebyś mogła pójść na spotkanie Stwórcy z czystym sercem.

– Jeśli będę żałować za grzechy, to po co mam umierać?

Dok zasępił się, jakby zadała mu niezwykle skomplikowane pytanie natury teologicznej.

– Musisz – odparł wreszcie, rozstrzygając tym jednym słowem subtelną kwestię. – Módl się razem ze mną, dziecko. – Tu opadł na kolana, pociągając Sophie ze sobą i począł modlić się donośnym głosem, ze zwieszoną głową.

Wydawało się jej, że przez trzaskający ogień, przez głośne modły Doka słyszy stłumione głosy. Grace i Marty muszą jeszcze żyć, pomyślała, zaciskając mocno latarkę w dłoni, drugą jej dłoń ściskał Dok w żelaznym uścisku.

Płomienie tańczyły już przy drewnianej poręczy schodów. Pląsały wesoło i zapowiadały śmierć.

– Pochyl głowę i módl się ze mną, Sophie – zawołał Dok donośnie, w religijnym uniesieniu przekrzykując trzaskanie ognia.

Sophie spojrzała na pochyloną głowę Doka, na jego odsłonięty, wystawiony na cios kark. Podniosła latarkę i uderzyła z całych sił.

Dźwięk, który się rozległ, miał na zawsze wryć się w jej pamięć. Obrzydliwy odgłos pękającej kości. Krew.

Upadł na podłogę, po której pełzały już płomienie. Nie miała czasu zastanawiać się, co zrobiła. Zerwała się, przekroczyła rozciągnięte na deskach ciało i runęła biegiem w kierunku spiżarni.

Przez chwilę mocowała się z wielką zasuwą, w końcu ją otworzyła i zobaczyła Grace i Marty, skulone w kącie, przytulone mocno do siebie.

– Wreszcie! – Marty zerwała się, pomogła wstać Grace. – Co tu się, do cholery, dzieje? Gdzie ten stary psychol?

– Chyba go zabiłam – poinformowała Sophie.

– I bardzo dobrze. Wynośmy się stąd. Musimy pomóc Grace. Dał jej jakiś mocny środek oszałamiający, nie wyjdzie stąd o własnych siłach.

Marty ujęła Grace pod jedno ramię, Marty pod drugie. Starsza pani uśmiechnęła się niepewnie, ale zupełnie przytomnie. Prawdę powiedziawszy, Sophie nie widziała u niej od miesięcy równie przytomnego uśmiechu.

– Próbowałam cię ostrzec – oznajmiła Grace z wyrzutem – ale mnie nie słuchałaś.

– Ale jakim sposobem...

– Nie czas teraz na dyskusje, Sophie – krzyknęła Marty poirytowanym głosem. – Idziemy!

Gęsty dym wypełniał już suterenę, płomienie harcowały na wąskich schodach.

– Schylcie głowy, zakryjcie usta – zakomenderowała Sophie.

Czekała, że Marty zacznie się z nią sprzeczać, ale przynajmniej ten jeden raz zawsze mająca coś do powiedzenia siostra wykonała polecenie bez zbędnych komentarzy.

Obie ciągnęły nie mogącą ustać na nogach Grace przez wypełnione gryzącym dymem pomieszczenia.

– Jeśli przez ciebie się stąd nie wydostaniemy, to mnie szlag trafi. – Marty zaniosła się kaszlem, ale nie mogła jednak powstrzymać się od uwagi, jakby chciała zrekompensować sobie chwilę posłuszeństwa wobec siostry.

– Mnie też – przytaknęła Sophie z dużą dozą racji, lekceważąc fakt, że jeszcze przed chwilą miała w perspektywie zażywanie żywota wiekuistego.

Przesuwała dłonią po ścianie, szukając wyjścia gospodarczego przez klapę w przybudówce. Tego wyjścia nie zabiła ani deskami, ani gwoździami, jako jedyne zostawiła je otwarte. Miała nadzieję, że Dok nie zabarykadował jedynej teraz drogi odwrotu. Schody już stały w płomieniach, tamtędy nie da się uciec.

Natrafiła wreszcie dłońmi na ciężkie drzwiczki i pchnęła je z całych sił, nie bacząc na ból w ramionach. Od klapy w przybudówce dzieliły je już tylko schodki. Zaczęła w nią walić z całych sił, ale klapa nie chciała ustąpić. Dok musiał jednak czymś ją zabarykadować, uniemożliwiając ucieczkę. Były w potrzasku, skazane na śmierć w płomieniach. Boże...

Nie zginą. Na pewno nie. Jeszcze raz naparła

z całych sił na klapę, która w końcu zaczęła ustępować.

– Szybko! – wrzasnęła Marty.

Klapa odskoczyła, poczuły powiew chłodnego powietrza, pojawiło się nocne niebo. I czyjaś mroczna sylwetka na górze.

Ku Sophie wyciągnęła się mocna dłoń Griffina. Wygramoliła się z trudem na zewnątrz, pociągając za sobą Marty i Grace.

Skrzydło szpitalne było teraz jedną ścianą ognia. W każdej chwili ogień mógł się przenieść na ich piękny, odremontowany dom. Już się przenosił. Sophie leżała w trawie, kaszląc. Nie mogła się podnieść, bezradnie patrzyła, jak płomienie zaczynają trawić jej wymarzone Stonegate.

– Może w końcu się ruszysz – warknął Griffin, odciągając ją od ognia, od żaru.

Cała czwórka ruszyła biegiem po zboczu wzgórza w kierunku jeziora, nawet Grace zmobilizowała jakimś cudem siły nadwątlone przez środki usypiające.

Od strony wsi po chwili rozległ się odgłos syreny strażackiej.

– Tu jesteśmy bezpieczni – powiedział Griffin, puszczając w końcu dłoń Sophie. – Gdzie Dok? – zapytał sucho.

Sophie znowu padła na trawę, zaniosła się kaszlem. W pierwszej chwili nie była w stanie odpowiedzieć na pytanie. Marty ją wyręczyła.

– Smaży się – poinformowała. – Dosłownie. W suterenie. Nawet nie próbuj go ratować – dodała na wszelki wypadek. – To morderca.

– Nie miałem najmniejszego zamiaru – powiedział Griffin, kładąc się na trawie i głęboko wciągając powietrze.

– Zabił je – odezwała się w końcu Sophie. – Zabił je wszystkie.

Długa cisza.

– Wiem – przytaknął Griffin.

Sophie podniosła głowę i spojrzała uważnie na jego twarz oświetloną pomarańczową łuną. Leżał obok niej, nadal z trudem chwytał powietrze.

– Kiedy zamierzałeś podzielić się z nami tą rewelacją?

– Przed chwilą zrozumiałem.

Grace parsknęła śmiechem. Nie brzmiał jak śmiech starej, pomylonej kobiety, to był śmiech dawnej, nie powalonej chorobą Grace.

– Długo ci to zajęło – orzekła z niejaką pogardą. – Ja wiedziałam od kilku miesięcy. Trzeba było czytać oparte na faktach kryminały, wtedy rozwiązałbyś zagadkę znacznie wcześniej.

Sophie odwróciła głowę i spojrzała na swoją rodzoną matkę.

– Wiedziałaś? – zdumiała się. – Czemu nie powiedziałaś mi wcześniej?

– Próbowałam. Myślałaś, że zwariowałam.

No, to postanowiłam udawać sfiksowaną staruszkę. Liczyłam, że w ten sposób odciągnę uwagę Doka od ciebie i Marty. Wiedziałam, że to kiepskie rozwiązanie, tylko na krótką metę, ale co miałam robić. Gdybym ci powiedziała, jak się sprawy mają, pobiegłabyś w te pędy do swojego drogiego przyjaciela Doka i wypaplała mu wszystko.

I rzeczywiście, wiele razy tak właśnie robiła, biegła do Doka, szukając u niego rady i pomocy. Już otworzyła usta, chciała przeprosić albo zrobić matce awanturę, kiedy przed domem pojawiły się pierwsze wozy ochotniczej straży z Colby. Wysypali się z nich strażacy i z miejsca przystąpili do sprawnej, dobrze zorganizowanej akcji.

W chwilę później pojawiła się karetka na sygnale i grupkę na trawie otoczyła gromada gotowych nieść pomoc ludzi.

Wyjątkowo ustępliwą i ciągle osłabioną Grace zabrano do szpitala na obserwację, ale tak zwany Alzheimer cudownie się cofnął.

Udawała cały czas, przez tyle miesięcy, wszystko po to, by chronić rodzinę.

W moment po przyjeździe straży pożarnej pojawił się Patrick Laflamme i kiedy zaproponował, że zabierze Marty do siebie, Sophie nie miała nawet siły kłócić się z nim.

Chłopiec był solidny, stateczny, a jeśli miałby jakieś niecne zamiary, matka szybko wybiłaby mu je z głowy. Pewnie wybiłaby je i Marty. Madelene

Laflamme była osobą niezwykle zasadniczą, pryncypialną. Jeśli ktoś był zdolny wzbudzić w Marty bojaźń bożą, to właśnie pani Laflamme.

Sophie patrzyła to na łunę pożaru, to na sylwetkę Griffina. Było za późno. Strażacy nie mogli już uratować starego, drewnianego domu. Mogli tylko powstrzymać rozprzestrzenianie się pożaru, ale lato tego roku było wilgotne i niewielkie było niebezpieczeństwo, że ogień przeniesie się na sosnowy las otaczający Stonegate.

Sophie siedziała w fotelu ogrodowym i przyglądała się, jak jej przyszłość idzie z dymem. Powinna rozpaczać, zalewać się łzami, biegać, chwytać za sikawkę, ratować co się da ze stojącego w ogniu domu. Nawet nie kiwnęła palcem.

Zabiła dzisiaj człowieka. Starego, chorego psychicznie człowieka. Wyrządził wiele straszliwego zła, ale pomimo wszystko był istotą ludzką, a ona zdzieliła go latarką w głowę i zostawiła na pewną śmierć w płomieniach, na całopalnym stosie, który sam sobie zbudował.

Zakochała się dzisiaj, wybrała nieodpowiedniego człowieka, zupełnie nieodpowiedni moment, nieodpowiednie miejsce. Może jeszcze zdoła wybić sobie tę nieodpowiednią miłość z głowy. Oby nie było za późno.

Patrzyła, jak jej marzenia trawi ogień. Nie miała domu, pracy, przyszłości. Tak, powinna być zupełnie załamana, a ona tymczasem czuła niezwykłą lekkość w sercu. Była wolna.

Czy na tyle wolna, by uciec od Thomasa Griffina? Czy też po prostu zamieniła tylko jeden rodzaj więzów na inny?

Oparła się wygodnie i zamknęła oczy. Żar bijący od płomieni grzał ciało niczym słońce w samo południe. Miała absurdalne odczucie, że jeśli będzie tak siedziała wystarczająco długo, bez ruchu, zdoła zachować coś ze stojącego w ogniu domu, wryć w pamięć, zapisać w duszy.

Nadzieja trwała nawet wtedy, gdy dom sczezł już ze szczętem, gdy pozostał po nim tylko dym i smętne pogorzelisko. Przez bardzo krótki czas stanowił część jej życia. Teraz wszystko się zmieniło.

Usłyszała trzask i otworzyła oczy. To zapadło się stare skrzydło szpitalne, grzebiąc pod deskami ciało Doka. Strażacy odsunęli się na bezpieczną odległość, najwyraźniej uznawszy, że nic już nie uda się uratować, że mogą już tylko zapobiec rozprzestrzenianiu się pożaru.

Trudno i... dobrze. Nie miałaby serca odbudowywać Stonegate. Cholera, może w ogóle nie miała serca. Gdyby je miała, pewnie podałaby je na srebrnej tacy sąsiadowi z chaty Whittenów.

Widziała wyraźnie jego sylwetkę na tle płonącego domu, wśród dobrych ludzi z Colby. Ktoś dał mu kombinezon ochronny, ale poznałaby go wszędzie po charakterystycznym chodzie, sposobie trzymania głowy, postawie, kiedy rozmawiał o czymś ze strażakami.

Niemal słyszała ich głosy. Siedziała i w milczeniu, uderzana falami gorącego powietrza, wymieniała każdego z imienia. Oto Will Audley i jego syn Perry, po lewej John Corbett, Zebulon King, który wdał się w jakąś zajadłą dyskusję z Griffinem. Innych nie rozpoznawała i nie miało to żadnego znaczenia. Była nieludzko zmęczona. Marzyła o gorącej kąpieli w staroświeckiej wannie na krzywych nóżkach i o tym, żeby wreszcie położyć się do łóżka. I wannę, i łóżko straciła w pożarze.

Wszyscy jakby zapomnieli o jej obecności. Może myśleli, że pojechała do szpitala z Grace, ale lekarz z karetki powiedział jej, żeby została. Może uznali, że Patrick zabrał ją do siebie, razem z Marty. A może mieli w nosie, gdzie jest i co się z nią dzieje.

Podniosła się z fotela. Nie mogła już dłużej przyglądać się pożarowi. Odwróciła się i poszła na niewielki cypel, skrawek ziemi wcinający się łagodnie w jezioro.

Od płonącego domu odgradzały ją teraz potężne sosny, rozświetlane łuną niebo jaśniało jak za dnia. Weszła na niewielki pomost, szczęśliwa, że nikt jej nie widzi, nikt nie przeszkadza. Chciała przynajmniej przez chwilę pobyć sama.

Powinna była wiedzieć, że w chwili kiedy zamarzy o odrobinie prywatności, pojawi się u jej boku Griffin. Stanął za nią na pomoście. Spojrzała na niego, a potem zapatrzyła się w pomarańczowe refleksy płomieni na wodzie.

– Dobrze się czujesz, Sophie? – zapytał zdławionym głosem.

– Po prostu wspaniale. Idź sobie.

– Okropnie wyglądasz.

– Jeśli nie masz nic bardziej budującego do powiedzenia, to zabieraj się stąd i zostaw mnie na chwilę samą. – Odwróciła się sztywno i znowu zapatrzyła w wodę.

Podszedł bliżej, rozgrzany, pachnący dymem.

– Powinnaś pójść do mnie – mruknął. – Nie masz gdzie się podziać.

– Dziękuję bardzo, ale znajdę sobie jakieś przytulisko. Przede wszystkim powinnam pójść do Rimy.

– Rima nie żyje. Zeb King mówił mi, że zmarła wieczorem. Chyba przez uduszenie, wszystko na to wskazuje. Dok prawdopodobnie powiedziałby, że to był atak serca.

Sophie milczała. Wszystko nabrało jakichś makabrycznych wymiarów, nic nie miało już sensu.

– Zatrzymam się u Marge Averill.

– Chcesz, to zawiozę cię do niej.

– Nie fatyguj się. Na pewno lada chwila sama

się tu pojawi, nie pozwoli, żeby taki melodramat przeszedł jej koło nosa.

– W porządku. – Nie zamierzał się z nią w tej chwili kłócić.

Był prawdopodobnie zadowolony, że może się jej pozbyć bez niepotrzebnych, żenujących scen.

– Domyślam się, że wyjeżdżasz – powiedziała sztywno.

Cisza.

A potem:

– A jest jakiś powód, dla którego powinienem zostać w Colby?

Nie miała pojęcia, czy to tylko retoryczne pytanie, czy wręcz przeciwnie. Powinna go poprosić, żeby został? Powiedzieć mu, że zakochała się w jego kłamliwej twarzy i biegłych w pieszczotach dłoniach? Nie wspomniawszy już o ustach.

– Nie wiem, co mogłoby cię tu trzymać.

Znowu cisza i w końcu:

– Dobrze. Pójdę, zadzwonię do Marge, upewnię się, czy przyjedzie.

– Jeśli chcesz.

Cisza.

Kiedy Sophie się odwróciła, już go nie było.

Usiadła na skraju pomostu, zanurzyła stopy w chłodnej wodzie. Gdzieś w zamieszaniu zgubiła buty służące do pracy w ogrodzie, nie pamiętała gdzie i jak, a woda chłodziła rozkosznie.

Może powinna zsunąć się do jeziora, pozwolić, żeby woda zmyła z niej sadzę, pot i seks.

A może nie chciała pozbywać się ostatniego śladu łajdaka, którego pokochała. Siedziała tak, gapiąc się w jezioro i powtarzając sobie, że jest skończoną idiotką.

ROZDZIAŁ DWUDZIESTY DRUGI

– Co masz zamiar zrobić ze swoim życiem? – zapytała ją Marge Averill któregoś dnia przy śniadaniu, w jakieś dwa tygodnie później. – Nie zrozum mnie źle, nie wypędzam cię. Możesz u mnie mieszkać, jak długo zechcesz, ale twoja rodzina już jakoś się urządziła, a ty plączesz się po świecie niczym zabłąkana dusza.

Sophie uśmiechnęła się ostrożnie.

– Już mnie nie potrzebują.

– Nie, nie potrzebują cię – przytaknęła Marge bez cienia taktu. – Madelene Laflamme zajmie się Marty i potrafi ją upilnować. Twoja siostra nie mogła lepiej trafić. Będzie jej dobrze.

– Owszem. W końcu wyjdzie za Patricka i dochowa się tuzina dzieci.

– Nie jest trochę za młoda?

– Kobiety z rodziny Davisów już takie są. Zakochują się tylko raz w życiu i potem nikt już nie może im dogodzić. Marty przynajmniej dobrze wybrała.

– Jakoś nie odniosłam wrażenia, żeby twoja matka przeżyła życie, dochowując wierności temu jednemu wybranemu – zauważyła Marge z niejakim przekąsem.

– Wyobraź sobie, że tak. Umarł, zanim poznała mojego ojca, a ona postanowiła się z tym pogodzić i żyć dalej. Potem już zawsze się godziła. I żyła dalej. Ot i cała historia.

– A ty? Co z twoją prawdziwą miłością, która odeszła w przeszłość?

– Nie mam prawdziwej miłości, która odeszła w przeszłość.

– A jakże. Masz. Ciągle tu tkwi.

Sophie podniosła gwałtownie głowę.

– O czym ty mówisz?

– A jak myślisz, o czym? Mówię o Thomasie Griffinie. Wrócił do Colby. Wyjechał ledwie na kilka dni i wrócił. Kupił chatę Whittenów i zaczął ją remontować.

– Niech sobie w niej mieszka szczęśliwie.

– Nie wygląda na specjalnie szczęśliwego. Patrzy spode łba i warczy na każdego. Coś mi się wydaje, że masz z tym coś wspólnego. Nie chcesz z nim rozmawiać, pewnie dlatego chodzi taki skwaszony.

– Nie mam mu nic do powiedzenia.

– Myślę, że jest wiele do powiedzenia. Nie wiem, o co wam poszło, ale mogę się domyślić.

– Nie domyślaj się, przeczytaj sobie lepiej jakiegoś harlequina.

– Gorący Romans? – Marge uśmiechnęła się domyślnie. – Szczęśliwa dziewczyna.

– Nie chcę o tym rozmawiać.

– Dobrze, nie będziemy o tym rozmawiać. Co zamierzasz dzisiaj robić? Ja mam umówionego klienta, któremu muszę pokazać dom, potem czeka mnie trochę papierkowej roboty. Kiedy zdecydujesz, co z ziemią? Przynajmniej miałaś dość rozumu, żeby dobrze ubezpieczyć tę swoją budę. Spłacisz hipotekę i jeszcze ci zostanie trochę grosza. Mogłabyś wybudować nowy dom, trochę mniejszy od Stonegate.

– I czym będę się zajmować?

Marge wzruszyła ramionami.

– Coś wymyślisz. Nadal możesz pisać artykuły.

– Chcę mieć dom, prawdziwy dom.

– To go sobie znajdź. Stwórz go, Sophie. To był tylko budynek, ściany, dach.

I wszystkie jej marzenia. Podniosła się ze sztucznym uśmiechem na twarzy.

– Znasz to powiedzenie: na troski najlepsze są zakupy, na poważne troski, poważne zakupy? Potrzebuję trochę nowych ciuchów. W okolicy nie dostanę nic w moim stylu.

– Nazywasz to stylem? – prychnęła Marge. – Ubierasz się jak stara ciotka.

– Czuję się jak stara ciotka.

– W Burlington jest taki butik, nazywa się Sekrety Sypialni.

– Idź do roboty, Marge.

Lato odeszło, przyszła jesień. W powietrzu czuło się zapowiedź prawdziwych chłodów. Liście zaczęły opadać, porywisty wiatr łamał gałęzie. Kiedy krótko po siódmej Sophie wróciła do wsi, znalazła się pośród drzew otaczających jezioro wielobarwną koroną. Zmieniała się gwałtownie pogoda, zmieniały się pory roku, nadchodziły zimne dni.

A ona musiała postanowić, co dalej. Jej cudownie wrócona do życia, pełna dawnej energii matka wybierała się do Paryża. Mogłaby z nią jechać. Grace zawsze ciągnęła ją ze sobą w kolejne podróże, ale kończyło się na nieskutecznych namowach. Sophie niezmiennie odmawiała, wykręcając się nawałem trzymających ją w kraju obowiązków.

Teraz nie miała żadnych obowiązków, ale i Grace jakoś przestała ją namawiać. Siedziała w Bostonie, przygotowywała się do wyjazdu i zachowywała tak, jakby uznała, że Sophie bardzo służy tutejszy klimat, a zimą w Vermoncie jest piękniej niż w Paryżu.

Nawet Marty już jej nie potrzebowała. Urządziła się całkiem nieźle pod czujnym okiem Madelene

Laflamme, nie farbowała włosów na wściekły kolor fuksji, nosiła odrobinę dłuższe spódnice, jej słownictwo uległo radykalnemu odchwaszczeniu. Rzuciła nawet palenie.

Miała zamiar zostać jeszcze trochę w Colby, pomagać w gospodarstwie, a potem wybierała się na uniwersytet, ten sam, na którym studiował Patrick, co wszystkich wprawiało w zachwyt. Wszystkich z wyjątkiem Sophie, która potrzebowała kogoś, kto by jej potrzebował.

Rzuciła torby z zakupami na wielkie łóżko w pokoju gościnnym i poszła do łazienki wziąć prysznic. Włosy ucierpiały w pożarze, ale Tracy, właścicielka salonu fryzjerskiego, zgrabnie je przycięła. Fryzura była ładna, z wiaterkiem, lekka, pasowała do wykroju twarzy Sophie, ale nie do jej sukien.

Wiedziała już, co ze sobą pocznie. Miała czas na rozmyślania podczas długiej drogi do Burlington. Z upływem godzin upewniała się coraz bardziej w przekonaniu, że nie ma innego wyboru. Pozostała tylko jedna osoba, za którą musiała czuć się odpowiedzialna i tą osobą była Sophie Davis.

Wytarła się, wtarła w skórę krem pachnący gardeniami, ogoliła nogi, włożyła skąpą, seledynową bieliznę z jedwabiu, na to czarną suknię, podkreślającą jej krągłości i odsłaniającą nogi. Może trochę za bardzo, ale nogi miała dobre, musiała to przyznać. Pupę miała za dużą, ale

Jennifer Lopez też ma zbyt obfitą. I piersi też były za duże, ale jemu całkiem się podobały. Chciał ją zobaczyć w czymś dopasowanym.

Wreszcie zobaczy.

Nadszedł odpowiedni czas.

Kupiła nawet pantofle na wysokich obcasach, choć na wiejskie ścieżki Vermontu niezbyt się nadawały. W ostatniej chwili stchórzyła i zarzuciła płaszcz przeciwdeszczowy Marge, dopiero potem wsiadła do wynajętego samochodu i ruszyła na północny kraniec jeziora.

Zatrzymała się po drodze przy pogorzelisku Stonegate. Słońce właśnie zachodziło nad jeziorem. Wyłączyła silnik i przyglądała się osmalonym pozostałościom po domu. Częściowo osmalonym, bo dwa tygodnie i trzy ulewy zrobiły swoje. Część budynku wypaliła się, reszta zapadła. Jedyna rzecz, która przetrwała, to spiżarnia w suterenie, o solidnych kamiennych murach.

Brakowało jej roztaczającego się z domu widoku na jezioro, widoku, który tak lubiła. Brakowało jej ganku, na którym siadywała z kubkiem świeżo zaparzonej kawy. Brakowało kuchni z jej sprzętami, kamionkowych garnków, staroświeckich pojemników na cukier i mąkę. Brakowało tapet, przy których tak się namordowała, drewnianych podłóg, które pieczołowicie cyklinowała i pastowała.

Ale najbardziej brakowało jej Griffina. Miała już dość własnego tchórzostwa.

Polna droga do chaty Whittenów była w jeszcze gorszym stanie niż przed dwoma tygodniami, wyglądała po ostatnich ulewach fatalnie, miękką ziemię rozjechały w dodatku jakieś ciężkie maszyny.

Zaparkowała obok jaguara i zaklęła pod nosem. Miała nadzieję, że do tego nie dojdzie, że nie będzie musiała składać wizyty w chacie, że Marge się myliła i Griffin definitywnie wyjechał, a ona znajdzie sobie jakiś inny sposób na życie.

Griffin niestety nie wyjechał. Był w domu. Oby sam.

Wieczór był chłodny, w powietrzu czuło się wyraźnie jesień, z komina unosił się dym. Dobry zapach, w niczym nie przypominający smrodu benzyny na pogorzelisku.

W oknach paliły się światła, dom zdawał się zapraszać do środka, ale Sophie nie miała złudzeń. Tu czekała jej przyszłość, a jednak miała ogromną, nieprzepartą ochotę odwrócić się na pięcie i uciec.

Owinęła się szczelnie płaszczem i wysiadła z samochodu. Jeden pantofelek przekrzywił się na żwirze, tak że omal nie skręciła nogi w kostce. Zaklęła szpetnie i zrzuciła je. I bardzo dobrze.

Jeśli Griffin da do zrozumienia, że nie chce jej widzieć, odwrót boso będzie wygodniejszy.

Zapukała, ale nikt nie otworzył. W porządku, nie ma go w domu. Wpadnie innego dnia.

Bzdura. Wiedziała, że nie przyjedzie. Raz zdobyła się na ten krok, drugiego razu już nie będzie. Nacisnęła klamkę i weszła do ciepłego, przytulnego wnętrza.

Spojrzała na dywan. Doskonale pamiętała, czego świadkiem był przed zaledwie kilku tygodniami. Musiała zwariować, chyba przygnało ją tu jakieś licho. Tak dobrze już jej szło ignorowanie Griffina.

Trudno, musi się z nim spotkać, musi spojrzeć mu w twarz, jeśli chce jakoś ułożyć sobie dalsze życie. Przeszła przez pokój i usiadła w fotelu, cały czas mocno owinięta płaszczem.

Usłyszała jego kroki na ganku. Wiedziała, że to on, wszędzie rozpoznałaby odgłos jego kroków. Widział już jej samochód, jest przygotowany, że zastanie ją w domu. O ile oczywiście rozpoznał samochód, który musiała wypożyczyć, oddając do warsztatu subaru, które trochę ucierpiało podczas pożaru.

Pchnął drzwi i wszedł do środka z naręczem drewna. Ledwie na nią spojrzał, bardziej zainteresowany, żeby zamknąć skutecznym kopniakiem drzwi za sobą. Kiedy już mu się udało, złożył polana przy kominku, poprawił ogień, dorzucił kilka szczap. W końcu przechylił głowę i zmierzył ją uważnym spojrzeniem od stóp do głów, zawiniętą w pożyczony płaszcz przeciwdeszczowy.

– Najwyższa pora – powiedział obojętnie.

– Wyjeżdżałeś – udało się jej jakimś cudem dobyć głos z gardła.

– Dokładnie na dwa dni. I nie patrz na mnie tak, jakbyś miała przed sobą Kubę Rozpruwacza. Nie jestem mordercą, zapomniałaś?

Najpierw obojętność, teraz kpiny. Zawsze musiał ją irytować. Jak może sobie dowcipkować, kiedy ona skręca się z niepewności?

– Kiepski temat do żartów.

– Jestem śmiertelnie poważny.

Przysiadł na piętach, nie przestając się w nią wpatrywać. Prawie zapomniała, jaki jest wspaniały, z tymi swoimi przyprószonymi siwizną lokami, w drucianych okularach zsuniętych na koniec nosa, z dużymi silnymi dłońmi i zbereźnymi ustami... Zrobiło się jej gorąco, ale za nic nie rozstałaby się z płaszczem przeciwdeszczowym.

– Co cię sprowadza? Chcesz się pożegnać czy może czegoś potrzebujesz?

– Mogę zaraz wyjść... – powiedziała, podnosząc się z fotela.

Błąd. Położył jej ręce na ramionach i popchnął lekko, zmuszając, by na powrót usiadła. Zapomniała już, jak smakuje dotyk jego dłoni. Strasznie dużo rzeczy usiłowała wyrzucić z pamięci w minionych dniach.

– Nie możesz wyjść. Najpierw musimy ustalić, co dalej.

– Co masz na myśli?

– Będziemy się kłócić czy idziemy na górę? Dotąd nie wypróbowaliśmy łóżka. To może być bardzo orzeźwiające doświadczenie.

– Zdarza ci się myśleć o czymś poza seksem?

– Kiedy patrzę na ciebie, raczej nie. Kiedy cię nie widzę, kiedy chowasz się przede mną w jakiejś mysiej dziurze, myślę o tym, jaka potrafisz być irytująca, wkurzająca niczym wrzód na dupie i jak bardzo brakuje mi twojego widoku.

– To za mało.

– Mam ci powiedzieć, że się w tobie do szaleństwa zakochałem? Jestem prawnikiem, Sophie, dobrym prawnikiem, potrafię kłamać, jak każdy dobry prawnik.

Zamrugała. Rzekło się, brutalne słowa ujrzały wreszcie brutalne światło dnia. Tylko że światło nie było wcale brutalne – stare lampy, złoty blask z kominka.

– To mamy problem – powiedziała cicho.

– Tak?

– Owszem. Bo ja jestem w tobie zakochana.

Nie uszczęśliwiło go jakoś szczególnie to, co właśnie usłyszał.

– To tylko seks, Sophie.

– Dlaczego w takim razie wróciłeś?

Griffin wzruszył ramionami.

– Niedokończona sprawa? Żądza? Spóźnione poczucie przyzwoitości?

– Mówisz, że jesteś prawnikiem, prawnicy nie mają poczucia przyzwoitości, nawet spóźnionego.

– Czego chcesz ode mnie?

– To ty mi powiedz, czego chcesz ode mnie.

Zawahał się.

– Ja? Chcę ciebie.

– Tak? – zachęciła go do dalszych wynurzeń.

– Chcę cię w moim łóżku. Chcę cię w moim domu. Cholera, Sophie, chcę cię w swoim życiu. Chcę cię zabrać na górę, do wielkiego łóżka, kochać się z tobą bardzo powoli, a potem usnąć przy tobie, co jest bardzo dziwne, bo nie śpię z kobietami, z którymi uprawiam seks. Chcę się z tobą budzić rano, kłócić po południu i chcę się kochać, kochać z tobą, w każdym miejscu, które się do tego nadaje. A potem powtórzyć wszystko od początku. Chodź na górę, Sophie. Ogrzeję cię, odegnam ciemności.

Zaczynała mięknąć, ale jeszcze próbowała się sprzeczać.

– Nic nas nie łączy.

– Wiem – przytaknął Griffin.

– Będziemy cały czas użerać się ze sobą.

– Ale potem będziemy się godzić.

– Będziemy. Ożenisz się ze mną.

– Masz rację, ożenię się z tobą – powiedział bez przekonania.

– I będziesz mnie kochał. – Wstała i zrzuciła wreszcie płaszcz przeciwdeszczowy.

Położył jej dłonie na ramionach i przygarnął ją do siebie.

– Niech mnie Bóg ma swojej opiece, w tym też się nie mylisz.

I pocałował ją.